제국과 변경

한양대학교 비교역사문화연구소 기획

집필자

박혜정 경기대학교 사학과 초빙교수

조 원 한양대학교, 단국대학교 사학과 강사

정 면 서강대학교 디지털역사연구소 연구교수

이세연 한양대학교 비교역사문화연구소 HK연구교수

은정태 역사문제연구소 연구위원

김선민 고려대학교 민족문화연구원 HK교수

정순일 고려대학교 역사교육과 조교수

김보광 가천대학교 가천리버럴아츠칼리지 조교수

한승훈 고려대학교 한국사학과 강사

RICH트랜스내셔널인문학총서 9

제국과 변경

한양대학교 비교역사문화연구소 기획
이세연 · 정면 · 조원 엮음

초판 1쇄 발행 2017년 3월 28일

펴낸이 오일주
펴낸곳 도서출판 혜안

등록번호 제22-471호
등록일자 1993년 7월 30일

주소 ㊥ 04052 서울시 마포구 와우산로 35길 3(서교동) 102호
전화 3141-3711~2
팩스 3141-3710
이메일 hyeanpub@hanmail.net

ISBN 978-89-8494-578-4 93900
값 22,000 원

이 책은 2008년 정부의 재원으로 한국연구재단의 지원을 받아 수행된 연구임(NRF-2008-A00005)

RICH 트랜스내셔널인문학총서 9

제국과 변경

한양대학교 비교역사문화연구소 기획
이세연 · 정면 · 조원 엮음

혜안

머리말

본서는 2015년 11월에 열린 학술회의 <제국과 변경>의 성과를 한데 묶은 것이다. 학술회의 <제국과 변경>은 같은 이름의 연구모임을 근간으로 개최되었다. 그 모태는 2013년 가을에 만들어졌다.

2013년 당시 한양대학교 비교역사문화연구소에 재직 중이던 조원은 "이렇게 좋은 연구 환경에서 아무 것도 하지 않는 것은 직무유기"라며 동료 연구교수 정면과 이세연에게 모종의 연구모임을 만들자고 제안했다. 전근대사 혹은 비근대사를 학문적 출발점으로 삼고 있던 세 사람은 몇 가지 고민을 공유하고 있던 터라, 자연스레 연구모임-실상은 잡담회에 가까운 것이었지만-을 결성하게 되었다. 당시 세 사람의 머릿속을 오간 물음은 다음과 같은 것들이었다.

국사 패러다임, 유럽/근대 중심주의에 대한 전복적인 시각, 트랜스내셔널 역사학의 가능성에 공명하여 연구소에 합류했지만, '만들어진 전통'의 허물을 벗겨내는 작업 외에 어떤 글쓰기가 가능할까? 내셔널하지 않은 시대를 대상으로 내셔널을 횡단한다는 것은 어떤 의미인가? 방법론, 인식론으로서의 트랜스내셔널 역사학은 어떻게 실천될 수 있는가?

몇 차례 모임을 거듭하며 서로의 '바닥'을 드러내는 과정에서 세 사람은 비교역사문화연구소의 출발지점에서 내세워졌던 변경사(border history)에 주목하게 되었다. 이러한 결론에 다다른 사고의 회로를 정리해 보면 다음과 같다.

트랜스내셔널 역사학의 요체는 근대의 기획에서 비롯된 각종 '경계'를 자명한 것으로 보지 않고 이를 부단히 횡단함으로써 갈등의 역사학 너머 공존의 역사학을 추구하는 데 있다. 그 실마리는 무엇보다 '경계'를 반추하는 과정에서 획득될 것이다. '경계'야말로 근대 역사학의 주술이 첨예하게 작동하는 지점이자 맨얼굴을 드러내는 지점이기 때문이다.

지리상의 경계 역시 예외는 아니다. 국경을 비롯한 각종 경계는 근대에 이르러 불순물을 허용치 않는 강고한 선으로 상상되고 형상화되곤 했지만, 실제로는 다양한 층위의 인적·물적 교류가 뒤엉킨 두터운 면으로 존재해왔다. 이처럼 두터운 면으로서의 경계의 역사를 드러내고 탐색하는 것이 변경사라고 한다면, 트랜스내셔널 역사학의 유력한 존립근거는 다름 아닌 변경사에서 찾을 수 있을 것이다.

변경의 다이너미즘은 근대 특유의 역사현상이 아니다. 변경사적 사유가 국민국가에 대한 회의에서 비롯된 것은 분명한 사실이지만, 그 사유의 연쇄를 근대의 시공간에 가두어둘 이유는 어디에도 없다. 오히려 역사현실은 변경의 다이너미즘이 근대 이전의 제국체제에서도 혹은 제국체제에서야말로 극명하게 관찰될 수 있음을 암시해준다.

더군다나 오늘날에는 포스트 제국주의 혹은 포스트 국민국가시대의 '제국'의 정체가 다각도로 모색되고 있고, 이에 연동하여 역사상의 제국들의 존재 방식이 일종의 가족 유사성(family resemblance)에 근거하여 폭넓게 재검토되고 있다. 과거의 제국들과 오늘날의 '제국'의 관계에 대한 의견들 사이에는 상당한 편차가 보이지만, 과거의 제국들이 밟아온 길에 대한 성찰은 공통의 인식기반으로서 그 깊이와 폭을 더해가고 있다.

이와 같은 이야기들을 공유하며 우리는 제국을 의식한 변경사 연구가 지금 바로 이곳의 현실을 가늠하고 새로운 좌표를 설정하는 데 유효한 방편이 되리라 판단했다.

변경사의 시각을 계승 발전시켜나가자는 판단의 근간에는 2004년 이후의 상황에 대한 반성도 가로놓여 있었다.

2004년 4월 비교역사문화연구소 창립기념 국제학술회의 <근대의 국경 역사의 변경>이 개최되었다. 그해 10월에는 같은 이름의 책도 출간되었다. 근대의 신화에 입각한 영토담론이 횡행하던 당시에 <근대의 국경 역사의 변경>의 문제제기는 시의적절하고 충분히 도발적이었다. 하지만, 그것은 한반도 내지 동아시아의 역사현실에 입각한 변경사를 구체적으로 제시하는 데는 이르지 못했다. 또 여러 사람이 기대했을 터인 후속사업도 진행되지 않았다.

<근대의 국경 역사의 변경>이 거둔 절반의 성공은 비교역사문화연구소에 대한 안팎의 평가를 상징하는 것처럼 여겨졌다. 문제제기는 매우 날카롭고 신선하지만, 이를 뒷받침해주는 내용의 부재는 심히 당혹스럽다는 게 많은 동료 연구자들의 뼈아픈 비판이었다. 결자해지라고 할까, 빛바랜 서류철처럼 보이기도 하는 변경사를 다시금 끄집어낼 이유는 여기에도 있었다.

주변 사람들의 많은 기대와 우려 속에 연구모임 <제국과 변경>은 차츰 외연을 넓혀갔고, 학술회의의 개최 계획 역시 구체화되어갔다. 이 과정에서 결정적인 역할을 한 것은 윤해동이었다. 조원의 권유로 연구모임에 합류한 윤해동은 예의 거시적인 시각과 전체 판에 대한 장악력을 바탕으로 연구모임을 내용과 형식 양면에서 부동의 것으로 만들었다. 윤해동의 안목이 없었다면 최초의 연구모임은 잡담회 수준에 머물렀을지도 모른다.

윤해동에 이어 박혜정, 은정태, 정순일, 김보광, 한승훈이 연구모임에 합류했다. 제법 진용이 갖춰진 연구모임은 한 달에 한 번꼴로 비교역사문화연구소 세미나실에서 개최되었다. 박혜정은 제국과 변경에 대한 근본적인 질문들을 제기하여 연구모임에 적절한 긴장감을 더했으며, 은정태는 역사현상과의 '거리두기'의 미덕을 환기하곤 했다. 정순일은 제국과 변경을 해역에서 바라보는 시각을 제시했으며, 김보광은 실증적 연구와 거대담론의 결합방식에 대해 고민거리를 던져주곤 했다. 한승훈은 '통설'을 전복하는 작업의 지난함에 대해 가감 없이 속내를 공유해 주었다.

이런저런 농과 잡담을 곁들인 저녁 도시락을 함께 한 후, 제국과 변경, 그리고 그 주위를 맴도는 연구발표와 토론을 하다 보면, 어느새 으슥한 밤이 되어 있곤 했다. 그렇게 쌓인 시간들을 바탕으로 학술회의가 개최되었고 본서의 출간이 이루어졌다.

본서는 '제국과 변경의 윤곽', '제국과 변경의 실태', '제국과 변경의 기억'의 3부로 구성되어 있다. 2015년의 학술회의 때 발표되었던 박혜정, 정순일, 이세연, 조원, 은정태의 논고에 김보광, 김선민, 한승훈, 정면의 논고를 보탰다.

제1부 '제국과 변경의 윤곽'에는 박혜정의 논고가 수록되어 있다.

박혜정의 「변경에서 중심 읽기 : 변경에서 보는 유럽 근대국가와 유럽연합」은 주변에서 중심을 조망하는 '거꾸로 바라보기'를 통해, 역사적 필연으로 인식되기 십상인 국민국가가 근대 유럽이라는 특정한 시공간에서 도출된 정치체에 불과하다는 점을 해명하는 한편, 포스트모던의 상징처럼 여겨지고 있는 유럽연합이 실은 다분히 전근대적 제국의 면모를 띠고 있음을 밝히고 있다. 박혜정의 논고는 유럽/

근대중심주의, 일직선적 발전사관의 지양과 상대화의 시도에 다름 아니라 할 것이다. 구체적인 논증과정에서 중심과 주변을 구분짓는 다양한 용어들의 함의와 맥락이 면밀히 분석되고 있는 점도 주목할 만하다. 일종의 개념사적 접근이 이루어지고 있는 셈인데, 오늘날의 역사서술방식의 추이를 가늠해 보는 데에도 좋은 참고자료가 될 것이다.

제2부 '제국과 변경의 실태'에는 정순일, 김보광, 김선민, 한승훈의 논고가 수록되어 있다.

정순일의 「9세기 초 일본의 변경과 통역 : 쓰시마에 배치된 신라역어를 중심으로」는 신라와 일본의 국경지대였던 규슈지역에 신라어를 다루는 통역관이 배치되게 된 맥락을 면밀히 추적하고 있다. 정순일은 9세기 초에 불특정 다수의 신라인들이 일본열도로 이동했으며, 이에 일본정부는 '유래(流來)'신라인의 성격을 판정하는 공식적인 시스템의 수립에 부심하게 되었다고 주장한다. 신라역어는 그 일환으로 배치되게 되었는데, 이는 경계선상의 방벽이라는 맥락에서 보자면, 외교문서를 담당하는 박사의 배치, 전쟁에 대비한 노사(弩師)의 배치와 궤를 같이 한다는 것이 정순일의 설명이다. 그러나 이와 같은 제한, 규제, 감시, 확인의 시스템은 역설적으로 경계를 넘나드는 사람들의 대규모 이동이 존재했음을 반증한다고 정순일은 강조한다.

김보광의 「고려전기 공복제(公服制)의 정비 과정에 대한 연구」는 고려 광종대~의종대의 공복 정비 과정을 살펴보고 있다. 김보광은 철저한 고증을 통해 각 시기의 공복제를 재구성하는 한편, 당제(唐制)와 송제(宋制) 사이에 걸쳐있는 듯한 고려의 공복제가 의미하는 바를 추적한다. 고려의 공복제는 실제로는 송제에 따른 것이었는데, 정작 고려인들은 자신들의 공복이 당제를 모범으로 삼은 것이라고 주장했다. 이러한 간극과 관련하여, 김보광은 '송제화된 당제'라는 표현을 사용하고 있다. 고려인들은 성종대 이래로, 송에서 변용된 당제로 인지되었던 중국의 관제 일반을 수용했던 바, 공복제 역시 같은 맥락에서 파악된다는 것이다. 김보광의 논고는 제국의 중심을 바라보는 주변부의 시선 혹은 자기인식이라는 한층 심도 있는 문제를 제기한다.

김선민의 「훈춘, 청과 조선의 변경」은 청과 조선의 변경지대인 훈춘의 지리적 특징, 거주민의 변화, 주변 세력과의 관계를 통시적으로 검토함으로써, 새로운 한중관계사의 가능성을 모색한 논고이다. 김선민은 훈춘 일대를 바라보는 조선의 시선을 '야인 번호(野人藩胡)', 중국왕조의 시선을 '와르카'라는 용어를 통해 설명하는 한편, 17세기 중엽 이후 훈춘 일대에서 펼쳐진 변경 무역의 실태를 치밀하게 추적한다. 이를 통해 김선민은 훈춘의 역사가 단선적, 영토중심적, 일국사적 시각으로는 파악될 수 없다고 강조한다. 근대적 역사학의 입장에서 보자면, 훈춘은 매우 불편한 장소가 아닐 수 없는데, 그 역사적 실태에 대해서는 김선민의 후속 논고 "Hunchun, the Qing-Chosŏn Borderland in the Eighteenth Century"가 양질의 참고자료가 될 것이다.

한승훈의 「1880년대 영국외교관의 조선 북부 지역 여행에 담긴 함의 : 영국의 경제적 확장과 관련하여」는 1884년과 1889년에 각각 작성된 영국 외교관 칼스와 캠벨의 조선 북부 여행기를 당대의 정치·경제적 맥락에서 면밀하게 분석하고 있다. 한승훈에 따르면, 이들 여행기는 조청상민수륙무역장정, 조로육로통상장정의 균점 여부에 대한 판단 근거의 확보, 조선 광물자원시장의 현황 파악이라는 맥락에서 작성되었다고 한다. 여행을 촉발한 '제국적 상황'에 대한 분석과 여행기에 대한 촘촘한 분석은 그간 잘 알려지지 않았던 영국의 대조선 인식과 전략을 가늠하는 데 큰 도움을 준다. 또 조선에 대한 정보가 왕립지리학회를 매개로 영국의 지식인 사회에서 공유되어가는 모습에서는 제국의 학지, 아카이브가 구축되어가는 과정을 상상할 수 있어 흥미롭다.

제3부 '제국과 변경의 기억'에는 정면, 이세연, 조원, 은정태의 논고가 수록되어 있다.

정면의 「'대봉민국(大封民國)'과 '백국(白國)' : 남조(南詔)·대리(大理) 시기 '운남사(雲南史)' 서술과 자기인식」은 운남 지역에서 생산된 사료들을 중심으로 '백국(白國)'의 역사가 계보화된 맥락을 추적하고 있다. 정면의 글은 국사로서의 중국사에 포섭되지 않는 운남 지역의 역사를 시사한다는 점에서도 흥미롭지만, 역사서술과 텍스트에 대한 근본적인 성찰을 촉구한다는 점에서 보다 큰 의미를 지니고 있다. 정면은 『南詔圖傳』, 『紀古滇說集』 등의 사료를 제각각의 시대적 문양이 아로새겨진 '직조물'로 파악하고, 그것들을 구성하고 있는 씨실과 날실 한 올, 한 올을 시종일관 신중하게 다루고 있다. 이와 같은 태도가 각각의 텍스트를 생산하고 향유한 자들, 그리고 그들의 역사에 대한 존중과 맞닿아 있다는 점은 두말할 나위 없다.

이세연의 「'동이'는 '오랑캐의 땅'을 어떻게 바라보았는가? : 가마쿠라막부의 오슈 인식」은 중세일본의 변경, 오슈(奥州)에 대한 가마쿠라막부의 인식을 분석하고 있다. 이세연은 1189년의 오슈전투를 전환점으로 자리매김한다. 이 전투에서는 '정이'의 기억이 환기되기도 하지만, 오슈의 정치·경제·문화적 발전상이 확인되기도 하여 막부의 오슈 인식은 질적으로 변화하지 않을 수 없었다는 것이다. 이러한 인식의 변화 폭은 겐지 장군가의 혈통 단절과 막부 내의 세대교체를 매개로 한층 넓어졌으며, 오슈 전역은 점차 생활의 장으로 탈바꿈했다고 이세연은 주장한다. 이세연의 논고는 중세일본의 중심과 변경,

주변부의 자타인식이라는 문제에 접근하기 위한 시론이라고 할 수 있다.

조원의 「17~20세기 몽원사 연구에 나타난 청 지식인들의 '몽골제국' 인식 : 『元史類編』, 『元史新編』, 『新元史』를 중심으로」는 17~20세기에 새로이 저술된 몽골제국사가 각각 어떤 시대적 맥락을 지니고 있었는지 분석하고 있다. 조원은 『元史類編』(1693년 완성)과 관련해서는 청제국의 판도가 할하 몽고까지 확대되어간 사실, 『元史新編』(1853년 완성)과 관련해서는 균열하는 청제국의 강역에 대한 위기의식이 고조된 사실, 『新元史』(1930년 완성)와 관련해서는 세계인식의 지평이 확대된 사실을 강조한다. 위 사서들은 공통적으로 각 시기에 청제국의 변강으로 인지되고 있던 지역에 대해 상세히 서술하고 있는데, 조원은 이를 '제국 확장', '제국 건설'의 맥락에서 설명한다.

은정태의 「함경도 지식인들의 시선에서 본 간도문제」는 국가 간의 문제로 자리매김되어 왔던 간도문제를 지역의 시선에서 재검토하고 있다. 지역의 시선에서 바라보았을 때 간도문제는 기본적으로 조선왕조와 중앙에 대한 인정투쟁이었다고 은정태는 지적한다. 은정태에 따르면, 간도문제에 대해 함경도의 지식인들은 왕실발상지론, '두만강중심론'을 제기하며 함경도의 지역가치를 어필했다. 이들의 노력은 일정한 결실을 맺었으며, 이후 근대 함경도의 지역의식 형성에 주요 기반을 제공했다고 은정태는 주장한다. 대한제국의 네이션 빌딩 과정에 함경도의 지역사회가 전근대적 레토릭, 기획을 내세우며 연루되어가는 과정을 생생하게 그려낸 은정태의 연구는 여타 관련 사례연구에서 좋은 참고자료가 될 것이다.

원래 제1부 '제국과 변경의 윤곽'에는 윤해동의 「동아시아 변경사 연구 시론 : 지대, 선, 영토」도 덧붙여질 예정이었지만, 기술적인 문제로 인해 수록되지 못했다. 편자로서는 여러모로 아쉬움이 남는다. 이에 2015년 11월의 학술회의 때 제시되었던 발표문의 요지를 소개하고자 한다.

상기 발표문에서 윤해동은 한반도의 북쪽 변경이 지대에서 선으로 변전되어가는 과정을 트랜스내셔널한 시각에서 거시적으로 추적했다. 윤해동에 따르면, 17~19세기에 걸쳐 청과 러시아 사이에 맺어진 일련의 국경조약들은 한반도 북쪽 변경의 성격 변화에 결정적인 영향을 미쳤다고 한다. 청은 네르친스크조약(1689년)을 통해 베스트팔렌체제를 인지하고 '백두산정계비'의 설치를 주도했으며, 북경조약(1860년)을 계기로 영토의 균질적 통치라는 맥락에서 조선의 속국화를 감행하는 등 근대제국으로 탈바꿈하고자 했다고 윤해동은 분석했다. 이와 같은 청의 태도는 북쪽 변경에 대한 조선의 인식 변화를 초래한 바, 양국 사이에 완충지대는 사라지고 근대적 영토관념이 자리잡게 되었다고 윤해동은 주장했다.

본서가 내디딘 한 발은 선학들의 고뇌와 열정에 크게 빚지고 있다. 특히 <근대의 국경 역사의 변경> 관련 연구자들은 본서 저자들에게 미더운 길라잡이이자 비판의 대상이었다. 그분들에게 본서가 들여다볼 만한 연구서이기를 바랄 뿐이다.

학술회의의 개최에서 본서의 출간에 이르기까지 박찬승 소장님을 비롯한 비교역사문화연구소의 연구진은 애정 어린 조언과 격려를 아끼지 않았다. 그들의 목소리는 머리말을 비롯해 본서의 곳곳에 묻어 있을 터이다.

잘 드러나지는 않지만, 연구프로젝트에는 지원 스태프들의 땀이 짙게 배어 있기 마련이다. <제국과 변경> 역시 예외는 아니었다.

고한빈, 김정란, 백선례, 신재광, 임인재, 정해린 연구보조원, 연구지원실의 강정석, 홍성희, 김정은, 김호연 선생님의 노고에 감사의 뜻을 전한다.

한동안 본서에 수록된 글들을 담아낼 그릇을 찾지 못해 애를 먹었다. 참으로 곤혹스러운 상황에서 혜안이 선뜻 손을 내밀어 주었다. 아마도 필자와 맺었던 작은 인연을 차마 저버리지 못했던 것은 아닐까 짐작한다. 감사의 말씀과 더불어 긴 인연으로 함께 하겠다는 말씀을 드린다.

<제국과 변경>은 현재진행형이다. 개념과 방법론에 대한 비판 등, 학술회의와 본서의 준비과정에서 제기되었던 문제들을 곁눈질하며 우리는 두 번째 학술회의를 준비하고 있다. 채 마치지 못한 이야기들은 1년 후에 좀 더 정돈된 형태로 내놓을 것을 다짐한다.

저자들의 마음을 담아

이 세 연

차 례

1부
제국과 변경의 윤곽

변경에서 중심 읽기*

변경에서 보는 유럽 근대국가와 유럽연합

박혜정

1. 서론 : 왜 변경의 시선인가?

1990년대 초 냉전 종식 후 세계를 양분했던 미소 양강 구도가 무너지면서 그 빈자리를 메운 것은 지역주의의 대두였다. EU의 제도적 실현과 동아시아 공동체에 대한 활발한 논의는 물론, 최근 우크라이나 사태를 계기로 러시아가 노골적으로 추진하기 시작한 유라시아 경제연합(EEU)에 이르기까지 세계는 지금 지역화 중이다. 이러한 정세 변화 속에서 '지역'이란 키워드는 역사학 내에서 두 가지 방향에서 근대 국사 패러다임을 근본적으로 전복하는 기폭제가 되고 있다. 하나는 근대 국민국가를 위로부터 해체하는 광역적 지역 연구이고 다른 하나는 아래로부터 국민국가라는 중심에 도전하는 지방 연구이

* 이 글은 「변경에서 중심 읽기 : 변경에서 보는 유럽 근대국가와 유럽연합」(『역사학보』 228, 2015)을 수정 보완한 것이다.

다. 본고의 관심은 두 번째의 방향, 즉 근대 국사 패러다임 하에서 전제되어왔던 중심과 주변의 관계를 역전시킴으로써 국사 패러다임을 내파하는 것에 맞닿아 있다. 최근 지방 연구는 국사 패러다임 속에서 국민국가 형성을 주도했다고 여겨온 중심의 지방성을 증거하는 한편, 중심에 의해 항상 규정되고 타자화 되어왔던 주변이 중심에 대해 행사했던 역방향의 영향력을 방증하는 작업으로 확대되고 있다. 후자의 연구 관심은 중심이 주변을 변경화하고 타자화하는 지배의 과정을 규명하는 작업과 사실상 표리관계에 있다. 중심의 정체성과 문화의 공고성이란 뒤집어보자면 중심에 의한 주변화와 변경화 작업의 성공 여부에 달려있기 때문이다. 최근의 새로운 지방 연구들은 변경에서의 문화적 상호작용이 중심부 문화 형성에 직접적으로 기여했다는 새로운 인식의 확산에 크게 기여하고 있다.[1)]

'변경'은 그 지리적 특성상 외부와의 문화적 상호작용이 가장 활발한 위치에 있기 때문에, 중심에 대한 이러한 역영향을 드러낼 수 있는 가장 역동적인 공간으로서 지방 연구뿐만 아니라 지구사 연구에서도 특별한 주목을 끌고 있다. 그러나 최근 변경 연구의 붐으로 관련 주제의 범위가 과도하게 확대되면서 변경 개념도 지나치게 확장되는 감이 없지 않다. 즉, 무절제한 변경 개념의 남용에 따라 상호모순적이고 상충적인 상황들이 모두 변경적인 상황으로 지칭됨으로써, 변경 개념이 정확성이나 차별적 의미를 갖지 못한 무정형적인 개념으로 전락하고 있다는 우려도 적지 않다. 특히 지구사 연구에서는 일국적 변경을 넘어서 복수의 문명적 접촉이 일어나는 '글로벌 변경'이라는 보다 화려한 수사가 동원되고 있지만, 문화적 중심과

---

1) Kären Wiegen, "Culture, Power, and Place: The New Landscape of East Asian Regionalism," *American Historical Review*, 104, 4 (1999), p.1198.

주변에서의 수용과 융합을 연결하려는 진정한 혁신적인 관점의 관철은 아직 드문 편이다.[2] 오스터함멜(Jürgen Osterhammel)과 같은 트랜스내셔널 히스토리 학자 역시 독일사의 경우, 문화전이 혹은 문화적 상호작용은 오직 변경에 국한하여 적용될 수 있으며 중심부에 대해서는 '민족 사회'라는 사회사적 범주가 훨씬 유용하다는 입장에 머물고 있다.[3]

본고는 이러한 연구사적인 정황에 주의하면서 기존 변경 연구와는 다소 다른 방향에서 접근해보고자 한다. 기존 변경 연구의 시선은 주로 중심과 네이션(nation)[4]에 의한 주변화 내지 지방화의 역사를 오리엔탈리즘적 문제의식에서 접근하거나 중심과 네이션에 완전히 지배, 흡수, 통합되지 않고 끈질기게 지속되었던 주변과 지방의 독자적인 영향력을 혼종성이란 이름으로 재조명하거나 아예 중심 자체가 또 하나의 지방에 지나지 않았음을 역설하는 데 맞추어져 있었다. 이와 달리 본고는 근대성의 핵심으로 평가되는 근대 네이션의 부상과 포스트모던적 정치체로 추앙 받고 있는 유럽연합을 중심이 아닌 변경의 시각에서 살펴보는 쪽을 택했다. 전자와 관련된 장에서는 변경이 국경으로 전환되어간 근대 네이션의 형성 과정을 중심이 아닌 주변의 관점에서 바라봄으로써 근대 네이션 개념과 결합해 있는 근대주의와 유럽중심주의의 잔영을 재차 삭제해 보고자 한다. 후자와 관련된 장에서는 유럽연합의 공고화와 더불어 국경이 거꾸로

---

2) Dan Jones, "The Significance of the Frontier in World History," *History Compass*, 1, 1 (2003), p.2.

3) Jürgen Osterhammel, "Transnationale Gesellschaftsgeschichte: Erweiterung oder Alternative?," *Geschichte und Gesellschaft*, 27, 3 (2001), pp.464~479.

4) Nation을 국민으로 번역하느냐 민족으로 번역하느냐에 따라 의미차가 상당히 나기 때문에 어느 한 쪽으로 번역하기 어려운 경우에는 가급적 원어 그대로 사용할 것이다.

변경적인 형태에 더 가깝게 변모하게 된 사실에서 출발하여, 정치체로서의 유럽연합에 관한 논쟁을 재방문할 것이다. 이는 기존의 국사 패러다임에 대한 바람직한 대안으로 부상하고 있는 유럽사 패러다임을 새로운 각도에서 바라볼 수 있는 계기를 제공해줄 것이다.

2. 변경 : frontier, border, borderland의 사이에서

2004년 4월 23일과 24일 양일간 한양대학교 비교역사문화연구소에서 주최한 국제학술대회는 국내에서 처음으로 변경 문제를 다루었다. 학술대회에서 변경 개념은 "근대 국민국가의 엄격한 국경과 대비하여, 경계 넘나들기가 가능하고 유연한, 다양하고 이질적인 문화가 만나 서로 갈등, 대립, 적응, 혼합, 통합되는 교류의 장이자 독특한 하이브리드 문화를 만들어나가는 역사적 공간"으로 합의되어 사용되었다. 문제는 변경의 영어적 표현인데, 동 학술대회의 결과물 책자에서도 밝히고 있듯이, border, borderland, zone, frontier 등이 모두 문맥에 따라 변경으로 번역될 수 있다는 점이다.[5] 이 중 'borderland' (혹은 'border region')는 1986년 샌디에이고 대학에서 국경지역의 교역, 이민, 문화, 정체성의 문제를 다루는 『변경 연구(*Journal of Borderlands Studies*)』가 창간된 이래로 변경적 문제의식에 주목하는 트랜스내셔널 히스토리 연구의 맥락에서 빠르게 확산되고 있는 어휘이다. 따라서 borderland는 다른 어휘들에 비해서 문화교류 및 상호작용, 불안정성, 혼종성, 혁신성, 문화충돌, 타협과 중재, 다원적 소속성

---

5) 임지현 편, 『근대의 국경 역사의 변경－변경에 서서 역사를 바라보다』, 휴머니스트, 2004, 일러두기에서 인용.

등과 같은 변경 사회 특유의 역동성과 탈경계성을 강조하는 뉘앙스와 결합해 사용될 때가 많다.

그럼에도 동 국제학술대회에서는 대회 표제인 "근대의 국경 역사의 변경"을 "Frontiers or Borders?"로 영역한 것에서도 알 수 있듯이, 대체로 frontier를 국경 그리고 border를 변경으로 번역해 사용했다. 그러나 양 어휘의 의미적 호환성은 각별히 큰 편이다. 모리스 스즈키(Tessa Morris-Suzuki)의 발표문은 「근대 일본의 국경 만들기－일본사 속의 변방과 국가, 국민 이미지」로 번역되었지만, 영어 원제는 "Making the Borders of Modern Japan : Frontiers and the Images of the Nation in Japanese History"였다. 그녀의 일본어 저서 『Henkyo kara Nagameru』(Tokyo : Misuzu Shobo, 2000)의 영어 표제 The View from the Frontier 역시 그녀의 국경과 변경에 대한 일관된 이해를 보여준다. 또한 동 학술대회에서 자주 인용되었던 도넌(Hastings Donnan)의 세계적으로 유명한 변경 연구서, *Borders : Frontiers of Identity, Nation and State* (Oxford : Berg Publishers, 1999)도 『국경 : 정체성, 국민, 국가의 변경』 혹은 『국경 : 정체성, 민족, 국가의 경계』로 번역되었다.[6] 다른 한편으로, 아예 frontier를 항상 변경의 의미로 구분해 사용하는 용례도 드물지 않다. 정치지리학자들은 boundary와 frontier를 선명히 구분해 왔는데, 전자가 정확하고 직선적인 특성을 갖는데 반해서 후자는 좀 더 희미하고 영역적인(zonal) 의미를 갖는다고 이해하는 식이었다. 따라서 frontier에는 엄격한 법적인 선적인 개념보다 광범한 사회적 의미가 부여되었다.[7] 변경의 의미를 "일정한 영토 내에서 종족, 문화

---

6) 도넌의 책에 대한 두 가지 번역은 위의 책, 44, 78쪽. 일러두기를 읽지 않고 바로 본문에 뛰어든 독자들은 이러한 번역상의 문제로 상당한 오해나 혼동에 이를 수 있다.

적으로 상이한 (적어도) 둘 이상의 집합체가 통일적 포괄적 국가질서 내지 법질서의 지배를 받지 않는 교류관계를 강제력의 적용 혹은 위협 하에서 유지하는 접촉 상황이 비단 지방적 차원을 넘어서 광역적으로 뚜렷이 진행되는 유형"으로 세밀하게 정의하고 있는 오스터함멜 역시 frontier를 변경의 의미로 사용하고 있다.[8)]

그러면 우리말에서는 국경과 변경이 비교적 선명하게 구분되어있는데, 왜 영어 표현에서는 전혀 그렇지 못한 것일까? 19세기를 훌쩍 넘겨서까지 국경이 확립되지 않았던 동아시아의 경우에는 국경 개념이 확고한 반면에, 서구에서는 정작 국경을 가리키는 단어가 오늘날까지도 모호하며 문맥에 따라 의미가 결정된다. 근대적 의미의 국경 개념이 정착된 이후에 양 개념을 차용하기 시작한 우리말에서는 양 개념을 구분하는 데 하등 어려움이 없지만, 단속적이고 선명치 않은, 즉 공간에 가까운 경계가 하나의 날카로운 선으로서의 국경으로 서서히 정착해간 서구의 경우에는 경계를 지칭하는 개념들이 다양하고 중첩적인 관계에 있을 수밖에 없기 때문이다. 따라서 적어도 유럽사의 경우에는 변경을 이야기하기 전에 '경계' 자체의 개념사적 문제로부터 출발하지 않을 수 없다.

우선 경계와 관련한 개념들을 비교적 체계적으로 정의하고 사용하는 현대 정치학자들의 어법을 살펴보자. 정치학자들은 안과 밖을 구분하는 경계를 지시하는 데 있어서 주로 세 단어를 상용하는데, frontier, border, boundary가 그것이다. 이 중 유럽권과 미국의 차이가

---

7) John Coakley, "National Territories and Cultural Frontiers: Conflicts of Principle in the Formation of States in Europe," *West European Politics*, 5, 4 (1982), p.36.

8) Jürgen Osterhammel, *Verwandlung der West* (München: C.H. Beck Verlag, 2009), p.471.

가장 두드러지는 개념이 frontier이다. 유럽에서 frontier는 본래 적과 직접 군사적으로 대면하는 영역을 의미하는 전선(front)이라는 군사적인 용어로 출발했지만, 현대적 의미에서는 우선 "관세, 경찰, 군대에 의해 대체로 통제, 구분되고 서로 다른 사법적 관할권이 만나는 정확한 선"을 의미한다. 둘째로 frontier는 프랑스령 알사스처럼 한 지역을 지시할 수 있다. 선이 아닌 영역의 의미로 frontier를 가장 넓은 의미에서 사용한 사람은 터너로서, 잘 알려져 있다시피 미국 대륙 내의 유동적인 정착지의 의미로 frontier를 사용했다. 이처럼 frontier는 선과 영역 모두를 지시하지만, 현대 정치학에서는 미국을 제외하면 주로 국가간 경계선(international boundary)의 의미에서 사용된다. 터너의 지배적인 영향으로 인해서 미국에서는 border가 국가간 경계선을 지칭하는 데 사용되고 frontier는 여전히 유동적인 정착지역을 가리키는 데 사용된다.

두 번째 단어 border는 대체로 분할선에 인접한 한쪽 구역의 좁은 지대(zone) 혹은 분할선 자체를 의미한다. 특히 잉글랜드와 스코틀랜드 간에 border로 불리는 곳은 양자 모두를 지칭한다. 즉 트위드강(Tweed) 어귀로부터 솔웨이 만(the Solway Firth)에 이르는 선을 의미함과 동시에, 복수형으로 쓰면 15·16세기에 양측 어느 쪽의 법도 미치지 않아서 논란의 대상이었던 현재 스코틀랜드의 한 지역의 명칭이기도 하다. 아일랜드 공화국과 영연방 북아일랜드 간의 경계처럼 오래도록 분쟁의 대상이 됨으로써 명확히 선적인 의미에서 경계가 정착되기 힘들었던 경우도 border로 지칭된다. 마지막으로 boundary는 항상 구분선을 지시해서, 세 단어 중에서 가장 협소한 의미역을 갖는다. boundary는 대체로 국가 이하 차원의 정치, 행정적 권력들 간의 경계를 나타낼 때 사용된다. 지리학자들은 boundary를 frontier와

동의어로 사용하기도 하는데, 국제경계 문제 비교의 전문가인 앤더슨(Malcolm Anderson)에 의하면 이는 국제적 용례에는 맞지 않는다고 한다.[9]

현대 정치학적 용례에서도 보듯이, frontier와 border에서 두드러지는 직선성과 영역 모두를 지칭하는 양의성은 이들 단어를 사용해온 각 문화권의 오랜 어법상의 관행과 어원을 통해서도 다시 한 번 확인될 수 있다. 요컨대, 앞서 살펴본 현대의 정치학자들의 어법에서도 그렇지만, 선과 영역, 본고의 맥락으로 말하자면 국경과 변경을 뚜렷이 구분해서 사용해온 용례는 예전에도 없었다. 이는 두 개념이 처음부터 별개로 존재하지 않았고 후자가 점차 전자로 변환되어온 유럽의 역사를 생각한다면 전혀 놀라운 사실도 아니다. 다양한 언어권에서는 경계선과 변경 영역을 각각 정확히 지칭하는 단어들이 차별적으로 사용되기보다는 여러 단어들이 가변적인 거리와 관계를 유지하며 함께 사용되어왔다. 영어에서는 frontier, boundary, borderland, limit이 그러했고, 프랑스어에서는 frontière, limite, fins, confins가 그러했으며, 스페인어에서는 frontera, limite, confin이 그러했다. 폴란드어와 같은 슬라브어권에서도 granica(border), pogranicze(borderland), rubiez(frontier), kresy(ends)가 함께 사용되었다. 독일에서

9) 세 단어들에 대한 비교는 앤더슨의 정의를 주로 따른 것이다 : Malcolm Anderson, *Frontiers: Territory and State Formation in the Modern World* (Cambridge: Polity Press, 2004), p.9. 인용구도 p.9 ; Malcolm Anderson, "European Frontiers at the End of the Twentieth Century: An Introduction," idem and Eberhard Bort (eds.), *The Frontiers of Europe* (London and Washington: Pinter, 1998), pp.4~6. 그 외에도 크리스 윌리엄스, 「변경에서 바라보다–근대 서유럽의 국경과 변경」, 임지현 편, 『근대의 국경 역사의 변경』, 45쪽 ; Emmanuel Brunet-Jailly, "The State of Borders and Borderlands Studies 2009: A Historical View and a View from the Journal of Borderlands Studies," *Eurasia Border Review*, 1, 1 (2010), p.1.

만 예외적으로 경계는 Grenze라는 하나의 어휘로 통칭되었다. 공간 구분은 인간들의 사회 활동들의 결과이므로, 공간을 채운 사람들이 자신과 타자를 구분 짓기 위해서 다양한 시기, 지역, 목적에 따라서 다양한 용어들을 사용한 것은 당연한 현상일 것이다.[10)]

이들 단어를 어원적으로 살펴보면, 크게 'frontier'와 'kresy'의 차이로 대변될 수 있지만 결코 상호 대체될 수 없는 뉘앙스가 뒤섞여 있다. 우선, 'kresy'는 주변성(peripherialism) 내지 주변화(marginalisation), 분리와 분산의 상태, 끝, 가장자리, 우리의 세계가 끝나는 곳이란 의미를 강조하는 게르만적 어원을 갖고 있다. frontier는 라틴어 frons에서 유래했는데, 정반대의 의미를 갖고 있다. 즉 이마(forehead), 전선, 출발점에 있는 것을 의미한다. 이러한 상반된 의미는 동일 현상에 대한 서로 다른 시선에서 기인하는데, frontier는 전면을 향한 전선으로 간주된 것인 데 반해서, kresy는 뒤편을 향한 가장자리로 바라본 시선의 결과이다.[11)]

유럽 공간에서 중첩적으로 사용된 다양한 경계 구분 단어들의 용례와 어원은 날카로운 국경선이 정착되어간 유럽사 특유의 공간 의식의 진화를 잘 반영해준다. 우리의 경계에 대한 이해는 '영토주의적 인식론'에 사로잡혀 있지만, 애초에 경계는 "북아프리카, 독일, 영국에서 토탄 혹은 돌로 지어진 로마 분계선들(Roman limites)로 시작"되었을 뿐이다.[12)] 고정적이고 통일적인 변경 모델을 창출하려

---

10) Andrzej Janeczek, "Frontiers and Borderlands in Medieval Europe. Introductory Remarks," *Quaestiones Medii Aevi Novae*, Vol.16 (2011), p.8.

11) Ibid., p.9.

12) Emmanuel Brunet-Jailly, "Borders, Borderlands and Theory: An Introduction," *Geopolitics*, 16, 1 (2011), p.3. limites는 본문 4장에서 언급되는 라틴어 명사 limes의 복수형이다.

는 시도들은 이제껏 모두 실패했다. 따라서 이러한 역사적 진화 과정에 진지하게 주목하는 것이야말로 종종 틀에 박힌 이분법에 기대어 상용되고 있는 변경이란 말 속에 혼재해 있는 분리와 접촉, 침투성과 고립성, 개방성과 폐쇄성의 의미 차이를 좀 더 잘 드러내는 데 도움이 될 수 있을 것이다.

3. 변경에서 국경으로 : 유럽의 근대 국가와 주권 형성

근대 유럽의 발전에서 나타난 정치지리적으로 가장 현저하고 유의미한 특징은 본래 경계지 혹은 변경이었던 것이 점차 경계선 혹은 국경선으로 바뀌어갔다는 것이다.[13] 프랑스어 'frontière'는 프랑스 지리학자들이 정확한 물리적 경계선을 확립하고자 했던 1783년까지 프랑스 지리사전에 등장하지 않았다. 1500년 이후 유럽에서 변경은 전통적으로 외부 세력과의 타협과 거래를 중재하는 공간으로부터 점차 서로 다른 주권들이 충돌하는 완충 지대(buffer zones)로 바뀌어갔다. 특히 이러한 변화는 중세 및 초기 근대부터 '마르케(marches)'라는 이름으로 불리며 존재했던 군사화된 변경의 등장에서 확인될 수 있다. marches는 본래 군사 방위와 변경 무역을 통제하기 위한 다양한 법들이 적용되는 변경이었지만 근대에 들어서는 전투 연습이 규칙적으로 실시되거나 종국적으로 실전이 벌어지게 되는 군사지역들로 빠르게 전환되었다. 종종 국경을 따라 군사용 지하 터널도 구축되었는데, 프랑스의 마지노선은 1939년까지 프랑스와 독일을 나누었던

13) Malcolm Anderson, *Frontiers: Territory and State Formation in the Modern World* (Cambridge: Polity Press, 1996), Chapter 1.

대표적인 사례이다.[14]

군사적 분계선은 곧 민족적 분계선으로 발전했다. 안팎의 반혁명 세력과 혁명전을 펼친 혁명 프랑스는 무엇보다도 루이 16세와 같은 유럽 최강의 절대왕정 하에서도 완전히 통합하지 못했던 브리타뉴나 랑그독과 같은 변경 지역을 하나의 네이션으로 단단히 통합하고 통일적인 행정 단위 속에 편입시켰다. 프랑스 혁명 이후 유럽 전역에서 상승가도에 들어선 민족주의 시대에 국경 확정은 단연 가장 핵심적인 의제로 떠올랐다. 19세기에 와서는 유럽 각국이 개인들을 '단일한' 지리적 단위에 구속시키는 국적법을 앞 다투어 법문화함으로써 근대 네이션에서 국경의 구속력은 그 절정에 달하게 된다.

물론, 유럽에서 단단한 국경이 출현한 것은 19세기에나 들어와서였고 그 전까지 유럽의 사정 역시 아프리카나 중동과 크게 다르지 않았다. 중세 유럽에서도 아프리카에서와 마찬가지로 주권이 교회와 다양한 정치체들 간에 공유되는 일이 흔했다. 또한 왕들은 자신의 봉신뿐만 아니라 종종 이웃의 봉신과도 계약을 맺었고 자신의 봉신들이나 다른 왕들의 봉신들이 보낸 사절을 자신의 대리인으로 다시 내보내기도 했다.[15] 무엇보다도 유럽 대부분의 국가들 사이에 국경이 확고해진 19세기 이후에도 국경 양편에서 인종, 언어적 혼종과 트랜스문화변용(transculturation)과 같은 변경적 현상들은 사라지지 않았고 현재까지도 지속되고 있다. 따라서 유럽에서도 20세기 초까지 지속되었던 "문화교차적인(cross-cultural) 통로이자 중간지대(middle ground)로서의 변경"에 관심을 더 집중해야 한다는 비판은 적실하

14) Brunet-Jailly, "The State of Borders," pp.2~3.

15) Jeffrey, Herbst, *States and Power in Africa: Comparative Lessons in Authority and Control* (Princeton, Princeton University Press, 2000), pp.54~55.

다.[16]

그럼에도 본장에서는 근대 유럽 국경의 변경적 특성에 주목하기보다는 근대 유럽에서 보편적으로 일어난 변경의 국경으로의 전환과 근대 국가의 형성을 정치지리라는 좀 더 보편적 잣대로 바라봄으로써 유럽 근대국가를 지방화해보고자 한다. 외부 세력과의 상호작용 지대였던 변경이 엄격한 법률적인 근거에 기초한 국경으로 빠르게 전환되어간 유럽 역사는 분명 절대왕정, 시민혁명, 민족주의에 의한 근대 네이션의 부상과 불가분의 관계에 있다.[17] 문제는 우리가 그 불가분성에 지나치게 익숙해있다는 것이다. 제한된 영토 내에서의 합법적 폭력의 배타적 행사권으로 명시한 베버의 정의는 오늘날까지도 근대국가가 갖추어야 할 가장 중요한 기준으로 통한다. 따라서 유럽에서처럼 뚜렷한 영토 지배력이 출현하지 않은 비유럽 지역의 정치체들에는 '전근대적'이라는 수식어가 덧붙여지기 일쑤이다. 잭슨(Robert H. Jackson)과 같은 정치학자는 이러한 전제에 입각해서 식민화 이전의 아프리카 정치체들을 아예 국가가 아니라 "느슨하게 정의된 정치체제들의 대륙적 열도"로 규정하기까지 한다. 홉스봄(Eric J. Hobsbawm)과 같은 마르크스주의 역사학자도 예외가 아니다. 그는 "아프리카의 내부에는 …… 당시의 유럽적 의미에서 '국가'라는 용어를 쓰기에는 부적절한 정치적 단위들로 구성되어 있었다"라고 쓰고 있다.[18]

---

16) Hala Fattah, *The Politics of Regional Trade in Iraq, Arabia, and the Gulf* (New York, State University of New York Press, 1997), p.20.

17) 예전에는 근대 네이션의 형성의 기점으로 프랑스 혁명을 꼽는 일이 잦았지만, 최근으로 올수록 근대 네이션 형성에서 절대왕정을 시민혁명 못지않게 중요한 기제로 평가하는 추세가 확산되고 있다. 따라서 본고에서는 근대국가, 근대 국민(민족)국가, 근대 네이션을 넓은 차원에서 모두 같은 의미로 사용하되 이들의 기점을 모두 절대왕정으로 설정할 것이다.

이처럼 근대 국가의 형성을 중심으로부터 설명하는 쪽을 택하면 우리는 유럽의 세계사적인 예외주의와 근대 네이션을 독자적인 신기원으로 삼는 근대중심주의로부터 영원히 헤어날 수 없다. 그러나 시민혁명과 민족주의에서 출발하는 근시안적 조망권을 벗어나서 유럽 사례를 세계사적인 차원에서 거꾸로 들여다보면 유럽의 근대 국가가 변경을 국경으로 변모시킨 것 못지않게 유럽의 근대 네이션은 변경에서 탄생하고 결정되었다고 말할 수 있다. 즉 유럽의 근대 네이션은 중심부 권력투쟁의 산물이기 이전에, 특정한 지리적 역사적 동력들과 상호작용했던 유럽인들이 가장 합리적인 정치적 계산에 따라 창출한 특정한 정치적 결과물이었다. 그리고 그 상호작용이 결정적으로 작동했던 곳은 중심이 아니라 변경에서였다.

아프리카 국가 형성 과정을 유럽과의 비교사적인 관점에서 조망한 헙스트(Jeffrey Herbst)는 특정 형태의 주권의 발전을 특정한 정치지리와 직결시켰다. 아프리카에서는 지역 특유의 정치지리적 조건 속에서 권력을 확대하기 위한 방법으로 '공유된 주권'의 형태와, 지속적인 갈등과 충돌 대신에 협력에 기초하는 국가간 체제를 발전시켰다. 식민지 이전 시대의 왕들이든, 식민지배자들이든 오늘날의 독립국 대통령들이든, 아프리카의 정치적 지배자들이 국가 건설에서 직면해 있던 문제는 같았다. 바로 비교적 낮은 인구 밀도의 불모지에 가까운 영토를 다스리고 권력을 행사하는 문제였다. 우선, 유럽이나 다른 대륙에 비해 아프리카의 낮은 인구 밀도는 생태적 다양성과 원거리

18) Robert H. Jackson, *Quasi-states: Sovereignty, International Relations, and the Third World* (Cambridge: Cambridge Unviersity Press, 1990), p.67 ; Eric J. Hobsbawm, *The Age of Empire*, 1875-1914 (London: Weidenfield and Nicolson, 1987), p.102(김동택 역, 『제국의 시대』, 한길사, 2012).

수송에 불리한 지리적 특성과 더불어 특정수의 사람들에 대해 지배력을 행사하는 국가의 비용을 현저히 증가시켰다.[19] 동시에 중심부 권력에 위협이 될 만한 외부 세력의 압박은 매우 낮았다. 이러한 비용 구조 속에서 아프리카 정치 지배자들은 그들 영토의 극히 일부인 정치적 중심지에 대한 형식적인 지배체제를 수립하는 쪽을 택했다. 인구 밀도가 희박한 영토 전체에 걸쳐 권력을 효율적으로 확대시키려는 노력 없이 도시에만 집중하는 지배 패턴은 유럽 식민주의, 식민지배 이후의 아프리카 민족주의 운동, 그리고 1990년대 아프리카를 휩쓴 민주주의 운동에 와서도 크게 달라지지 않았다. 권력 확산에 드는 고비용과 외부 위협 세력의 부재로 인하여 아프리카 정치권력에게 경계지 관리나 영토전쟁은 중요한 이슈가 될 수 없었다. 주권을 서로 공유하는 지역의 존재로 인하여 경계들은 부드러웠고, 식민화 이전의 아프리카에서 전쟁의 주된 목적은 여자, 가축, 노예를 획득하는 것이었지 사방에 널려 있는 토지를 차지하는 데 있지 않았다.[20]

반면에 유럽에서 주권의 발전은 토지 및 영토와 밀접한 관계 속에서 발전했다. 주권 개념이 출현한 것은 로마 시대까지 거슬러 올라가지만, 애초에 주권의 경계는 자신의 신민들에 대한 주권자의 권위의 범위를 표시하는 법적이고 개인적인 것이었다. 그러나 시간이 지나면서 이들 경계는 주권적 권력이 행사될 수 있는 영토적 한계를 표시하는 점차 공간적인 것이 되어갔다.[21] 이러한 이행의 배후에는 흑사병 이후의 가파른 인구증가가 있었다. 15세기부터 이태리를 필두로 본격

19) Jeffrey Herbst, *States and Power*, pp.11~12, 21.

20) *Ibid.*, pp.16~26, 56~57.

21) James J. Sheehan, "The Problem of Sovereignty in European History," *American Historical Review*, 111, 1 (2006), p.3.

화된 인구증가는 1450년과 1650년 사이에 유럽 인구를 두 배로 만들어놓았다. 이 시기는 유럽 전역에서 정치적 공동체들 간의 영토 경쟁이 시작되는 시기와 거의 일치한다. 정복 전쟁은 인구 밀도가 높고 공지가 거의 없어서 땅을 정복함으로 얻는 가치가 부와 인명의 투자치를 능가할 때만 채산성을 얻을 수 있다.[22)]

1500년 무렵부터 증가한 영토 전쟁은 유럽에서 특정 형태의 중앙집권 국가들을 창출하는 데 핵심 동력이 되었다. 유럽의 국가 형성에 관한 통찰력 있는 연구들을 다수 수행한 틸리(Charles Tilly) 역시 유럽에서 중앙집권적 관료기구들이 일찍 출현할 수 있었던 핵심적인 원인을 "서로 다른 규모의 변화무쌍한 국가들 간의 교역과 영토를 둘러싼 끊임없는 공격적인 경쟁"에서 찾았다. 그에 따르면, "지배자들이 세금, 군역, 국가 프로그램에 대한 협조를 직접 협상하면서, …… 지방 혹은 지역 후원자들의 역할을 줄이고 국가 대표들을 모든 공동체에 배치하는 직접 지배로의 움직임과 선거, 국민투표, 입법기관의 확대가 일어났다."[23)] 이처럼 영토 전쟁은 고도의 권력 집중 과정의 가장 기저에 위치해있었고, 권력 집중의 효율화 관점에서 보자면 18세기 시민혁명과 민족주의 운동은 비효율적인 절대왕정의 국왕주권을 근대 네이션의 국민주권으로 대체한 사건에 불과하다. 유럽 해외팽창은 시민혁명을 통해서든 지배층 내부의 정치권력투쟁을 통해서든 근대 네이션의 확립 이후에 비로소 본격화될 수 있었다.

국왕주권이든 국민주권이든, 유럽의 근대 국가에서 확립된 주권은 아프리카에서 정착한 주권의 형태와는 사뭇 다른 성격을 보인다.

---

22) Jeffrey, Herbst, p.13.

23) Charles Tilly, *Coercion, Capital, and European States, A.D. 990-1992* (Cambridge, MA: Blackwell, 1990), p.54, 63.

여기서 독일사학자 쉬한(James Sheehan)의 주권에 대한 정교한 정의를 살펴보자.

> 주권은 정치적 컨셉이지만 그것은 권력의 소재나 권력의 행사 기관, 권력의 목적에 관한 것이 아니다. 그것은 정치권력의 다른 형태의 권위에 대해 갖는 관계에 관한 것이다. 주권은 정치권력이 공동체 내의 다른 조직들, 즉 종교, 가족, 경제 조직들과 구분된다는 것을 전제로 한다. 둘째로 주권은 이러한 공적인 권위가 우월하고 자율적이라는 것 그리고 공동체 내의 기관들에 대해 우월하고 대외적으로 독립적임을 주장한다. 즉 주권자는 자국 내에서 주인이고 해외에서는 다른 주권자와 대등한 자이다. 정치가 주장(claim)을 하는 것에 관한 것으로서 어느 사회에서나 개인과 집단이 상호경쟁적인 주장들을 표현, 타협, 실행하고 서로에게 그리고 전체에게 강제하는 활동이라면, 주권은 권력을 추구하거나 행사하는 자들에 의한 일련의 주장들, 즉 그들의 권위의 우월성과 자율성에 관한 주장이라고 이해될 수 있다.[24)]

"자국 내에서 주인이자 해외에서는 다른 주권자와 대등한 자"[25)]를

---

24) James Sheehan, "The Problem of Sovereignty," pp.2~3. 쉬한은 주권에 대한 이런 정의를 보편적 이상형으로 제시하고 있기 때문에, 자신이 기술한 주권의 형태를 유럽적 발전의 결과물로 바라보려는 인식 자체를 갖고 있지 않다. 따라서 쉬한의 입장은 주권 개념이 고대 세계에는 존재하지 않았다는 옐리네크(Georg Jellinek)와 같은 학자의 주장과 긴밀히 공명하는데, "고대 세계에는 주권 개념에 가장 필수적인 특징, 즉 정치권력과 다른 세력들 간의 갈등이 결여되어 있었다"고 보기 때문이다. Georg Jellinek, *Allgemeine Staatslehre* (Berlin, 1922), p.440(Sheehan, "The Problem of Sovereignty," p.4에서 재인용). 그러나 이런 주장은 비유럽권의 주권 형태에 대해서도 쉽게 반복될 수 있다.

25) Ibid., p.2.

의미했던 유럽 주권자의 최대 관심은 자신의 주권 권력이 얼마나 멀리까지 미치고 어디서 멈추는가를 측정하는 경계의 확립에 집중되어있었다. 뚜렷한 국경체계가 아직 자리 잡지 못했어도, 중세 유럽은 이미 다수의 잘 확립된 제도들을 갖춘 정치체들로 넘쳐나는 정치지리적 특징을 보였다. 따라서 유럽 국가들은 적어도 유럽 핵심부에서는, 틸리의 지적대로, 중국, 로마 제국, 혹은 북미와 달리 잘 조직된 중심으로부터 "취약하게 조직된 주변"으로 팽창해갈 수 없었다. 이는 유럽의 건국자들이 그들의 경쟁자를 단순히 압도(overrun)해서 파괴할 수 없었고 흡수해서 길들이거나 그들과 더불어 사는 것을 배워야 했음을 의미했다.[26] 따라서 유럽에서는 일찍부터 각자의 주권 권력의 영역을 정의하고 제한하는 제도적, 영토적 경계를 확립하는 것이 주권 문제의 핵심을 차지했다.

"주권이 방어되는 곳이 국경이고 반대로 국경이 뚜렷이 구분하는 것이 주권"이라면,[27] 최대 관건은 배후지와 변경을 물리적으로 잘 관리하는 것이 될 수밖에 없다. 국경 방어는 외부의 경쟁자로부터 국가를 보호하는 것뿐만 아니라 궁극적으로 내부의 권력 중심을 공고히 완성하는 차원에서 중요할 것이기 때문이다. 프리드리히 대제가 변경 강화를 "지배자의 영토를 지키는 강력한 손톱들"로 표현한

---

26) Charles Tilly, *The Formation of National States in Western Europe* (Princeton: Princeton University Press, 1975), p.24. 유럽사 대부분의 시기 동안 이들 경쟁자 중 주권 주장자들에게 가장 중요한 경쟁자는 물론 교회였다. 중세의 교황과 황제 간의 갈등을 비롯한 교회와 세속 지배자들 간의 오랜 경쟁이 유럽적 주권 형태의 발전에서 강력하고도 지속적인 영향을 미쳤음에는 의심의 여지가 없다.

27) Alan Milward, "The Frontier of National Sovereignty," Sverker Gustavsson and Lief Lewin (eds.), *The Future of the Nation State. Essays on cultural pluralism and political integration* (New York and London: Routledge, 1996), p.82.

것도, 유럽의 지배자들이 멀리 떨어져 있는 변경 지역에 상당한 자원을 투입하고 이를 단단한 경계로 전환시키는 데 심혈을 기울일 수밖에 없었던 것도 이런 맥락에서 이해될 수 있을 것이다.[28] 최초로 영토국가적 질서를 정착시킨 1648년 베스트팔렌 조약, 18세기 시민혁명과 민족주의 운동, 제1차 세계대전 후 유럽 대부분의 국가들의 국경을 재점검한 1919년 베르사유조약은 유럽에서 민족자결원칙과 주권이 조직적 원칙으로 정착하는 과정에서 중요한 역할을 담당한 이정표들이다.[29] 국경 정립의 문제는 민족주의 아젠다와 근대 네이션의 발전에 있어서 핵심적인 사안으로 자리 잡았고 종국적으로 근대국가는 국경에서 규정되고 완성되었다.

4. 유럽연합, 제국 그리고 다시 변경[30]

당초의 들뜬 예상과 달리 지구화는 시간이 갈수록 국경의 소멸이 아니라 영토성의 재천명과 경계 형태와 기능의 다양화를 수반하는 형태로 진행되고 있다. 특히 정치학자 블레이크(Gerald Blake)의 관찰에 의하면 유럽의 경우 "국경의 지역화"가 두드러지고 있다.[31] 즉

---

28) Jeffrey Herbst, *States and Power*, p.14, 57.

29) Brunet-Jailly, "The State of Borders," pp.2~3.

30) 본장의 내용은 역사학보다는 정치학 연구에 크게 의지하고 있음을 미리 밝혀둔다. 본장의 관심이 유럽연합의 역사적 발전이나 의미가 아니라 전장에 이어서 유럽연합에서의 변경 문제를 논하는 데 있기 때문이다. 유럽연합의 외부 경계의 변경적 성격에 가장 크게 주목하고 있는 이들은 역사학자가 아니라 정치학자들이다. 유럽연합과 변경 문제를 결합해서 유럽연합의 제국적 면모를 새로이 발굴하려는 정치학자들의 연구 성과들은 앞으로 역사학적으로도 충분히 수용, 검토해 볼 만한 참신한 문제제기를 담고 있다고 사료된다.

유럽 역내의 회원 국가들 간의 국경의 의미는 점차 무색해져가는 반면에 지역적 블록의 외부 경계가 갖는 중요성이 커지고 있는 것이다. 유럽연합의 외부적 경계가 유럽연합 내에서 중요한 정치적 의제로 부상하고 있는 것은 무엇보다도 유럽연합이 안보 공동체로 거듭나려는 열망과 밀접한 관계에 있다. 오늘날의 유럽연합은 모호한 문화적 가치나 지리적 근접성에 호소하며 문화 공동체를 구축하고자 했던 19세기 근대 국가적 논리를 따르기보다는 민주화와 시장경제 원칙을 공유함으로써 정치적 동질성을 높이는 방식으로 공고한 안보 공동체 구축을 목표로 한다. 또한 유럽연합은 예전의 국민국가에서처럼 주변국을 실제적 혹은 잠재적인 적으로 가정하기보다는 미래의 회원국으로 간주하면서 동시에 포용과 경계의 대상으로 삼음으로써 유럽연합의 안보를 구축하는 전략을 선택하고 있다.[32)]

이처럼 근대 국가와는 전혀 다른 경계와 영토적 이해에 기초하는 유럽연합의 부상은 그것의 정치체(polity)적 성격에 관한 치열한 논쟁을 불러일으켰다. 크게 세 가지 시각이 상호 경쟁하고 있다. 우선, 유럽연합을 베스트팔렌적 국가연합체에 비유하는 입장이 있다. 실제로 유럽연합은 개별 주권 국가들이 각국의 주권을 양도하지 않고 수평적인 상호조약에 의해 결성한 연합체이다. 따라서 이러한 시각에서 보자면 유럽연합이란 하나의 공간이지 그 자체가 고정된 국경에 의한 영토성과 단일한 주권적 중심을 갖는 정치 단위가 될 수 없다.

---

31) Gerald Blake, "State Limits in the Early Twenty-First Century: Observations on Form and Function," *Geopolitics* 5, 1 (2000), p.1.

32) Malcolm Anderson and Didier Bigo, "What Are EU Frontiers for and What Do They Mean?", Kees Groenendijk, Elspeth Guild and Paul Minderhoud (eds.), *In Search of Europe's Borders* (Hague/London/New York: Kluwer Law International, 2003), p.19, 21.

주권, 시민권, 전쟁, 안보와 같이 근대 국가의 틀 속에서 조율되어온 기본 사안에서 상당한 변화가 일기는 했지만, 실제로 유럽연합에서 개별 국가는 여전히 권력의 중요한 중심으로 남아있다. 유럽연합 차원의 주요 사안에 대한 어떠한 정책적 결정도 개별 국가의 정부나 정치, 관료적 지도층의 의사에 반하여 내려지기 어렵고 국경 역시 여전히 정치적으로 건재하기 때문이다.[33] 하지만 이런 시각으로는 근본적으로 원칙론 이상의 심도 있는 분석으로 이어지기 어려운데, 유럽연합 출범 이후 점점 뚜렷해지고 있고 더구나 유럽연합의 장기적인 전망이 극히 불투명한 상황에서 더욱 신중히 평가되어야 할 변화들을 완전히 무시하고 있기 때문이다.

그에 반해 나머지 두 번째와 세 번째 시각은 유럽연합을 그 자체로서 하나의 정치적 단위, 즉 최근 그 외부 경계를 더욱 강화시켜가고 있는 의사 국가(quasi-state)로 이해하면서, 유럽연합이 명확히 정의, 통제, 감독되는 외부적 경계선을 갖는 국가의 성격을 띠고 있음을 주장한다. 그러나 유럽연합의 정치체적 성격의 진단에 있어서는 양 시각 간의 차이가 크다.

우선, 유럽연합을 포스트-베스트팔렌, 포스트모던, 포스트민족적 정치체로 간주하는 두 번째 시각의 연구자들은 유럽연합을 영토 논리가 더 이상 국가체제에서 중요한 입지를 갖지 않고 안보 역시 더 이상 영토통제와 연계되지 않는 포스트모던 세계의 대표적인 사례로 간주한다. 이들은 유럽연합의 국가적인 이익 추구가 이제 전쟁이나 일국가적인 행동 대신에 협업적 네트워크를 통해 이루어지고 있다는 사실을 주된 근거로 활용한다. 1992년 마스트리히트 조약

33) Anderson and Bigo, "EU Frontiers," p.13, 20.

에 의해 확립된 유럽연합의 '제3의 기둥(third pillar)'은 경찰 공동작전을 재편성했고 회원국들 간의 보다 긴밀한 사법적 협업을 가속화시켰다. 또한 2000년에는 유럽연합 공동 차원의 군사적 구조가 마련되어 그간 잠자고 있던 서유럽동맹(West European Union)이 유럽 신속군(Rapid Reaction Force)으로 개편되었다. 두 번째 시각의 연구자들은 이러한 변화에 착목해서 유럽연합이 통신과 운송의 트랜스내셔널 네트워크에 의해 연계되고 상품, 인간, 정보, 자본의 흐름에 의해 횡단되는 복수적이고 유동적인 공간을 넘어서, 트랜스정부적 통치(transgovenmentality)에 기초한 '네트워크적 국가(혹은 네트워크의 결절점으로서의 국가)'로 탈바꿈했다고 주장한다.[34)]

맥코믹(Neil MacCormick)과 같은 학자는 서유럽의 어느 국가에서도 "정치적이든 법적이든 국가 내부적으로 행사되는 권력이 순전히 내부적으로만 발원하지 않는다"는 의미에서 서유럽이 더 이상 전통적 의미의 주권에 기초한 국가가 아니라고 주장하면서 '포스트-내셔널 내지 포스트-주권적인 유럽'을 암시하기까지 한다.[35)] 이러한 두 번째의 입장은 우리 현재의 시대를 전대미문의 새로운 지구화 시대로 인식하는 경향과 맞물려서 주류 학자들 사이에 가장 강력한 영향력을 행사하고 있다.

이에 대해 강력한 반론을 펼치고 있는 것이 중세적 정치 공간

---

34) Barrie Axford and Richard Huggins, "Towards a Post-National Polity: The Emergence of the Network Society in Europe," Dennis Smith and Sue Wright (eds.), *Whose Europe? The Turn towards Democracy* (Oxford: Blackwell, 1999), pp.196~197 ; Peter van Ham, *European Integration and the Postmodern Condition* (London: Routledge, 2001) ; Robert Cooper, *The Postmodern State and the World Order* (London: Demos/The Foreign Policy Centre, 2000).

35) Neil MacCormick, "Beyond the Sovereign State," *Modern Law Review*, 56, 1 (1993), pp.1~18.

내지 제국들과 유럽연합의 유사성을 주장하는 세 번째의 시각이다. 이러한 입장의 연구자들은 유럽연합에서 나타나는 영토와 국가적 기능 간의 비연계성에 주목하면서, 과거에는 동일한 지리적 경계 내에서 일치했던 경제 규제, 조세, 법률, 안보 등의 기능이 유럽연합에 와서는 더 이상 동일 영토에 걸쳐서 수렴되지 않고 중첩된다는 사실을 강조한다. 또한 이들은 유럽연합의 경우에 경계들이 완전히 사라지거나 무의미해진 것은 아니지만 점차 불분명해짐에 따라서 유럽연합의 가장자리들은 국경선보다는 변경 지대의 특징을 보임을 지적한다. 포스트-냉전적 지정학과 대체로 일치하는 이러한 변화에 수복할 때, 유럽의 정치 공간이 조직화되는 양상은 다시 제국의 논리로 되돌아간 것으로까지 이해될 수 있다는 것이다. 따라서 이들은 유럽연합을 터키와 러시아와 더불어 주요 제국 중의 하나로 간주한다.[36] 세 번째 시각은 그 도발성만큼이나 신선한 충격을 바탕으로 정치학계 내에 빠르게 확산되고 있는 중에 있다.

이하에서는 전 장에서 적용했던 변경으로부터 중심을 거꾸로 바라보는 시선을 유럽연합의 경우로 연장해서 상술한 정치체로서의 유럽연합 논쟁에 동참해 보고자 한다. 캐나다 소재 칼리튼(Carleton) 대학의 월터스(William Walters)는 프랑스의 지정학 이론가 푸셰(Michel

---

36) Ola Tunander, Pavel Bayev and Victoria Ingrid Einagel (eds.), *Geopolitics in Post-Wall Europe: Security, Territory and Identity* (London and Thousand Oaks, CA: Sage, 1997) ; Nick J. Rennger, "European Communities in a Neo-Medieval Global Polity: The Dilemmas of Fairyland?," Morten Kelstrup and Michael William (eds.), *International Relations Theory and the Politics of European Integration* (London: Routledge, 2000) ; Thomas Christiansen, "Fuzzy Politics around Fuzzy Borders: The EU's New Abroad," *Cooperation and Conflict* 35, 4 (2000), pp.389~416 ; Jan Zielonka, "How Enlarged Borders will Reshape the European Union," *Journal of Common Market Studies*, 39, 3 (2001), pp.507~536.

Foucher)의 군사적인 '지리전략(geo-strategy)' 컨셉을 응용하여 유럽의 변화하는 경계의 다양한 양상들을 흥미로운 방식으로 개념화해주었다. 그는 유고 전쟁과 같은 가능성을 배제하지는 않지만 푸셰와 달리 군사적 연관성의 비중을 과감히 낮추고, 기본적으로 현재 유럽연합의 변경 및 국경 문제의 본질을 마약 밀수, 테러리즘, 인신매매, 불법무기 매매, 망명, 불법이주 등과 같은 사회정치적이고 트랜스내셔널한 문제로 정의했다.[37] 이하에서는 월터스와 포셰가 분석한 유럽연합 경계의 네 가지 양상[네트워크적 경계(network border), 마르케(marches), 식민적 프론티어(colonial frontier), 라이미스(limes)]을 간략히 소개, 종합하면서 유럽연합의 정치적 면모를 가늠해볼 것이다.

월터스가 제시한 네 가지 양상 중에서 가장 폭넓게 거론되고 있는 것이 유럽연합의 외곽 경계의 네트워크적 성격인데, 이는 특히 탈경계화된 포스트모던 정치체로서의 유럽연합 논의에서 중요한 근거로 활용되고 있다. 그러나 탈경계지향주의와 경계 없는 세계에 대한 신자유주의적인 열광 속에서 흔히 오해되듯이, 특정 위치의 국경 경비대의 폐지는 곧바로 국경 경비업무 자체의 폐지와 혼동될 수 없다. 쉥엔조약(Schengen Agreement)으로 회원국들은 국경 경비초소들을 제거하긴 했지만, 대신에 초국경적 협업, 국경 양편의 보다 확대된 범위에서 활동하는 이동 감시팀, 공동 비자, 정보교류, 유럽연합 외곽 경계의 공동경비 기준 등을 강화했다. 그 결과로 예전에는 물리적으로 국경에 집중되어있던 기능들이 네트워크적 통제, 경비체제로 대체되면서 국경과 유럽연합 전체의 외부 경계는 이제 공항이나 철도역과 같이 유럽연합 내부 깊숙이 옮겨오게 되었다. 푸셰가 "국경

37) William Walters, "The Frontiers of the European Union: A Geostrategic Perspective," Geopolitics, 9, 3 (2004), pp.677~678.

의 기능이 공간적인 의미에서 해체되고 있는 한편, 핵심에 있어서는 국가 영토 전체가 확대된 국경으로 취급되고 있다"고 지적한 것도 이런 맥락에서이다.[38] 따라서 네트워크화된 경계의 현상적인 측면에만 치중해서 유럽연합을 포스트모던적 정치체로 정의하기는 어렵다.

유럽연합의 외부 경계는 중부유럽에서 또 다른 중요한 변화상을 보이고 있는데, 우선, 마르케의 재등장을 꼽을 수 있다. 마르케는 전 장에서 소개했듯이 국경이 일반화되기 이전에 널리 존재했던 '가늘고 긴 벨트 모양의 중립적인 분리지대'이다. 어느 쪽으로든 영토 편입과 그에 따른 정주가 일어나지 않은, 세력들 간의 교집합과 같은 곳이기 때문에 군사적 가치와 기능이 각별할 수밖에 없다. 마르케는 역사적으로 중동부 유럽과 깊은 관련을 맺어왔는데 오늘날 신냉전의 진원지처럼 여겨지는 우크라이나가 그 대표적인 경우이다. '우크라이나'는 본래 말뜻 자체가 마르케 혹은 경계 지역이다. 포셰는 유럽연합과 NATO의 동쪽으로의 확대로 유럽연합의 동쪽 외곽인 중동부 유럽에서 안보 공백이 문제되면서 이 지역에서 마르케 개념의 회귀를 다시 말할 수 있게 됐다고 주장한다. 발틱해에서 흑해 내지 아드리아해 연안 일부에 이르기까지 자신의 운명을 워싱턴, 베를린, 파리, 런던의 결정에 의존하는 '중간에 낀 유럽(in-between Europe)'이 재등장하고 있다는 것이다. 특히 포셰는 이미 1998년에 우크라이나와 벨라루스가 이러한 경계적 상황 속에서 어느 정도로 국민국가로 안착할 수 있을 것인가에 대해 우려 섞인 시선을 표명함으로써 오늘날의 우크라이나 사태를 정확히 예견했다.[39]

---

38) Michel Foucher, "The Geopolitics of European Frontiers," Malcolm Anderson and Eberhard Bort (eds.), *The Frontiers of Europe* (London and Washington DC: Pinter, 1998), p.238.

조금 시야를 키워 보면, 중동부 유럽에서의 마르케의 재등장은 냉전 이후의 지정학적 변화의 복합적인 맥락 속에서 유럽연합의 외부 경계가 점차 터너적 의미의 식민적 프론티어로 변화해가는 더 큰 과정의 일환으로 볼 수 있다. 우선, 유럽연합의 외부경계를 프론티어로 부를 수 있는 이유는 그것이 국경과 달리 고정적이지 않고 계속 움직이고 있기 때문인데, 중요한 것은 이것이 전혀 예외적이거나 일시적인 현상이 아니라 유럽연합 정체성의 정상적인 특징이라는 점이다. 물론 유럽연합의 동쪽으로의 확대는 19세기식의 문명화 슬로건 하에서 추진되지도 독립된 국가들을 식민지로 합병하는 식으로 이루어지고 있지도 않다. 유럽연합의 동진은 시장, 번영, 안정이란 합리화된 담론 속에서 개별 독립국들을 초국가적이고 국제적인 규제체제 속에 결합시키는 방식으로 진행되고 있다. 그러나 유럽연합의 동쪽 경계는 그것이 "하나의 조직화된 권력이 변형(transformation)과 동화의 관계에서 외부와 만나는 지점을 대표"한다는 의미에서도 식민적 프론티어에 가깝다. 유럽연합 가입조건은 더 이상 인종적이거나 어떤 모호한 문명적 기준과 결합된 문화적 규범에 기초해있지 않다. 그럼에도 무엇이 적합하고 정당한 것인지 정의할 수 있는 권한을 유럽연합과 그 중심부 권력이 쥐고 있는 비대칭적인 관계만큼은 뚜렷하다.[40]

마지막으로, 유럽연합의 지중해 경계는 그 어느 곳보다 고대 로마제국의 라이미스에 가까운 양상을 띠고 있다. 마르케가 세력들 간의 세력균형지대에 해당하고 근대 국경이 서로 다른 주권의 영토를 구분하는 한계선에 해당한다면, 라이미스는 모서리, 가장자리 혹은

---

39) Foucher, "European Frontiers," p.236.

40) Walters, "The Frontiers of the EU," pp.687~688. 인용은 p.688.

한계를 의미하면서도 극히 유동적이라는 점에서 식민적 프론티어와 유사하다. 즉 그것은 권력과 그 외부, 제국과 야만 그리고 우주와 카오스를 구분하기 위한 개념이다. 라이미스는 이처럼 불분명하고 유동적이지만 보다 영구적인 성격을 갖는데, 라이미스가 본래 제국 주변에 안정되고 평화로운 지대를 창출하기 위해 만들어진 것이기 때문이다. 포셰는 라이미스를 "본질적으로 원치 않는 이주민들을 봉쇄하는 동시에 로마화된 사람들과의 거래를 조직하고 이들을 제국과의 지속적인 평화관계 내로 들여오는 것을 목표로 하는 전략"으로 정의한다.[41] 따라서 라이미스 전략은 외부 영토와 그 주민들의 점진적 혹은 궁극적인 포용 대신에 경제, 문화, 질서의 비대칭성의 제도화를 목표로 한다. 따라서 라이미스는 내부의 안정 및 질서와 외부의 무질서, 야만, 유목주의(normadism) 간의 선명한 구분을 유지함으로써 제국의 가장자리에서 평화와 안정을 유지하고 제국의 안정에 기여한다. 오늘날 유럽연합에게 지중해는 고도로 조직된 북부와 외부 영역인 남부를 구분 짓는 라이미스로 볼 수 있다. 동쪽 프론티어는 계속 움직이고 있지만 유럽연합이 남쪽으로 팽창할 가능성은 거의 없다. 유럽연합의 남쪽에 대한 입장은 완전히 이질적인 세계에 대한 극히 억제적 태세에 입각해있다. 모로코의 세우타(Ceuta)에 세워진 장벽보다 현대적 라이미스를 더 잘 대변하는 것은 없을 것이다.[42]

이처럼 유럽연합의 제국적 면모는 무엇보다도 브뤼셀과 스트라스부르크에 각각 소재한 유럽의회 본부나 사법재판소가 아니라 변경에서 바라볼 때 한층 뚜렷해 보인다. 유럽연합의 외부 경계의 네트워크화는 분명 가장 뚜렷한 특징적인 변화이지만, 유럽연합의 제국적

41) Foucher, "European Frontiers," p.236.

42) Walters, "The Frontiers of the EU," pp.690~692.

면모를 강하게 지시해주는 전근대적인 마르케, 식민적 프론티어, 고대 라이미스의 재등장과 전혀 상충된 관계에 있지 않다. 이들 양상의 재등장 역시 과거 형태 그대로가 아니라 기본적으로 네트워크화된 경계의 형태로 일어나고 있기 때문이다. 즉 마르케, 식민적 프론티어, 라이미스는 유럽연합의 행정적 경계 너머에 있는 이웃국가들의 경찰 및 국경경비대와 동맹 혹은 파트너십을 통해 작동, 관리, 통제되고 있는 것이다. 따라서 월터스와 포셰가 네트워크적 경계, 마르케, 식민적 프론티어, 라이미스라는 개념으로 분석한 유럽연합의 변경적 경계의 양상들은 유럽연합의 추가적인 확대 지향성, 비대칭성, 다양한 속도의 통합 전략을 직접적으로 지시해주고 있다.

5. 결론

유럽에서 영토, 주권, 국민을 기본 요소로 하는 국민국가가 탄생한 것은 근대의 분기점이자 세계사적으로 예외적인 사건으로 종종 설명된다. 초점을 시민혁명, 자유주의, 민족주의에 맞추든, 절대왕정으로 거슬러 올라가는 근대적 제도적 정비에 맞추든, 근대 국가의 부상을 설명하는 시선은 항상 유럽 중심부 국가들의 중심에서 일어난 정치사회적 변화, 즉 지방의 봉건 세력을 중심한 기존의 분권적인 정치체 대신에 유례없이 동질적이고 통합적인 국민국가가 다양한 경로를 통하여 부상하는 움직임을 향해 있었다. 본고에서는 이러한 시선을 뒤집어 주변과 변경으로부터 근대 국민국가의 부상을 조명하고 더 나아가서 유럽연합의 정치체적 성격에 관한 논쟁을 들여다보았다. 그 결과, 애초에 의도했던 국민국가 중심의 국사 패러다임을 넘어서는 것 이상의 두 가지의 넓은 지평을 얻을 수 있었다.

하나는 유럽, 본고의 경우에 근대 네이션의 지방화이다. '상상의 공동체' 테제로 네이션과 민족주의 연구에 새 차원을 열어준 앤더슨(Benedict Anderson)은 누구보다도 네이션을 근대성의 핵심에 위치시킴으로써 근대성과 그 진원지로서의 유럽을 특권화시켰다. 유럽의 세계적 패권이 역사적 현실이 된 것은 사실이지만, 그것이 본래 하나의 지방에 불과했던 유럽의 위치를 삭제할 수는 없다. 다시 말해서 근대 네이션이 앤더슨의 주장대로 유럽에서 태동하여 전 세계로 전파되기는 했지만,[43] 그것은 애초에 유럽의 특정한 정치적 지리적 상황에 최적으로 대응하기 위해 고안된 정치적 해법에 불과했다. 절대왕정기에 토대를 마련하기 시작한 근대 네이션의 효율적인 권력 집중과 통합력은 특별한 내적인 동력의 산물이기 이전에 특정 정치지리적인 조건 속에서 보편적 개연성에 따라 생겨난 정치적 전략과 대응이었던 것이다. 유럽의 근대 네이션은 향후 제국주의 역사와 더불어 특별하고 예외적인 정치문화적 조형물로 되어간 것이지 처음부터 그렇게 탄생한 것은 아니었다. 유럽의 근대 네이션에서 일찍부터 등장해서 자리 잡았던 국경의 특별한 성격으로부터 출발하는 대신에, 다양한 외부 세력과의 복잡한 경합과 타협이 일어났던 변경이 어떻게 그리고 왜 일찍부터 선적인 국경으로 바뀌어야 했는가를

---

43) 앤더슨의 이러한 주장에 대해 동아시아의 종족적 민족주의를 근거로 반박하려는 움직임도 거세다. Anthony D. Smith, *Nationalism and Modernism: A Critical Survey of Recent Theories of Nations and Nationalism* (London: Routledge, 1998) ; 신용하, 「민족의 사회학적 설명과 '상상의 공동체'론 비판」, 『한국사회학』 40집 1호, 2006 ; 강철구, 「세계사 다시 읽기-민족주의의 구조적 요인은 무엇인가(2)」, 『프레시안』 2010. 10. 13. [url] http://www.pressian.com/news/article.html?no=3551 ; 김기협, 「'세계화 시대'가 요구하는 민족주의의 역할」, 『프레시안』 2014. 12. 22. [url] http://www.pressian.com/news/article.html?no=122614.

추적한 본고의 작업은 이러한 유럽의 근대 네이션의 본래적인 지방적 위치, 즉 전혀 특별하거나 중심적이지 않은 위치를 새삼 확인시켜 주었다. 차크라바티(Dipesh Chakrabarty)는 "중요한 것은 계몽의 합리주의가 그 자체에 있어서 비이성적이라는 것이 아니고, 오히려 계몽의 '이성'이 그것이 발전된 장소를 훨씬 뛰어넘어서 "공공연하다"는 인상이 어떻게 그리고 어떤 역사적 과정을 거쳐서 일어나게 되었는지를 증명하는 것"이라고 말했다.[44] 유럽의 근대 네이션에 대해서도 똑같은 이야기를 할 수 있을 것이다.

다른 하나는 유럽연합의 제국적 면모를 통해 본 국민국가와 제국 간의 내적 연계성이다. 유럽연합의 정치체적 성격에 관한 논쟁은 그간 국민국가들의 초국가적(supranational) 연합체로 볼 것이냐 혹은 근대 국민국가를 뛰어넘는 포스트모던 정치체로 볼 것이냐의 문제에 주로 집중되어 진행되었다. 유럽연합은 폐쇄적이고 민족주의적인 경쟁으로 점철된 유럽사를 청산하고 보다 자유롭고 평화적인 국제질서를 견인할 새로운 국가공동체라는 이미지를 구축해왔다. 또한 많은 역사학자들은 유럽연합의 정치적 성취를 민족주의와 민족사 패러다임이 이미 유럽통합에 이르는 역사과정에서 부분적으로 해소되었다고 볼 수 있는 현실적 근거로 간주했다. 이러한 맥락에서 유럽연합의 트랜스내셔널하고 포스트모던한 성격은 때로 과도하게 강조되었다. 그러나 본문에서 살펴 본 것처럼 유럽연합 중심부의 작동방식으로부터 그 외부적 경계가 관리되고 있는 방식으로 시선을 옮겼을 때

44) Dipesh Chakrabarty, "Europa provinzialisieren. Postkolonialität und die Kritik der Geschichte," Sebastian Conrad and Shalini Randeria (eds.), *Jenseits des Eurozentrismus. Postkoloniale Perspektive in den Geschichts –und Kulturwissenschaften* (Frankfurt/New York: Campus Verlag, 2002), p.305.

선명해진 것은 '뜻밖에도' 전근대적인 제국적 면모였다. 이것이 뜻밖의 일로 여겨지는 것은 제국으로부터 근대 국민국가로 발전해간 유럽적 근대성과 그 역사적 방향성을 당연시해온 태도 때문일 것이다. 그러나 쿠퍼(Frederick Cooper)와 같은 제국 연구자의 시각으로 보자면 전혀 뜻밖의 일이 아닐 수 있다. 그의 주장에 의하면, 근대 국민국가의 역사적 원형으로 여겨온 혁명 프랑스조차도 인도나 아프리카가 결여하고 있었다고 하는 정치체, 즉 국민국가적 근대성을 결여한 하나의 제국이었다.[45] 이런 관점에서 볼 때, 차크라바티의 유럽의 지방화 테제가 전제하고 있는 유럽적 근대성의 보편성조차도 더 이상 무조건 당연시되어서는 안 될 것이다. 변경을 통해 확인한 현대 유럽연합의 제국적 면모는 계몽주의나 합리성과 더불어 유럽적 근대성의 핵심으로 자리잡아온 국민국가가 유럽에서도 얼마나 허약한 뿌리를 갖고 있었는지 새삼 확인시켜주었다.

---

45) Frederick Cooper, "Provincializing France," Ann Stoler, Peter Perdue, and Carole McGlanaghan (eds.), *Imperial Formations* (Santa Fe: School for Advanced Research Press, 2007), p.343.

참고문헌

1. 연구서

임지현 편, 『근대의 국경 역사의 변경－변경에 서서 역사를 바라보다』, 휴머니스트, 2004.

Anderson, Malcolm and Didier Bigo, *Frontiers : Territory and State Formation in the Modern World* (Cambridge, Polity Press, 1996).

Anderson, Malcolm, *Frontiers : Territory and State Formation in the Modern World* (Cambridge, Polity Press, 2004).

Cooper, Robert, *The Postmodern State and the World Order* (London, Demos/The Foreign Policy Centre, 2000).

Fattah, Hala, *The Politics of Regional Trade in Iraq, Arabia, and the Gulf* (New York, State University of New York Press, 1997).

Herbst, Jeffrey, *States and Power in Africa : Comparative Lessons in Authority and Control* (Princeton, Princeton University Press, 2000).

Hobsbawm, Eric J. *The Age of Empire, 1875-1914* (London, Weidenfield and Nicolson, 1987)/김동택 역, 『제국의 시대』, 한길사, 2012.

Jackson, Robert H., *Quasi-states : Sovereignty, International Relations, and the Third World* (Cambridge, Cambridge Unviersity Press, 1990).

Osterhammel, Jürgen, *Verwandlung der West* (München, C.H. Beck Verlag, 2009).

Smith, Anthony D., *Nationalism and Modernism : A Critical Survey of Recent Theories of Nations and Nationalism* (London, Routledge, 1998).

Tilly, Charles, *Coercion, Capital, and European States, A.D. 990-1992* (Cambridge, MA, Blackwell, 1990).

Tilly, Charles, *The Formation of National States in Western Europe* (Princeton, Princeton University Press, 1975).

Tunander, Ola, Pavel Bayev and Victoria Ingrid Einagel (eds.), *Geopolitics in Post-Wall Europe : Security, Territory and Identity* (London and Thousand Oaks, CA,

Sage, 1997).
Van Ham, Peter, *European Integration and the Postmodern Condition* (London, Routledge, 2001).

2. 연구논문

신용하, 「민족의 사회학적 설명과 '상상의 공동체'론 비판」, 『한국사회학』 40-1, 2006.

Anderson, Malcolm and Didier Bigo, "European Frontiers at the End of the Twentieth Century : An Introduction," idem and Eberhard Bort (eds.), *The Frontiers of Europe* (London and Washington, Pinter, 1998).

Anderson, Malcolm and Didier Bigo, "What Are EU Frontiers for and What Do They Mean?," Kees Groenendijk, Elspeth Guild and Paul Minderhoud (eds.), *In Search of Europe's Borders* (Hague/London/New York, Kluwer Law International, 2003).

Axford, Barrie and Richard Huggins, "Towards a Post-National Polity : The Emergence of the Network Society in Europe," Dennis Smith and Sue Wright (eds.), *Whose Europe? The Turn towards Democracy* (Oxford, Blackwell, 1999).

Blake, Gerald, "State Limits in the Early Twenty-First Century : Observations on Form and Function," *Geopolitics*, Vol.5, No.1 (2000).

Brunet-Jailly, Emmanuel, "Borders, Borderlands and Theory : An Introduction," *Geopolitics*, Vol.16, No.1 (2011).

Brunet-Jailly, Emmanuel, "The State of Borders and Borderlands Studies 2009 : A Historical View and a View from the Journal of Borderlands Studies," *Eurasia Border Review*, Vol.1, No.1 (2010).

Chakrabarty, Dipesh, "Europa provinzialisieren. Postkolonialität und die Kritik der Geschichte," Sebastian Conrad and Shalini Randeria (eds.), *Jenseits des Eurozentrismus. Postkoloniale Perspektive in den Geschichts-und Kulturwissenschaften* (Frankfurt/New York, Campus Verlag, 2002).

Christiansen, Thomas, "Fuzzy Politics around Fuzzy Borders : The EU's New Abroad," *Cooperation and Conflict*, Vol.35, No.4 (2000).

Coakley, John, "National Territories and Cultural Frontiers : Conflicts of Principle in the Formation of States in Europe," *West European Politics*, Vol.5, No.4 (1982).

Cooper, Frederick, "Provincializing France," Ann Stoler, Peter Perdue, and Carole McGlanaghan (eds.), *Imperial Formations* (Santa Fe, School for Advanced Research Press, 2007).

Foucher, Michael, "The Geopolitics of European Frontiers," Malcolm Anderson and Eberhard Bort (eds.), *The Frontiers of Europe* (London and Washington DC, Pinter, 1998).

Janeczek, Andrzej, "Frontiers and Borderlands in Medieval Europe. Introductory Remarks," *Quaestiones Medii Aevi Novae*, Vol.16 (2011).

Jones, Dan, "The Significance of the Frontier in World History," *History Compass*, Vol.1, No.3 (2003).

MacCormick, Neil, "Beyond the Sovereign State," *Modern Law Review*, Vol.56, No.1 (1993).

Milward, Alan, "The Frontier of National Sovereignty," Sverker Gustavsson and Lief Lewin (eds.), *The Future of the Nation State. Essays on cultural pluralism and political integration* (New York and London, Routledge, 1996).

Osterhammel, Jürgen, "Transnationale Gesellschaftsgeschichte : Erweiterung oder Alternative?," *Geschichte und Gesellschaft*, Vol.27, No.3 (2001).

Rennger, Nick J., "European Communities in a Neo-Medieval Global Polity : The Dilemmas of Fairyland?," Morten Kelstrup and Michael William (eds.), *International Relations Theory and the Politics of European Integration* (London, Routledge, 2000).

Sheehan, James J., "The Problem of Sovereignty in European History," *American Historical Review*, Vol.111, No.1 (2006).

Walters, William, "The Frontiers of the European Union : A Geostrategic Perspective," *Geopolitics*, Vol.9, No.3 (2004).

Wigen, Kären, "Culture, Power, and Place : The New Landscape of East Asian Regionalism," *American Historical Review*, Vol.104, No.4 (1999).

Zielonka, Jan, "How Enlarged Borders will Reshape the European Union," *Journal of Common Market Studies*, Vol.39, No.3 (2001).

3. 기타

강철구, 「세계사 다시 읽기－민족주의의 구조적 요인은 무엇인가(2)」, 『프레시안』 2010. 10. 13. [url] http://www.pressian.com/news/article.html?no=3551 [2015년 12월 10일자 확인]

김기협, 「'세계화 시대'가 요구하는 민족주의의 역할」, 『프레시안』 2014. 12. 22. [url] http://www.pressian.com/news/article.html?no=122614 [2015년 12월 10일자 확인]

2부

제국과 변경의 실태

9세기 초 일본의 변경과 통역*
쓰시마에 배치된 신라역어를 중심으로

정순일

1. 머리말

본고는 고대 일본열도의 변경에서 전개된 이문화간 접촉·교류 양상에 주목하여, 그 최전선에서 기능한 통역의 실태에 대해 검토하는 것을 목적으로 한다. 특히 불특정 다수의 신라인이 열도사회를 빈번하게 왕래하기 시작하는 9세기 초에 초점을 맞추어, 이질문화의 충돌과 융합이 일어나는 상황 속에서 통역이 구체적으로 어떠한 역할을 수행하였는지에 대해 살펴보려고 한다.

여기서 말하는 '9세기 초'는 이전과는 다른 새로운 현상이 나타나기 시작한 시기이다. 그 중핵은 사람들의 활발한 국제이동—특히, 해상이동—이라 할 수 있다. 물론 사람이 국경을 넘는 행위 자체는

* 이 글은 「9세기 초 일본의 변경과 통역 : 쓰시마에 배치된 신라역어를 중심으로」(『동북아역사논총』 51, 2016)을 수정 보완한 것이다.

그보다 훨씬 이전부터 확인되며, 전혀 새로운 일이라 말하기 힘든 측면도 있다. 다만 왕권 이외의 세력·집단·개인이 주변 제국을 매우 빈번하게 왕래한 사례는 이전에 보기 어려웠던 신국면(新局面)임에 틀림없고, 이 점이야말로 '9세기 초'의 획기성을 보여주는 요소인 것이다.

9세기에 들어 활발해진 사람들의 해상왕래는 필연적으로 이문화간·이민족간·이질언어사용자간의 조우(遭遇)를 촉진하였는데 고대 일본열도에서는 연해제국(緣海諸國) 및 이도사회(離島社會)가 바로 그러한 교류와 접촉이 이루어지는 장(場)이었다. 그 가운데서도 현재의 규슈지역에 해당하는 서해도(西海道)는 중국대륙이나 한반도로 대표되는 이국세계와 연결되기 쉬운 지리상의 특성을 지니고 있었기에 다양한 형태의 문화접촉이 나타나는 공간이었다.

『延喜式』民部上(927년 성립)에서 무쓰(陸奥), 데와(出羽), 사도(佐渡), 오키(隱岐)와 함께 이키(壹岐), 쓰시마(對馬)를 '변요(邊要)'로 규정하고 있으며,[1)] 『貞觀儀式』(875년 성립)과 『延喜式』陰陽寮조의 추나 제문(追儺祭文 : 儺祭詞, 역귀를 쫓는 제문)에서 일본의 '西方之堺'가 오치카(遠値嘉, 현재의 고토열도)[2)]라고 나오듯 서해도의 주요 섬들이 외부세계와 맞닿아 있는 변경으로 인식되었던 것도 우연이라 볼 수 없다. 본고에서 특별히 서해도의 이도사회에 유의하고자 하는 이유 또한 바로 그들이 가지고 있는 이문화간 접촉의 가능성과 무관하지 않다.

이상과 같은 시·공간에서 고대 일본이 운용하였던 통역[3)]의 실태를

---

1) 『延喜式』民部上·國郡條에 "陸奥國, 出羽國, 佐渡國, 隱岐國, 壹岐嶋, 對馬嶋, 右四國二嶋爲邊要"라고 나온다.

2) 가령 『延喜式』陰陽寮條에는 "四方之堺, 東方陸奥, 西方遠値嘉, 南方土佐, 北方佐渡"라고 나온다.

3) 고대 일본측 사료에 보이는 '통역'에 대해 직간접적으로 논급한 연구로는

알아보기 위해 먼저, 9세기 초에 나타난 새로운 현상으로서의 비(非)사절신라인의 내항현황을 검토해보고, 다음으로는 그러한 가운데 왜 복수의 언어를 매개할 필요가 발생했는지에 대해 살펴볼 것이다. 마지막으로는 810년대에 쓰시마에 신라역어가 배치된 배경을 동시기에 이루어진 박사 배치와의 비교를 통해서 고찰하려고 한다.

2. 전사(前史)로서의 신라사절 내항 검토

9세기 초에 일본으로 내항한 신라인들이 지닌 가장 큰 특징으로는 그들 대부분이 사절(使節)이 아니었다는 점을 들 수 있다. 왕권으로부터 외교권한을 위임받은 사신이 아닌, '비사절신라인'들이 해상이동을 통해 일본 연안에 출현하기 시작한 것이다.

酒寄雅志, 「渤海通事の研究」, 『栃木史學』 2, 2009 ; 遠山美都男, 「日本古代國家における民族と言語」, 『學習院大學文學部研究年報』 38, 1991 ; 遠山美都男, 「日本古代の譯語と通事」, 『歴史評論』 574, 1998 ; 荒野泰典, 「通譯論－序說」, 『アジアのなかの日本史(五)自意識と相互理解』, 東京大學出版會, 1993 ; 東野治之, 「平安時代の語學教育」, 『新潮』 45, 1993年 7月号, 1993 ; 横山伊勢雄, 「北東アジア世界の漢詩と外交」, 『環日本海論叢』 8, 1995 ; 森公章, 「大唐通事張友信をめぐって」, 『古代日本の對外意識と通交』, 吉川弘文館, 1998 ; 森公章, 「遣唐使と唐文化の移入」, 『遣唐使と古代日本の對外政策』, 吉川弘文館, 2008 ; 馬一虹, 「古代東アジアのなかの通事と譯語－唐と日本を中心として－」, 『アジア遊學』 3, 1999 ; 湯澤質幸, 「古代日本·新羅間における使用言語」, 『日本學報』 43, 韓國日本學會, 1999 ; 湯澤質幸, 『(改訂增補)古代日本人と外國語－東アジア異文化交流の言語世界』, 勉誠出版, 2010 ; 石井正敏, 「遣唐使と語學」, 『歴史と地理』 565, 2003 ; 榎本淳一, 「遣唐使と通譯」, 『唐王朝と古代日本』, 吉川弘文館(初出2005), 2008 ; 張鍾珍, 「圓仁의 入唐求法巡禮行記를 통하여 본 新羅譯語」, 『한국고대사탐구』 7, 2011 ; 山內晋次, 「9~12世紀の日本とアジア－海域を往來するヒトの視点から－」, 『專修大學東アジア世界史研究センター年報』 6, 2012 ; 鄭淳一, 「延曆·弘仁·天長年間の新羅人來航者」, 『早稲田大學大學院文學研究科紀要』 58-4, 2013 등이 있어 참고가 된다. 통역의 명칭, 지위와 신분, 양성체제, 역할과 임무 등에 대해서는 별고에서 다룰 예정이다.

이들의 성격을 명확히 파악하기 위해서 우선 전사(前史)로서 신라 사절의 내항 실태와 일본 측의 대응방식에 대해 검토해보도록 하자.

<표 1> 신라사절의 내항과 일본측의 대응(덴표[天平]~호키[寶龜] 연간)

No	도착 연도	관련 내용	특기 사항
1	天平4 (732)	**1.22** 신라사(新羅使) 김장손(金長孫) 등 내일(來日). **3.5** 신라사 김장손 등을 다자이후[大宰府]로 부르다. **5.11** 신라사 김장손 등 40인, 입경(入京) ⇒ **5.19** 재물(財物) 및 각종 동물(動物)을 진상. 또 '내조(來朝)'의 연기(年期)를 주청(奏請). **5.21** 향연(饗宴)을 조당(朝堂)에서 배풀고, 조(詔)를 내려 '내조'의 연기를 3년에 1회(3年1度)로 하다. **6.26** 귀국.	
2	天平6 (734)	**12.6** 다자이후가 신라사의 내착(來着)을 보고하다. **2.17**(天平7年[735]) 신라사 김상정(金相貞) 등이 입경(入京). **2.27**(天平7年[735]) 다지히노 아카타모리(多治比縣守)를 병부(兵部)의 조사(曹司)로 보내어서, 신라사에게 내조의 이유를 심문하게 하다. 신라국이 국호를 고쳐 왕성국(王城國)을 칭하였기 때문에, 사자를 귀국시키다.	
☆	天平7 (735)	**4.26** 키비노 마키비[吉備眞備] 등에 의해 『당례(唐禮)』(130卷)등이 들어오다.	⇒이 당례는, 권수(卷數)로 보아 고종(高宗) 현경(顯慶) 3년(658)에 편찬된 『현경례(顯慶禮)(영휘례[永徽禮])』 130권으로 보인다. 본격적으로 '예' 체계로서 빈례(賓禮)가 도입된 것은 天平7年의 『현경례』 수용에 의한 것이라 생각된다. ⇒외교형식·외교의례를 보다 엄중하게 지키기 시작하는 계기가 되다.
☆	天平9 (737)	**2.15** 견신라사(遣新羅使), 신라국이 상례(常禮)와 달리 사지(使旨)를 받아들이지 않았다는 사정을 보고하다. 이에 관인 45인을 내리(內裏)로 불러들여 의견을 묻다. **2.22** 제사(諸司), 신라 대책에 관한 의견을 아뢰다.	⇒외교 무대에서 '무례(無禮)'라는 언설이 처음으로 등장하다.

		어떤 이는 사자를 보내어 사정을 물어봐야 한다고 말하고, 어떤 이는 병사를 보내어 정벌(征伐)을 가해야 한다고 말하다. **4.1** 이세신궁(伊勢神宮)·대신사(大神社)·츠쿠시 스미요시 신사(筑紫住吉社)·하치만 신사(八幡社) 및 카시이 궁(香椎宮)에 봉폐(奉幣)하고, 신라의 '무례(無禮)'의 장(狀)을 고하다.	
3	天平10 (738)	**1.-** 다자이후, 신라사 김상순(金想純) 등 147인이 내일한 사정을 보고하다. **6.24** 다자이후에 사자를 보내어 신라사 김상순 등에게 향연을 베푼 뒤 방환(放還)하다.	
4	天平14 (742)	**2.3** 다자이후(치쿠젠노쿠니[筑前國]), 신라사 김흠영(金欽英)등 187인의 내착을 보고하다. **2.5** 조를 내려, 시가라키 궁(紫香樂宮) 조영을 이유로, 다자이후에 사자을 보내어 신라사에게 향연을 베풀게 하고, 그곳에서 귀국시키다.	
5	天平15 (743)	**3.6** 신라사 김서정(金序貞) 등의 내착을 보고하다. 이 날, 다지히노 하니즈쿠리(多治比土作) 등을 치쿠젠노쿠니(筑前國)에 보내어, 신라사의 응대를 맡게 하다. **4.25** 다지히노 하니즈쿠리 등, 신라사가 '조(調)'를 '토모(土毛)'라 칭하고, 서(書)에 직접 물건의 숫자를 적는 등 구례(舊例)에 어긋나다는 사실을 보고하다. 이 날, 태정관이 신라사의 수수(水手) 이상을 불러들여 '실례(失禮)의 장(狀)'을 고하도록 하고, 다자이후에서 방각(放却)할 것을 명하다. **12.26** 츠쿠시(筑紫)에 진서부(鎭西府)를 두다.(天平17年, 다자이후 복치[復置]에 의해 폐지(廢止)된 것으로 추정됨)	⇒신라사가 지참한 외교문서의 서식(書式)을 처음으로 문제시하다.
6	天平 勝寶4 (752)	**閏3.22** 다자이후, 신라왕자 김태렴(金泰廉) 등 700여인이 내박(來泊)한 사정을 보고하다. **6.14** 이보다 앞서 입경(入京). **6.17** 신라사에 대한 향연을 조당에서 베풀다. 조를 내려, 전대(前代)의 신라왕(=孝成王)이 범한 결례를 언급하고, 또 앞으로 국왕 이외의 인물이 '내조' 하는 경우에는 반드시 표문을 지참할 것을 요구하다.	⇒앞으로, 내일(來日)하는 신라사에 대해서 표문지참이 요구되고 있다. ⇒국왕이 '내조'하였을 경우에는 「사(辭)」를 주상(奏上)하고, 왕의 사자가 '내조'하였을 경우는 「표문」을 지참하도록 요구하는 조가 내려지고 있다.(天平勝寶4年 6月17日條) 이것은 『개원례(開元禮)』 빈례의 번주(蕃主)와 번사(蕃使)에 대한 의례와 공통하는 내

			용으로, 외교문서(=國書)를 필요로 하지 않았던 신라와의 외교형식이 이 무렵부터 바뀌고 있음을 엿볼 수 있다. 이 조를 통하여 신라사에 대해서도 당례에 의거한 빈례가 도입되었다는 사실을 알 수 있다.
7	天平寶字4 (760)	**9.16** 신라사 김정권(金貞卷) 등이 내조하다. 김정권에게 '사인경미(使人輕微)'로 인해 빈대(賓待)하지 않고 귀국시킨다고 말하며, 앞으로는 '전대(專對)의 인(人)'·'충신(忠信)의 예(禮)'·'잉구(仍舊)의 조(調)'·'명험(明驗)의 언(言)', 이상의 네 가지를 구비하여 와야 함을 본국(=신라)에 전하게 하다.	⇒사자로서의 네 가지 조건(외교의례의 문제)을 채우도록 요구하고 있다.
8	天平寶字7 (763)	**2.10** 신라사 김체신(金体信) 등 211인이 내일하다. 이전에, 김정권과 '약속'한 것 등을 심문하다. 김체신, 단지 조물(調物)을 바치려는 것일 뿐, 나머지 일(余事)은 모른다고 답하여 입경(入京)을 허락받지 못하고 귀국하게 되다.	⇒김정권의 때에, 명확히 내세운 사자로서의 조건(외교의례의 문제)을 채우지 않았다며 질책하고 있다.
9	天平寶字8 (764)	**7.19** 신라사 김재백(金才伯) 등 91인이 다자이후 하카타진(博多津)에 내착하다. 심문을 실시하다. 김재백, 당의 칙사 한조채(韓朝彩)가 발해를 통해 와서, 일본승려 계융(戒融)이 당에서 무사히 귀국하였는지 일본에 물어보라고 요청했기 때문에 집사첩(執事牒)을 가지고 도래하게 되었다는 취지로 대답하다. 이에 재백 편으로 다자이후가 신라집사에게 보내는 반첩(返牒)을 부쳐, 계융은 작년 10월에 발해에서 귀국하였음을 전하다. 또 오양(午養) 등, 이 무렵 신라에서 도래한 백성이 신라본국에서는 경고(警固)에 힘쓰고 있으며, 이는 일본의 문죄(問罪)에 대비하기 위한 것이라 한다고 말하는데 그것이 사실인가 묻다. 재백, 경비를 하고 있는 것은 사실이지만 그것은 해적(海賊)에 대비한 것이라 답하다.	⇒외교문서(집사첩[執事牒])를 지참하여 내일했기 때문인지 트러블이 발생하지 않았다.
10	神護景雲3 (769)	**11.12** 신라사 김초정(金初正) 등 187인 및 도송자(導送者) 39인이 쓰시마에 내착하다. **3.4**(神護景雲4年=寶龜元年) 이보다 앞서, '내조'의 이유를 추궁당한 신라사 김초정 등, 재당일본인 후지와라노 카와키요(藤原河淸, 혹은 키요카와[淸河]) 등이 신라의 입당숙위(入唐宿衛) 왕자(王子)에게 부탁한 서장을 전송하기 위해 파견되었다고 답하고, 이어서 토모(土毛)를 바치겠다는 뜻을 말하	⇒김정권과의 약속(외교의례의 문제)를 준수했는지가 빈례(외교의례)실시의 기준이 되고 있다. 신라사에 대해서 '빈례'라는 말이 처음으로 나타나는 것은 寶龜元年.(발해사에 대해서는 寶龜3年이 初見이

		다. 이 날, 사자를 보내어 김초정 등에게, 몇 년 전 알린 김정권과의 '약속'을 지키지 않았기 때문에 빈례를 행하지 않는다는 사실을 알리고 단, 당의 정보 및 후지와라노 카와키요 등의 서장을 전해준 것을 가상히 여겨 다자이후에서 향연을 베푼다는 것, 게다가 녹(祿)을 지급하며 신라국왕에게 보내는 증물(贈物)을 부친다는 내용 등을 선고(宣告)하게 하다.	다.)
11	寶龜5 (774)	**3.4** 이보다 앞서, 신라사 김삼현(金三玄) 등 235인이 다자이후에 내착하다. 키노 히로즈미(紀廣純) 등을 보내어 '내조'의 사정을 심문하게 하다. 김삼현, 구호(舊好)를 닦기 위해 왔고, 그와 더불어 국신물(國信物) 및 당에 체재중인 후지와라노 카와키요(키요카와)의 서장을 가지고 왔음을 말하다. 이 날, 키노 히로즈미 등에게 칙(勅)을 내려, 신라사가 '조(調)'를 '신물(信物)'이라 칭하고, '조(朝)'를 '수호(修好)'라 하는 등 무례한 언동이 있기 때문에 도해료(渡海料)를 지급하여 귀국시키다.	⇒신라사절의 외교 '결례(無禮)'를 지적하고 있다. ⇒그러나 외교문서 소지여부나 김정권과의 '약속'에 대해서는 언급이 없다.
12	寶龜10 (779)	**7.10** 다자이후, 견신라사 시모츠미치 노 나가토(下道長人) 등, 견당판관(遣唐判官) 우나카미노 미카리(海上三狩) 등을 이끌고 귀국하였음을 보고하다. 이때, 당사 고학림(高鶴林) 등 5인 및 신라사 김난손(金蘭蓀) 등도 함께 내일하다. **10.9** 다자이후에 칙을 내려, 신라사 김난손 등이 '내조'한 사정을 묻고, 또 표함(表函)을 소지하고 있으면 발해의 예에 준하여 안문(案文)을 서사하여 진상하도록 명하다.(그러나 그들은 표를 소지하고 있지 않았다) **10.17** 신라사 김난손 등이 입경(入京)하다. **2.15**(寶龜11年) 김난손 등, 귀국 길에 오르다. 신라국왕에 보내는 위로조서(慰勞詔書)를 위탁하고, 김난손 등이 표문을 소지하지 않아서 본래라면 입경(入京)을 허락하지 않고 방환해야 하지만, 우나카미노 미카리 등을 호송해준 노고를 평가하여 빈례로 대우한 점, 앞으로의 사자는 반드시 표문을 지참시킬 것, 다자이후 및 쓰시마에 표문을 소지하지 않은 사자는 입경(入境)시켜서는 안 된다고 명하였다는 사실 등을 말하다.	⇒김난손 등은 외교문서를 지참하지 않았는데도 빈례가 행해지고 있다.(일본인, 당사절과의 동행이기 때문인가?) ⇒한편, 일본측은 표문의 지참이 빈례의 대상인지를 판단하는 기준이 된다는 사실을 재확인하다. 앞으로는 표문을 소지하지 않은 사자에게 입경(入境)을 허가하지 않는다는 방침을 밝히다.

* 전거는 모두 『속일본기(續日本紀)』

이상의 <표 1>에서도 알 수 있듯이 신라 사절단의 내항은 호키(寶龜) 10년(779)의 김난손 사절(<표 1>의 No.12)을 끝으로 종언을 고하게 된다. 그렇다면 어떠한 경위로 신라사절의 일본방문이 끊어지게 된 것일까? 덴표(天平) 연간(729~749년)부터의 추이를 살펴보면 배경을 짐작할 수 있다.

먼저 두드러지는 변화로 지적할 수 있는 부분은 신라사절단의 대규모화이다. 덴표 4년(732)에 신라사 김장손 등이 40인 규모로 내일(來日)한 이래(<표 1>의 No.1), 덴표 10년(738)의 단계가 되면 사절의 규모가 147인에 이르게 된다(<표 1>의 No.3). <표 1>의 No.4, 6, 8, 9, 10, 11에서도 사절단의 인원을 확인할 수 있는데, No.4, 6, 8의 단계에는 각각 187인, 700여인, 211인의 규모로 내항하였음을 알 수 있다. 9의 단계가 되면 100인에 미치지 못하는 91인 수준으로 잠시 주춤하였다가 다시 No.10, 11의 단계에는 187인(+도송자 39), 235인으로 인원이 늘어난다.

관련 사료로부터는 인원수만 확인이 될 뿐 이들이 탑승한 선박수에 대해서는 구체상을 알 길이 없다. 하지만 인원수로부터 미루어 보건대 사절단이 방문할 때마다 적어도 2척 이상 복수의 선박이 입항하였을 것으로 추찰된다.

신라 측의 사절규모가 확대됨에 따라 그들을 수용하는 일본의 입장에서는 내항자격 심사를 강화할 필요성이 생겨나게 된 듯하다. 공식사절로서의 자격이 있는지를 심사하는 것이다. 이러한 자격심사는 빈례, 즉 외교의례에 의거하여 이루어졌던 것으로 보인다. 덴표 7년(735) 기비노 마키비(吉備眞備) 등에 의해 장래된 『唐禮』(130권)는 외교형식 및 외교의례를 보다 엄중히 지키기 시작하는 계기를 마련하였을 것으로 생각된다. 『唐禮』를 수용하고 2년 후인 덴표 9년(737)에는 외교 무대에서 '무례(無禮)'라는 언설이 처음 등장하기에 이르렀고(<표 1>의 두 번째 ☆), 덴표 15년(743)에는 신라사절이 지참한 외교문서의 서식이 처음으로 문제시되었다(<표 1>의 No.5).

덴표쇼호(天平勝寶) 4년(752)에 대규모 사절을 이끌고 내항한 '신라왕자' 김태렴을 통하여서는 추후 일본을 방문하는 모든 사절에 대해서 표문지참(表文持參)이 요구되고 있다(<표 1>의 6, 단 김태렴은 입경(入京)이 허가됨). 이는 『당례』를 바탕으로 하는 빈례(賓禮)가 외교의 장에 구체적으로 적용되는 신호탄으로서의 의미를 가진다.

아니나 다를까 <표 1>의 No.7에 보이는 김정권 사절단에 대해서는 사자로서의 네 가지 조건(외교의례의 문제)을 채우도록 요구한 뒤, <표 1> No.8, 10에서는 '김정권과의 약속'을 거론하면서 거듭 입경(入京)을 거부하는 모습을 보인다. '김정권과의 약속'을 준수하였는지가 빈례 실시의 기준이 되고 있는 것이다. 급기야 <표 1>의 No.11에서는 신라사절 김삼현 등에게 외교결례를 지적하는 모습을 확인할 수 있다. 내항한 신라사절에게는 처음으로 '무례'가 논하여지는 사례이다. 바로 호키 5년(774)의 일이다.

<표 1>의 No.12에 보이는 김난손 사절단의 경우에는 외교문서를 지참하지 않았는데도 빈례에 의거하여 처우를 받고 있다. 일본의 견당사 우나카미노 미카리(海上三狩) 등을 호송해준 노고를 평가하여 빈례로 대우하게 되었다고 말하지만, 본질적으로는 아마도 본국으로 귀국하는 일본인(견신라사 및 견당사), 그리고 당 사신과 동행한 입국이었기 때문에 그러한 처우가 있었던 게 아닌가 추정된다. 동행한 인물이 김난손의 입항자격을 보장해주었다고 판단되는 것이다. 이와 공통된 일은 발해사절의 사례에서도 확인이 된다.

덴표 11년(739)의 발해사절이 일본의 견당사 판관(判官) 헤구리노

히로나리(平群廣成) 등 4인과 함께 내항하였을 때 입경(入京)까지 허가 받은 일이 있고, 덴표호지(天平寶字) 2년(758)에는 견발해사(遣渤海使) 오노노 다모리(小野田守) 등과 함께, 덴표호지 3년(759)에는 영등원하청사(迎藤原河淸使) 구라노 마타나리(內藏全成) 등과 함께, 덴표호지 6년(762)에는 견발해사 이키노 마스마로(伊吉益麻呂) 등과 함께, 호키 9년(778)에는 견발해사 고마노 도노쓰구(高麗殿嗣)와 함께, 엔랴쿠(延曆) 17년(798)에는 구라노 가모마로(內藏賀茂麻呂)와 함께 내일하였을 때 발해사절단이 순조롭게 입국을 허가받았는데, 모두 일본인을 동반한 사례이다.[4] 외교상대국의 왕권이 보낸 정식사절이냐 아니냐를 판단하는 기준으로 자국 외교관의 동행여부를 들고 있는 것이다.

그러나 사절로서의 자격을 가장 확실하게 보여주는 것은, 역시 외교문서의 형식과 그 내용이었던 듯하다. '마지막 신라사절'이라고도 불리는 김난손 등이 귀국할 때 앞으로의 사자는 반드시 표문을 지참하게 하도록 요구하는 동시에, 일본의 관문에 해당하는 다자이후 및 쓰시마에도 표문을 소지하지 않은 사자는 입국을 허가해서는 안 된다고 명하였다는 사실에서 그것이 입증된다(<표 1>의 No.12).

호키 5년(774)에는 신라사절의 '무례'가 처음으로 지적되고 있으며, 호키 10년(779)에는 표문의 지참이 빈례의 대상인지를 판단하는 기준이 된다는 사실을 재확인하고, 또 일본열도로 입항하기 위해서는 반드시 표문을 소지해야 함을 강력히 요구하게 된 것은, 호키 연간 무렵부터 나타나기 시작한 새로운 변화양상들과 무관하다고 보기 힘들 것이다. 즉 일본열도의 '서쪽' 변경에서 '流來新羅人'이라 표현되는 불특정 다수의－정체가 불분명한－내항자가 증가하고 있던 상황

4) 鄭淳一, 「緣海警固と『九世紀』の黎明」, 『일본학보』 97, 한국일본학회, 2013, 328~329쪽의 <표 1>을 참조.

이 신라사절에 대한 내항자격 심사의 강화로 이어졌다고 생각되는 것이다.[5]

산양도, 산음도의 서쪽 제국 및 서해도 지역을 대상으로 연해경고 명령(警固勅)이 내려진 점이라든가,[6] 같은 시기부터 서해도 제국을 '邊要'로 강하게 의식하기 시작한 것,[7] 하카타, 이키, 쓰시마 등을 '要害之處'로 인식한 것[8]도 해당지역의 변화하는 움직임 즉, '유래자'가 문제시 되는 상황과 연동되어 있었다고 볼 수 있다.

3. 비사절신라인(非使節新羅人)의 내항

엄격한 '입국관리'로 인한 신라사절의 방문 단절 이후에는 수 십 년간 신라인의 내일이 확인되지 않는다. 엔랴쿠 연간(782~806)·다이도(大同) 연간(806~810)은 신라인의 내항사례(이 경우 발해인의 내항사례는 제외)라는 측면에서 보면 분명히 '사료상의 공백기'라 말할

---

5) 鄭淳一, 「緣海警固と『九世紀』の黎明」, 『일본학보』 97, 한국일본학회, 2013, 338~344쪽.

6) 鄭淳一, 「緣海警固と『九世紀』の黎明」, 『일본학보』 97, 한국일본학회, 2013, 322~324쪽.

7) 『續日本紀』 天平寶字 4年(760) 8月 甲子(7日)條 "(전략) 又勅, 大隅, 薩摩, 壹岐, 對馬, 多褹等司, 身居邊要 (후략)" ; 『續日本紀』 天平寶字 5年(761) 7月 甲申(2日)條 "西海道巡察使武部少輔從五位下紀朝臣牛養等言, 戎器之設, 諸國所同, 今西海諸國, 不造年料器仗, 旣曰邊要, 当備不虞, 於是, 仰筑前, 筑後, 肥前, 肥後, 豊前, 豊後, 日向等國, 造備甲刀弓箭, 各有數. , 每年送其樣於大宰府" ; 『續日本紀』 寶龜 11年(780) 8月 庚申(28日)條 "太政官奏曰, 筑紫大宰, 遠居邊要, 常警不虞, 兼待蕃客, 所有執掌, 殊異諸道" 등.

8) 『續日本紀』 天平寶字 3年(759) 3月 庚寅(24日)條 "庚寅, 大宰府言, 府官所見, 方有不安者四. 據警固式, 於博多大津及壹岐·對馬等要害之處, 可置船一百隻以上以備不虞. 而今無船可用. 交闕機要. 不安一也."

수 있을 정도이다.[9)]

그 반면, 고닌(弘仁) 연간(810~824)·덴초(天長) 연간(824~834)은 확실히 신라인의 쇄도가 눈에 띄는 시기이다. 특히 고닌 연간이 시작되고 약 20년간은 비사절신라인의 내항기록 가운데 '귀화'의 사례가 집중적으로 나타나는 시기이기도 하다.[10)] 고닌·덴초 연간의 신라인 내항상황을 정리한 <표 2>를 통해서도 알 수 있듯이 적지 않은 '귀화'사례가 확인된다. 유사표현에 해당하는 '化來', '投化', '遠投風化' 등을 포함하면 No.7, 9, 11, 12, 13, 19, 20, 22, 24가 '귀화' 관련기록이 된다.

<표 2> 9세기 초의 내항신라인 일람 (고닌·덴초 연간)

No	연월일	호칭	사람 이름	배의 수	사람 수	도착지	비고	전거
1	弘仁元 (810)	신라인 (新羅人)	김파형(金巴兄)·김승제(金乘弟)·김소파(金小巴)		3	다자이후 (大宰府)	유래(流來). 방환(放還)하다	日本後紀 (弘仁2.8.12)
2	弘仁2 (811) 12.06	신라선 (新羅船)		3(그 중 1소(艘)가 착안) (12.7에 선 20여소가 쓰시마의 서해상에 출현)	10(1소에 타고 있던 인원수)	對馬島 下縣郡 佐須浦	처음 발견한 신라선은 3소(艘). 익일인 12.7에 출현한 선 20여소를 '적선(賊船)'으로 판단	日本後紀 (弘仁3.1.5)
3	弘仁3 (812) 3.01	신라인	청한파(淸漢波) 등				유래. 원(願)에 의해 방환하다	日本後紀

9) 鄭淳一, 「延暦·弘仁·天長年間の新羅人來航者」, 『早稲田大學大學院文學研究科紀要』 58-4, 2013, 96쪽.

10) 佐伯有淸, 「九世紀の日本と朝鮮」, 『日本古代の政治と社會』, 吉川弘文館(初出1964), 1970 및 渡邊誠, 「承和·貞觀期の貿易政策と大宰府」, 『平安時代貿易管理制度史の研究』, 思文閣出版(初出2003), 2012 등.

4	弘仁3 (812) 9.09	신라인	류청(劉清) 등		10		양(糧)을 지급하고 방환하다	日本後紀
5	弘仁4 (813) 2.09	신라인		5	110	肥前國 小近嶋	선(船) 5소	日本紀略(弘仁4.3.18)
6	弘仁4 (813) 3.07	신라인	일청(一清) 등			(肥前國?)	청한파(清漢巴)(NO.3의 清漢波와 동일인물인가?) 등이 일본에서 귀래하였음을 히젠노쿠니(肥前國)에 말함	日本紀略(弘仁4.3.18)
7	弘仁5 (814) 8.23	신라인	가라포고이(加羅布古伊) 등		6		화래(化來). 미노노쿠니에 배치함	日本後紀
8	弘仁5 (814) 10.13	신라 상인			31	長門國 豊浦郡	신라상인의 초견(初見)	日本後紀
9	弘仁5 (814) 10.27	신라인	신파고지(辛波古知) 등		26	筑前國 博多津	표착(漂着). 단, 그 사정을 물으니 '멀리 풍화에 던진다'고 대답함	日本後紀
10	弘仁6 (815)	신라승(新羅僧)	이신혜(李信惠)			다자이후	후에 환속하여 이신혜라는 이름 사용. 엔닌(円仁)의 통사(通事)를 담당함	入唐求法巡礼行記(開成5.1.15 및 會昌5.9.22)
11	弘仁7 (816) 10.13	신라인	청석진(清石珍) 등		180	다자이후	귀화. 시복(時服)·노량(路糧)을 지급하고 입경케 함	日本紀略
12	弘仁8 (817) 2.15	신라인	김남창(金男昌) 등		43	다자이후	귀화	日本紀略
13	弘仁8 (817) 4.22	신라인	원산지(遠山知) 등		144	다지이후	귀화	日本紀略

14	弘仁9 (818) 1.13	신라인	장춘(張春) 등		14		려(驢) 4두(頭) 바침	日本紀略
15	弘仁10 (819) 6.16	신라인선(新羅人船)					당월주인(唐越州人)인 주광한(周光翰)·언승칙(言升則)과 동행	日本紀略
16	弘仁10 (819)	신라인	왕청(王請) 등			出羽國(後長門國)	당인(唐人) 장각제(張覺濟) 형제와 동행. 교역을 위해.	入唐求法巡礼行記(開成4.1.8)
17	弘仁11 (820) 4.27	당인(唐人)	이소정(李少貞)		20	出羽國	표착(漂着). 이소정=신라인인가?	日本紀略
18	弘仁11 (820) 5.04	신라인	이장행(李長行) 등				고력양(羖攊羊)2·백양(白羊)4·산양(山羊)1·아(鵞)2를 바침	日本紀略
19	弘仁13 (822) 7.17	신라인			40		귀화	日本紀略
20	天長元 (824) 3.28	신라인			165		승전(乘田)24정(町)8단(段)(口分田)주고, 종자·농조도가(農調度價)를 지급함	類聚國史
21	天長元 (824) 4.07	신라금(新羅琴)	(물품)			能登國	신라금2면(面)·수한서(手韓鉏)2척(隻)·좌대(剉碓)2척 표착	日本紀略
22	天長元 (824) 5.11	신라인	가라김책(辛良金責)·가라수백(賀良水白) 등		54		무쓰노쿠니에 안치. 승전을 구분전으로 충당함	類聚國史
23	天長元 (824)	신라인	장대사(張大使)				장대사=장보고인가? 당에 돌아갈 때	入唐求法巡礼行記(會昌5.9.22)

							신라승려 이신혜를 동승시킴	
24	天長10 (833) 4.08	신라인	김예진(金禮眞) 등 남녀		10		투화(投化). 좌경오조(左京五條)에 관부(貫附)함	續日本後紀
25	天長10 (833)	신라 상객					혜운(惠運)이 신라상객으로부터 동원(銅鋺)·첩자(疊子) 등을 구입. 후에 안상사(安祥寺)에 시입(施入)함	安祥寺伽藍緣起資材帳, 平安遺文 1－164, 入唐五家伝

* 年月日은 일본열도에 내착하였을 것으로 보이는 시점. 月日이 없는 경우는 그 시점이 불투명하다는 의미

** No.17의 李少貞은 '唐人'이라고 되어 있으나 『續日本後紀』 承和9年(842) 正月 乙巳(10日)條에는 '新羅人'으로 등장

이들 '귀화'신라인에 대한 처우는 그다지 나쁘지 않았던 것으로 보인다. No.11의 청석진(淸石珍) 등은 다자이후에서 '귀화'의 뜻을 밝혔더니 시복(時服)과 노량(路糧)을 지급받았음은 물론 제공된 선편으로 입경(入京)하였다고 전해지고 있다. No.24의 김예진(金禮眞) 등도 '투화(投化)'를 표명하였더니 좌경5조(左京五條)에 배치되었다고 한다. 이 두 사례는 공식사절로서 내항한 신라인에게조차도 입경이 거의 허락되지 않았던 8세기 단계의 선례와 함께 생각해볼 때 상당히 이례적인 대우라 말하지 않을 수 없다.

한편, 한정된 사례이기는 하지만 덴초 연간에는 '귀화'신라인에 대해 구분전(口分田)을 비롯하여, 생활기반 안정에 필요한 물품의 지급이 이루어지고 있다. No.20의 '귀화'신라인들에 대해서는 승전(乘田) 24정(町) 8단(段)을 주어 구분전으로 삼게 하였고 종자(種子) 및 '농조도가(農調度價)'[11]를 지급하고 있으며, No.22의 가라(辛良) 김

책(金責)·가라(賀良) 수백(水白) 등에 대해서도 승전을 구분전으로 충당해주고 있다. 모리 기미유키(森公章) 씨의 연구에 따르면, 율령국가의 재일외국인(在日外國人, '귀화'를 포함하는 개념)에 대한 대우는 크게 관국안치(寬國安置), 조세면제(租稅免除), 관인출사(官人出仕), 씨성사여(氏姓賜與) 등으로 나눌 수 있다고 하는데,[12] '귀화'신라인에게 토지를 지급하는 조치는 그 가운데서도 관국안치에 근거한 것이라 생각된다. 관국(寬國)이란, 반전액(班田額)에 부족하지 않을 만큼 광대한 토지를 가진 구니(國)를 가리키는데,[13] 토지지급은 이와 같은 관국으로의 이배(移配)를 전제로 하지 않으면 안 되는 것이다. No.22의 신라인들이 무쓰노쿠니(陸奧國)에, 그리고 No.7의 사람들이 미노노쿠니(美濃國)에 안치되고 있는 것도 그와 관계가 있다.[14]

대규모의 집단 '귀화'가 많이 확인되는 것도 고닌·덴초 연간의 '귀화'가 가지는 특징 가운데 하나이다. No.7(6명), No.24(10명)의 경우는 10명 이하의 규모이지만 No.9(26명), No.12(34명), No.19(40명), No.22(54명)와 같이 수십 명 레벨의 중규모도 있는가 하면 No.11(180명), No.13(144명), No.20(165명)처럼 100명을 훌쩍 넘는 대규모의 '귀화'도 있었다.

선행연구 가운데에는 신라인의 '귀화'가 집중하는 서력 815년을

11) '農調度價'란 영농에 필요한 도구나 재료를 입수하기 위한 대가를 말한다. (黑板伸夫·森田悌編, 『譯注日本史料·日本後紀』, 集英社, 2003, 872쪽의 頭注)

12) 森公章, 「古代日本における在日外國人觀小考」, 『古代日本の對外認識と通交』, 吉川弘文館(初出1995), 1998 참조.

13) 田令 第13·寬鄕條에 "凡國郡界內, 所部受田, 悉足者, 爲寬鄕, 不足者, 爲狹鄕"이라 기록되어 있다.

14) 『日本三代實錄』 貞觀 12年(870) 2月 20日 壬寅條 所引의 天長 元年(824) 8月 20日格에 "不論新舊, 併遷陸奧之空地"라고 되어 있는 것과 같은 맥락상에서 이해해야 할 것이다.

전후로 하는 시기의 신라 국내 상황에 착목하여 대규모 '귀화'의 원인을 설명하는 경우도 있다. "이상기상(異常氣象)이 부작(不作)과 재해를 초래하였고 영양실조가 역병을 만연시켜 막다른 곳에 몰린 백성이 도적으로 변신하였으며 폭동을 일으켰다. 이러한 부(負)의 연쇄가 당시의 신라에서 일어나고 있었다"면서 고닌·덴초 연간에 있었던 신라인의 '귀화'에 대해서도 '기근에 의해 발생한 난민의 집단적 해외이주 움직임'으로 해석하고 있다.[15] 816년 당(唐)의 절동지방(浙東地方)에 신라기민(新羅饑民) 170명이 음식을 구하기 위해 왔다는 기록[16]이 있는 것을 보더라도 기민(饑民)의 해외이주 흐름은 틀림없이 존재하였을 것이라는 설명이다.[17] 다만 신라에서의 자연재해나 지방반란이 해당시기에만 일어났다고 볼 수 없는 상황이기 때문에,[18] 사람들의 해외유출현상(예를 들면 대규모 '귀화' 등)이 해당 시기에 돌출적으로 나타나고 있는 원인에 대해서는 앞으로 더욱 정밀한 검토가 요구된다고 하겠다.[19]

---

15) 榎本涉, 「『遣唐使以後』へ」, 『僧侶と海商たちの東シナ海』, 講談社選書メチエ, 2010 참조. 李成市, 「京師交易から大宰府交易へ」, 『東アジアの王權と交易』, 青木書店, 1997도 『三國史記』의 기사를 바탕으로 하여 天災 및 지방에서의 반란이 여러 동요를 가지고 왔으며, 어떤 자는 중국으로 건너갔고 어떤 자는 일본으로 건너가는 사태를 불러일으켰다고 설명한다.

16) 『舊唐書』 卷199上·列伝 149上·東夷·新羅條 ; 『唐會要』 卷95·新羅條 ; 『三國史記』 新羅本紀 十·憲德王 8年條.

17) 榎本涉, 「『遣唐使以後』へ」, 『僧侶と海商たちの東シナ海』, 講談社選書メチエ, 2010 참조.

18) 자연재해나 정치적 반란은 이른바 신라하대 全시기(780~935)에 걸쳐 계속 발행하고 있으며, 특정한 시기에 한정된 현상이라 말하기 어렵다. 신라하대에 대한 일반적 이해 및 관련연구목록은 정호섭, 「신라하대의 사회변동」, 『한국고대사입문(3) 신라와 발해』, 신서원, 2006 참조.

19) '귀화'라고 하는 형태로 많은 신라인이 일본열도로 이동한 배경에 대해 논할 때에는, 열도사회가 가진 유입 요인(pull factor) 및 당시 신라사회가 만들어내고 있던 배출 요인(push factor)이라는 두 가지 측이 충분히 고려되어

'귀화'신라인의 이름에 눈을 돌리게 되면 한반도계 인명표기방식과는 다소 이질적인 것이 몇 가지 눈에 띈다. No.7의 '加羅布古伊', No.9의 '辛波古知', 그리고 No.22의 '辛良金貴·賀良水白'이 그것이다. 이들은 이름의 모두(冒頭)에 '加羅', '辛', '辛良', '賀良'이라는 접두어를 붙이고 있는데, 일본어로는 예외 없이 'kara'로 발음된다. 이와 같은 문자열을 가진 'kara'는 『新撰姓氏錄』(고닌 6년[815] 편찬)에도 보이고 있다.[20] 다만 이들이 이미 '化内'에 편입된 도래씨족의 명칭으로 이어질 수 있는지는 단정하기 어렵다. 그렇다고는 하더라도 그들의 이름 앞부분에 'kara'를 붙인 데에는 어떤 이유가 있을 것이고, 수용하는 쪽(일본측)의 기록에 일부러 '신라인 kara ○○'라고 쓰고 있는 것도 그들이 'kara'와의 관련성이 있기 때문이라 추찰된다. 'kara(加羅)'란 본래 한반도 남부에 존재하였던 소국(小國) 혹은 그 연합체를 가리키는 말이다. 그런데 9세기 초의 '귀화'신라인이 'kara ○○'라고 칭한(혹은 칭해진) 것은 자신들이 kara(加羅) 지방, 즉 한반도의 신라 가운데서도 특히 남부지방에서 온 사람들이라는 것을 강조하고자 했기 때문은 아닐까 추찰된다.[21]

야 할 것으로 생각된다. 추후의 과제로 삼고자 한다.

20) 『新撰姓氏錄』과 같은 씨족 계보서가 만들어진 것은 편찬 시의 정치적·사회적인 요청에 의한 것이라 논하여지고 있다. 실제로 그 성립배경을 밝히고자 하는 시도도 일찍부터 이루어져 구체적으로는 ①환무조(桓武朝)의 정치적 대립, ②'군사(軍事)와 조작(造作)'과의 관련성, ③반전농민(班田農民)의 변질양상과의 관계, ④'神火' 및 지방민의 반항 등이 제시되었다(佐伯有清, 『新撰姓氏錄の研究 研究篇』, 吉川弘文館, 1983). 그러나 그와 함께 호키 연간부터 고닌 연간에 걸쳐 확인되는 '불특정 다수의 내항이국인(특히 신라인)이 쇄도하는 현상'도 중시되어야 할 것이다. '內'·'外', 혹은 황별(皇別)·신별(神別)·제번(諸蕃)과 같이 인민의 출자(出自)를 선명하게 하고 율령국가의 지배질서를 확립시켜 가고자 하는 의사가 강하게 작용하였던 것은 아닐까 추찰되는 것이다.

21) 鄭淳一, 「延暦·弘仁·天長年間の新羅人來航者」, 『早稲田大學大學院文學研究科紀要』 58-4, 2013, 100~101쪽.

아울러 <표 2>의 No.24에 보이는 덴초 10년(833)의 김예진 등을 마지막으로 고대의 '귀화'기록이 찾아지지 않게 되는 점도 여기에 특기해두고자 한다.

한편, 고닌 5년(814)에는 종래 확인된 바 없는 새로운 성격의 내항자가 등장한다. '신라상인' 31명이 나가토노쿠니(長門國) 도요라군(豊浦郡)에 표착한 것이다(<표 1>의 No.8).[22] 이성시는 『續日本紀』 진고케이운(神護景雲) 2년(768) 10월 갑자(24일)조에 좌우대신(左右大臣) 이하 귀현(貴顯)한 자들에게 '신라의 교관물을 사기 위해' 다자이후가 보관하고 있던 양질의 면을 하사하였다고 기록되어 있는 점, 게다가 그 해(768)는 신라사절이 내항하였다는 기사가 없는 점에서 '768년의 교역'[23]을 담당한 것은 신라상인으로 봐야한다고 논하며, 이것을 9세기 교역형태(다자이후 교역유형)의 원형이라 평가한다.[24] 신라상인의 출현시점을 8세기 후반에 구하고 있는 것이다. 그러나 '新羅商人'이라는 내항형태로서 처음 일본 측에 인지된 것도, 그리고 기록상에 남겨진 것도 고닌 5년(814)의 시점이라는 점은 인정하지 않을 수 없다.[25]

고닌 5년을 기점으로 그 후에도 신라상인(혹은 상인으로 보이는 자)의 내항이 이어진다. 먼저 <표 1>의 No.10에 보이는 이신혜(李信

22) 『日本後紀』 弘仁 5年(814) 10月 丙辰(13日)條.

23) '768년 교역'이라는 것은 어디까지나 이성시의 표현이다. 이해에 교역이 이루어졌다고 단정할 수는 없다고 생각된다. 신라의 교관물(교역물)을 살 수 있도록 다자이후의 면을 지급했다는 것과 768년에 '신라상인'이 왔다는 것은 별개의 문제이다. 768년을 전후한 시기에 일본을 방문한 '신라사절(사신)'이 교관(교역)의 상대였을 가능성도 남아있는 것이다. 따라서 '다자이후 면 지급'을 '신라상인'의 출현과 곧바로 연결시키기는 어렵다고 판단된다.

24) 李成市, 「京師交易から大宰府交易へ」, 『東アジアの王權と交易』, 青木書店, 1997.

25) 森克己, 「末期日唐貿易と中世的貿易の萌芽」, 『新編森克己著作集(2) 續日宋貿易の研究』, 勉誠出版(初出1989), 2009도 '문헌상의 初見'이라는 점을 지적하고 있다.

惠)의 경우, 그 자신은 승려 및 통사(通事)의 이력을 가지는 인물이지만 귀국할 때에 교역을 위해 내일한 장대사(張大使)라는 인물과 동행하고 있는 점에서 상인집단과도 밀접하게 관련되었을 것으로 보인다. 나아가 고닌 6년(815) 내일 당시도 교역선을 이용했던 것은 아닐까 추측된다. 이런 추론이 인정된다면 고닌 6년 시점에도 상인집단의 내항이 있었다고 봐도 좋을 것이다.

또 고닌 10년(819)에 당 월주인(越州人) 등을 태우고 내항한 '新羅人船'(<표 1>의 No.15)도 교역과 일정한 관계가 상정되며, 마찬가지로 당인(唐人)과 함께 내항한 신라인 왕청(王請) 등도 교역에 종사하는 자들이었다(No.16). 고닌 11년(820) 단계에 '당인'이라 기록되어 있는 이소정(李少貞)의 경우(No.17) 조와(承和) 9년(842) 단계에는 '신라인'이라 나오고, 더군다나 일본과의 교역에 힘을 쏟았던 신라인 장보고의 부하로 등장하고 있다는 점에서 고닌 연간에도 당에 거점을 두고 일본-당 간의 무역에 종사하였던 사람으로 생각된다. 게다가, 덴초 원년(824)에 내항한 '張大使'(No.23)나 덴초 10년(833) 단계에 내일한 것으로 보이는 신라인들(No.25)도 상인 혹은 상객이었다.

고닌 9년(818) 내일한 장춘(張春) 등(No.14)과 고닌 11년(820)에 내일한 이장행(李長行) 등(No.18)은 그들이 장래한 동물의 내역(驢, 羖羅羊, 白羊, 山羊, 鵞)으로 미루어보아 한반도의 신라가 아닌 중국 당에서 내항한 상인집단이 아니었을까 추정된다.[26]

이상과 같은 상인의 내항에 대해 일본 측은 새로운 정책 마련으로 응한다. 덴초 8년(831) 9월 7일에 발행한 태정관부(太政官符)는 신라 '상인'이 내항하였을 경우 배 안의 화물을 조사하여 '適用之物'의

26) 鄭淳一, 「延暦·弘仁·天長年間の新羅人來航者」, 『早稲田大學大學院文學研究科紀要』 58-4, 2013, 104~105쪽.

구입과, 그 경진(京進)을 행하게 하고 그 이외에는 부관(府官) 검찰 아래 적정가격으로 교역하도록 다자이후에 명하도록 하고 있다.[27]

종래에는 신라인 내항자를 '유래'와 '귀화'로 이분하여 '유래'의 경우는 그냥 방환한다고 하였으나[28] 덴초 8년(831)의 처분을 기점으로 하여 방침을 크게 전환한 것이다.[29] 무엇보다도 이 정책에 의해 비로소 신라상인의 존재를 공식적으로 인정하게 되었다는 사실을 지적할 수 있다. 그 이전까지는 신라상인의 내항에 맞춘 수용시스템을 갖추지 않고 있었으나 신라상인의 활동을 교역관리체제에 편입시키는 형태로 연해지역 인민과 신라상인과의 교역을 양성화하게 된 것이다.[30]

4. '유래(流來)'·'귀화(歸化)'의 판정과 언어

9세기 초에 나타나기 시작한 비사절신라인의 내항형태로서 '귀화'와 '상인'에 대해 고찰해보았다. 그런데 '귀화'신라인과 관련하여 종래에 크게 주목받지 못했던 규정이 있어 본장에서는 그 의의를 검토해보고자 한다.

---

27) 『類聚三代格』 卷18·天長 8年(831) 9月 7日 太政官符.

28) 다음 장에서 상세히 다룬다.

29) 田中史生, 「『歸化』と『流來』と『商賈之輩』－律令國家における國際交易の変遷過程－」, 『日本古代國家の民族支配と渡來人』, 校倉書房, 1997 ; 李成市, 「京師交易から大宰府交易へ」, 『東アジアの王權と交易』, 青木書店, 1997 ; 渡邊誠, 「律令國家の對外交易制度とその変容」, 『平安時代貿易管理制度史の研究』, 思文閣出版, 2012의 해석도 함께 참조해주기 바란다.

30) 鄭淳一, 「延曆·弘仁·天長年間の新羅人來航者」, 『早稻田大學大學院文學硏究科紀要』 58-4, 2013, 105～106쪽.

[사료1] 『日本紀略』 弘仁 4年(813) 3月 辛未(18日)條

辛未. 大宰府言, 肥前國司今月四日解稱, 基肄団校尉貞弓等去二月九日解稱, 新羅一百十人駕五艘船, 著小近嶋, 與土民相戰, 卽打殺九人, 捕獲一百一人者. 又同月七日解稱, 新羅人一淸等申云, 同國人淸漢巴等自聖朝歸來, 云々. 宜明問定, 若願還者, 隨願放還, 遂是化來者, 依例進止. (後略)

이 사료는 다자이후(大宰府)에서 언상(言上)된 두 가지 사건에 대해 조정이 대응방침을 하달하는 구조로 되어 있다. 두 가지 사건이란, 히젠 국사(肥前國司)에게서 올라온 해(解)의 내용이다. 첫 번째는, 같은 해(813) 3월 4일의 해(解)로, 이것은 2월 9일자 기이단(基肄団) 교위(校尉) 사다유미(貞弓) 등의 해에 대한 조치로 나온 것이다. 사다유미 등의 보고에 의하면 신라인 110명이 5소의 배를 타고 '小近嶋'(고토열도의 오지카시마)에 도착하여 그 지역의 인민과 물리적으로 충돌했다고 한다. 그 결과, 신라인 9명이 타살되고 나머지 101명이 포획되었다는 것이다. 두 번째는, 같은 해 3월 7일의 해가 전하는 내용이다. 이에 따르면 신라인 일청(一淸) 등이, 청한파(淸漢巴) 등 신라인이 일본에서 신라로 돌아간 적이 있음을 이야기하였다고 한다(이상은 <표2>의 No.5, 6에 해당함).

이상의 두 건이 다자이후를 통해 중앙에 보고되어 조정은 다음과 같이 처분을 내린다. ([사료1]의 밑줄 친 부분)[31] 우선 정중히 '問定'을 행하여 혹시 돌아가기를 바란다면 그 원대로 방환하고, '化來'하고자 하는 자가 있으면 예(例)에 따라 받아들이도록 명하고 있는 것이다.

---

31) 集英社版 『譯注·日本後紀』의 頭注에서는 '大宰府言'의 앞에 '勅'이라는 문자가 있었을 것이라 추정하고 있다(黑板伸夫·森田悌編, 『譯注日本史料·日本後紀』, 集英社, 2003, 646쪽).

즉 내항한 신라인의 의향을 확인하여, 귀국을 원하면 귀국조치를 취하고, 귀화를 원하면 귀화수속을 밟도록 정하고 있는 것이다. <표 2>의 No.7부터 차례로 확인되는 '귀화'신라인도 틀림없이 일본 측의 '문정'에 대해 스스로 '귀화' 의사를 표명함으로써 받아들여진 사람들이라 봐도 좋을 것이다.

그런데 이와 같은 방침이 완전히 새로운 것이었다고는 말할 수 없다. 이미 호키 5년(774)의 단계에 유사한 법령이 나와 있었기 때문이다.

[사료2] 『類聚三代格』 卷18·寶龜 5年(774) 5月 17日 官符[32]

太政官符

應大宰府放還流來新羅人事

右被內大臣(藤良繼)宣偁, 奉勅如聞, 新羅國人時有來着, 或是歸化, 或是流來, 凡此流來非其本意, 宜每到放還以彰弘恕, 若駕船破損, 亦無資粮者, 量加修理, 給粮發遣, 但歸化來者, 依例申上, 自今以後, 立爲永例,

寶龜五年五月十七日

이 [사료 2]에서는, 호키 연간에 문제시되었던 '유래(流來)'신라인에 대한 내용이 다루어지고 있다. 도해(渡海)하는 신라인(사료에서는 '新羅國人') 가운데 어떤 사람은 '귀화'라고 하며, 어떤 사람은 '유래'라 하는데, 이 '유래'라는 게 본의(本意)가 아니라는 것이다. 그렇지만 일본 측은 넓은 아량을 보여서 그들을 방환하도록 하였으며, 그 때

---

32) 『弘仁格抄』 下·格卷10에 '應大宰府放還流來新羅人事 寶龜五年五月十七日'라고 보인다는 사실에서, 이 格은 본디 『弘仁格』에도 수록되어 있었음을 알 수 있다(山內晋次, 「朝鮮半島漂流民の送還をめぐって」, 『奈良平安時代の日本とアジア』, 吉川弘文館[初出1990年], 2003 ; 田中史生, 1997, 「「歸化」と「流來」と「商賈之輩」」, 『日本古代國家の民族支配と渡來人』, 校倉書房, 2003 참조).

파손선박의 경우는 수리를, 물자 및 식량('資粮')이 부족한 자에게는 '粮'을 지급하라는 처분을 내리고 있는 것이다. 단 '귀화'를 바라고 온 사람에 대해서는 보고하라고 요청하고 있다. 결국 '유래'를 칭하는 자에 대해서는 '방환'조치를 취하고, '귀화'를 바라는 자에게는 귀화 수속을 허가하라는 것이다.

다음의 [사료3]도 유사한 내용을 전한다.

[사료3] 『續日本紀』 寶龜 5年(774) 5月 乙卯(17日) 條

乙卯, 勅大宰府曰, 比年新羅蕃人, 頻有來著, 尋其緣由, 多非投化, 忽被風漂, 無由引還留爲我民, 謂本主何, 自今以後, 如此之色, 宜皆放還以示弘恕, 如有船破及絶糧者, 所司量事, 令得歸計.

이에 따르면, 근년 신라인('新羅蕃人')이 끊임없이 내착하고 있어, 그 사유를 물었더니, 상당수는 '投化'(=귀화)가 아니라고 한다. 갑자기 바람에 떠밀려와 돌아갈 수단이 없어, 머물러 우리나라의 백성(=일본의 백성)이 된다는 것이다. 이에 대해 '本主'(=신라왕)는 어떻게 이야기하는가 물었더니, 이 같은 사람들은 모두 넓은 마음으로 방환해주기를 바란다고 말했다 한다. 만약 배가 파손되거나, 식량이 끊어지는 자가 있으면, 담당관청('所司')이 판단하여 귀국할 수 있도록 하라고 했다는 것이다.

[사료2]와 [사료3]은 거의 같은 내용으로 이루어져 있지만 적지 않은 차이도 존재한다. [사료3]에서는 '投化', '風漂'하였다고 되어 있는 신라인들이 [사료2]의 단계에서는 각각 '歸化', '流來'했다고 되어 있는 것이다. 특히, [사료2]에서는 '流來新羅人'이라는 표현이 보이지만 '유래'는 본뜻(본래의 목적)이 아니라고 설명되어 있어 주목을

끈다.

야마우치 신지(山内晋次) 씨는 '유래'자를 '본의'에 의하지 않은 표류민으로만 파악하고 있는 반면, 다나카 후미오(田中史生) 씨는 단순한 표류민이라고 말할 수 없는 존재, 즉 무엇인가 목적을 가지고 내일(來日)한 신라인으로 해석하고 있다. "若駕船破損, 亦無資粮者"라는 표현으로부터, 거꾸로 선박의 수리, 식량지급이 필요 없는 사람도 존재했음을 지적하고 있는 것이다. 그러한 의미에서 '유래'란 이전에는 없었던 새로운 유형의 내항형태라고도 말해도 좋을 것이다.[33]

보다 중요한 것은 [사료1]과 [사료2]·[사료3]의 비교검토라 생각된다. [사료2]·[사료3]은 일본측이 이국인을 돌려보낼지 받아들일지를 판단하는 데 있어 내항신라인 스스로의 의사 및 의향을 존중하고 있다는 점에서 [사료1]에 보이는 처분과의 유사성이 확인된다. 게다가 [사료1]의 '遂是化來者, 依例進止'가 [사료2]의 '但歸化來者, 依例申上'과 거의 같은 성문구조(成文構造)를 띠고 있는 점도 주목된다. 처분의 기본골자조차 흡사하다는 의미이기 때문이다. 이로부터는 양자 간의 계승관계도 추정해볼 수 있다. 즉 [사료2]와 [사료3]이 발포된 호키 5년(774)에서 약 40여년 지난 고닌 4년(813)의 시점에서 내항신라인, 특히 '귀화'신라인에 대한 처분방침이 [사료1]의 형태로 재확인되었다고 평가할 수 있는 것이다.

단 [사료2]에서는 호키 연간에 문제시되었던 '유래'신라인이 논의

---

33) 이들 사료에 대한 해석은 山内晋次, 「朝鮮半島漂流民の送還をめぐって」, 『奈良平安期の日本とアジア』, 吉川弘文館(初出1990), 2003 ; 田中史生, 「『歸化』と『流來』と『商賈之輩』－律令國家における國際交易の変遷過程－」, 『日本古代國家の民族支配と渡來人』, 校倉書房, 1997 ; 鄭淳一, 「貞觀年間における弩師配置と新羅問題」, 『早稲田大學文學研究科紀要』 56-4, 2011 ; 鄭淳一, 「緣海警固と『九世紀』の黎明」, 『일본학보』 97, 한국일본학회, 2013 등 참조.

의 중심축이 되고 있는 반면, [사료1]의 경우 '귀화'신라인 대책에 중점이 놓였다는 상이점에도 유의하지 않으면 안 된다. [사료1]의 고닌 연간, [사료2]의 호키 연간 모두 신라인이 일본열도로 쇄도하는 시기였던 점에서는 공통점을 지니고 있지만, 주된 내항형태(예를 들어, '유래'인지 '귀화'인지)에서는 각 시기별로 차이가 존재하는 것이다. 그것은 아마도 시대배경에 기인한 것이라 생각된다. 호키 연간에는 '유래'를 칭하는 자가 주를 이루었던 반면, 고닌 연간에는 '귀화'를 칭하는 신라인이 열도사회의 현안으로 급부상했을 가능성이 있는 것이다.

<표 2>의 No.1에 보이는 신라인 김파형(金巴兄)·김승제(金乘弟)·김소파(金小巴) 등 3명은 '유래'로 취급받아 본국(신라)에 돌아가도 좋다는 허가를 받고 있으며, No.3의 청한파(淸漢波) 등도 '유래'신라인으로 방환되고 있다. No.4의 유청(劉淸) 등도 '糧'의 지급을 받아 방환되고 있는 것으로 보면 스스로 '귀화'가 아니라 '유래'를 칭했을 가능성이 사정된다. No.6 및 [사료1]에 등장하는 일청(一淸) 등의 경우는 최종적으로 어떻게 처분을 받았는지 명확하지 않지만 청한파(淸漢巴)[34] 등이 일본에서 신라로 돌아왔음을 이야기하고 있는 점에서 자신들도 '유래'를 칭함으로써 귀국을 시도하였을지 모른다.

이들과 대조적으로 No.9의 신파고지(辛波古知, 가라 파고지) 등은 처음에는 '표착(漂着)'으로 판단되었으나, 내항사유를 질문 받았을 때에 '원투풍화(遠投風化)'라고 말하여 '귀화'로 인정받았을 것으로 추정된다.

앞서 언급했듯이 내항한 신라인을 '유래'로 판단할 것인지 '귀화'

34) <표 2> No.3의 淸漢波와 동일인물일 가능성도 있다.

로 판단할 것인지는 내항자 본인의 의사에 따라 결정된다. 여기서 간과해서는 안 되는 것이 그 의사를 확인하는 방식이다. 고닌 4년(813)의 시점([사료1])에서는 '問定'한다고 되어 있고, 호키 5년(774)의 시점([사료3])에서는 '尋其緣由'라고 나온다. 공통된 것은 내항자 본인에게 내착의 사유를 '묻는다'는 점이다. 이것은 틀림없이 구두에 의한 확인과정을 의미한다. 만약 그들이 문서를 지참하였다면 일본 측 관리가 내항자에게 '유래'인지 '귀화'인지를 묻는 게 아니라 스스로 해당내용을 열람하면 되는 문제이기 때문이다.

따라서 내항자가 도착하게 되는 다자이후 관내의 제 지역에는 내착사유를 묻고 본국으로 돌아갈지의 여부를 확인하는 등 신라인과 구두로 커뮤니케이션을 할 수 있는 담당자(통역에 상당하는 사람)가 존재했을 가능성이 매우 높다고 할 수 있다.

5. 신라역어(新羅譯語) 배치의 의의

-박사(博士) 배치와 관련하여-

고닌·덴초 연간에 확인되던 신라인의 내항 쇄도는 일본열도의 현관문에 해당하는 지역에 적지 않은 고민거리를 안겨준 듯하다. 대응이 순조로운 경우라면 그들이 '유래'한 것인지, '귀화'를 위해 온 것인지, 아니면 교역을 위해 방문한 것인지를 판단할 수 있겠지만 그렇지 않은 경우도 있어 종종 갈등과 충돌을 빚기도 하였다.

고닌 2년(810) 12월 6일, 신라선(新羅船) 3소(艘)가 쓰시마 서해상에 모습을 드러냈던 때였다. 그 가운데 1소가 갑자기 쓰시마의 시모아가타군(下縣郡) 사스우라(佐須浦)에 착안(着岸)하였던 것이다. 배 안에는 신라인 10명이 있었는데 이들과 언어가 서로 통하지 않아(='言語不通') 내항사유를 알기 힘들었다고 한다. 앞 장에서 살펴본 바와 같이 이국인이 도착하는 지역의 관리가 내항인이 일본에 도착한 이유를 구두로 물어보게끔 되어 있었던 것이다. 한편, 해상에 대기 중이었던 신라선 2소는 어두운 밤에 어디론가 사라진 모양이다. 그런데 그 다음날(12월 7일) 다시 배 20소가 쓰시마 서해상에 나타났다고 한다. 쓰시마는 그 배들이 촉화(燭火)로 서로 연락을 취하는 광경을 보고 '적선(賊船)'이라 판단하였던 것 같다. 그래서 결국 먼저 착안하였던 신라인 10명 가운데 5명을 살해하기에 이른다. 나머지 5명은 일시 도주하였으나 후일 그 가운데 4명이 포획되었다고 한다. 이 사건이 계기가 되어 쓰시마는 병고(兵庫)를 수비한다거나 군사를 배치하는 등 경비를 견고하게 하는 한편, 신라 방면에서 매일 밤 관찰되고 있는 수상한 움직임에 주의를 기울이게 되었다는 것이다. 이와 같은 보고를 받은 다자이후는 사정을 상세히 묻기 위해 신라역어('新羅譯語'=사료상의 初見) 및 군의(軍毅)를 발견(發遣)하였다고 한다.[35]

고닌 4年(813) 2월 9일자 히젠노쿠니(肥前國)의 해(解, 문서의 한 형태)가 전하고 있는 오지카시마(小近嶋)에서의 살인사건(=신라인 110명 가운데 9명을 죽이고 101명을 포획한 사건)에 대해서는 앞의 [사료1] 부분에서 논한 대로이다.

이상의 두 건 모두 대규모 신라인 집단이 바다를 건너오는 과정에서 발생한 사건인데, 이들은 당시 일본 측이 불특정 다수의 신라인이 내항하는 사태에 대응하는 시스템을 갖추지 못하였음을 보여주는 사례라 생각된다.

---

35) 『日本後紀』 弘仁 3年(811) 正月 甲子(5日)條. <표 2>의 No.2에 해당한다.

그렇다고는 해도 일본 측이 그와 같은 현실을 그대로 방치하였던 것은 아니다. 새로운 상황에 맞추어 시의적절한 후속대책을 내놓고 있는 모습도 확인할 수 있다. 오지카시마[小近嶋]에서의 사건을 하나의 계기로 하여 "부디 분명하게 문정(問定)하여 만약 돌아기를 원하면 원에 따라 돌려보내고 여기에 化來하고자 하는 자는 예(例)에 따라 진지(進止)하라"(宜明問定, 若願還者, 隨願放還, 遂是化來者, 依例進止)와 같은 처분(=[사료1]의 밑줄 친 부분)을 내린 것도 그 일환이며, 쓰시마에서 일어난 고닌 2년(810)의 사건에 대해 다음의 [사료4]와 같은 관부를 내고 있는 것도 같은 맥락에서 이해할 수 있을 것이다.

[사료4] 『類聚三代格』 卷5·弘仁4年(813) 9月29日 官符

太政官符

應停對馬嶋史生一員置新羅譯語一人事

右淂大宰府解偁, 新羅之船來着件嶋, 言語不通, 來由難審, 彼此相疑, 濫加殺害, 望請, 減史生一人置件譯語者, 右大臣宣, 奉勅, 依請,

弘仁四年九月廿九日

이것은 쓰시마의 사생(史生) 1명을 정폐하고 신라역어를 두도록 한 태정관부이다. 모리 기미유키(森公章) 씨는 율령체제 성립 시에 일본·신라관계가 중시되고 있었음을 지적하면서 신라역어가 다이호령(大宝令) 제정 당초에 이미 다자이후에 존재하였을 가능성을 상정할 수 있다고 말한다. 그에 이어 "단 8세기 혹은 그 이전부터 신라인이 빈번하게 경과(經過)하고 있었을 쓰시마에서 새롭게 신라역어 등의 설치 필요성이 통감되게 된 것은 9세기 초의 일이었다"고 하며[36] 고닌 4년(813) 신라역어 배치기사가 가지는 의의를 평가하고 있다.

분명히 관부에서도 '신라의 배'(新羅之船)가 쓰시마 방면으로 내착한다는 새로운 사정이 인지되고 있으며 '언어불통' 때문에 신라인의 내항사유를 심문하기 어렵고 피차 서로 의심하게 되어 빈번하게 살해가 일어나고 있다는 점이 지적되고 있다. 그와 같은 상태를 타파하기 위해 신라역어를 쓰시마에 배치하게 되었다는 것이다.

『日本後紀』 弘仁 6年(815) 正月 壬寅條에 "이 날 쓰시마 사생 1명을 멈추고 신라역어를 두다"라고 기록된 것을 보면 [사료4]에서 언급된 요청은 실현된 듯하다. 앞서 다루었던 『日本後紀』 弘仁 3年(811) 正月 甲子(5日)條에서도 살해사건의 사징을 상세히 조사하기 위해 신라역어가 파견되었다고 하였는데 그 때의 경험이 신라역어 상치(常置) 방침으로 연결된 것이라 생각된다.[37]

사실 '역어' 양성의 필요성은 덴표 2년(730) 단계에서부터 언급이 되고 있다. 제번(諸蕃), 이역(異域)은 일본과 풍속이 같지 않기 때문에 역어가 없으면 의사소통이 곤란하다면서 미리 한어(漢語=중국어)를 학습해두도록 명하고 있는 것이다.[38] 비록 신라역어와 직접 관련된 기술은 아니지만 역어의 역할이 '言語不通', '言語難通'과 같은 커뮤니케이션 불능상태[39]가 이문화간 충돌 내지 갈등으로 이어지는 것을

---

36) 森公章, 「大唐通事張友信をめぐって」, 『古代日本の對外認識と通交』, 吉川弘文館, 1998 참조.

37) 본고의 취지와는 다소 거리가 있지만 湯澤質幸, 『古代日本人と外國語』(勉誠出版, 2001)은 신라역어뿐만 아니라 '大唐通事' 및 '渤海通事' 등 고대일본의 통역을 망라적으로 다루고 있기 때문에 아울러 참고해주기를 바란다.

38) 『續日本紀』 天平 2年(730) 3月 辛亥(27日)條의 太政官奏에는 "又諸蕃·異域, 風俗不同, 若無譯語, 難以通事"라고 나온다.

39) '언어불통' 및 '언어난통'의 용례로는 이 이외에도 확인된다. 먼저 『日本後紀』 延暦 18年(799) 7月是月條에서 미카와노쿠니(參河國)에 표착한 천축인과 '언어불통'이었다고 나오며, 다음으로 『日本三代實錄』 貞觀 5年(863) 11月 17日 丙午條에서 '新羅東方別嶋'인 '細羅國人' 54명이 단고노쿠니(丹後國)에 내착하였을

미연에 방지하는 데 있다는 사실을 확인하고 있다는 점에서 시사하는 바가 크다.

신라역어 배치와 관련하여 또 하나 주목되는 것은 고닌 12년(821) 단계에 나온 박사(博士) 배치 관부이다.

[사료5] 『類聚三代格』 卷5·弘仁 12年(821) 3月 2日 官符

太政官符

應停對馬嶋史生置博士事

右得大宰府觧偁, 嶋司觧偁, 此嶋僻居溟海之外, 遙接隣國之堺, 所任之吏, 才非其人, 爲政之要, 事多蒙滯, 接陸之國, 皆備彼任, 絶域之嶋, 猶闕此官, 無師質疑, 不隣往問, 縱令諸蕃之客, 卒爾着境, 若有書契之問, 誰以通答, 望請, 特置件博士, 且以敎生徒且以備專對者, 府加覆審所申有理, 謹請官裁者, 右大臣宣, 奉勅, 宜停史生一員改置博士

弘仁十二年三月二日

이 사료는 쓰시마 사생(史生) 1명을 정폐하고 박사를 두도록 명하고 있는 태정관부이다. 여기에 인용되어 있는 쓰시마(對馬) 도사(嶋司)의 해(解)에서는 명해(溟海) 바깥에 위치해 있고, 인국(隣國)과 경계를 접하고 있는 쓰시마의 지리적 조건이 이야기되고 있다. 그런데 그와 같은 상황에 놓인 쓰시마임에도 불구하고 대외업무를 관장하는 관리(官吏)가 없다는 것이다. 그리고 설령 '諸蕃之客'이 갑작스레 내착하여

때 "言語不通, 文書無解"라고 나온다. 한편, 『日本三代實錄』 貞觀 15年(873) 5月 27日 庚寅조에서는 사쓰마노쿠니(薩摩國) 고시키지마군(甑嶋郡)에 표착한 최종좌 일행(후에 발해국인으로 밝혀짐)과 처음에 '言語難通' 상태라서 어느 나라 사람인지 알 수 없었다고 나온다.

'書契之問'을 제시하더라도 거기에 '通答'하는 게 불가능한 상황이기 때문에 생도의 교육 및 '專對'[40]에 대한 접대가 가능한 박사를 쓰시마에 배치함으로써 문제를 해소하도록 요구하고 있는 것이다. 그와 같은 내용이 다자이후에 올라오자 다자이후는 그것을 다시 중앙에 제출하였고, 최종적으로는 태정관부로써 쓰시마로의 박사 배치가 명해진 것이다.

그런데 [사료5]에서는 박사 배치의 배경으로 '제번의 객'(외국사신)의 내항 가능성이 상정되고 있다. 게다가 '서계', 즉 외교문서를 소지한 외국사절의 내항이나. 박사에게 요구되는 임무라는 것도 외교문서를 소지한 외국 사절이 내항하였을 때에 전면에 나서 대응하는 일이었다고 생각된다.

단 [사료5]의 '卒爾着境'이라는 표현에서도 추측할 수 있듯이 일본 측으로서는 외국 사절이 언제 내항할지조차 몰랐던 것 같다. 나아가 <표 1>의 No.6에 보이는 것처럼 덴표쇼호 4년(752)에 '신라왕자' 김태렴이 방일한 사례를 바탕으로 차후에도 '신라왕자' 레벨의 인물이 일본을 찾을지 모른다고까지 생각한 모양이다.[41] 결국은 외국사절의 내항을 상정한 상시준비태세가 쓰시마에 기대되고 있었던 것이다. 이는 호키 12년(780) 신라사절 김난손 등이 귀국길에 오를 때 장차

---

40) 외교교섭의 장에서 독자로 판단할 수 있는 것, 혹은 사자로서 단독으로 대응할 수 있는 자를 말한다. 여기서는 문서를 지참한 외국사절(공식사절)로 이해하면 좋을 것이다. 『續日本紀』 天平寶字 4年(780) 9月 癸卯(16日)條 및 『續日本後紀』 承和 3年(836) 12月 丁酉(3日)條에도 보인다(정순일, 「『속일본후기』所收 신라국 집사성첩에 보이는 '島嶼之人'」, 『일본역사연구』 37, 2013, 128쪽 참조).

41) 『日本紀略』 弘仁 5年(814) 5月 乙卯(9日)條에 "制, 新羅王子來朝之日, 若有朝獻之志者, 准渤海之例, 但願修隣好者, 不用答禮, 直令還却, 且給還糧"이라 나오는 것에서 고닌기에는 '新羅王子'의 내항도 상정되고 있었음을 알 수 있다.

일본을 방문하게 될 신라사절은 반드시 표문(表文)을 지참시킬 것을 요구하고, 다자이후 및 쓰시마에 표문을 소지하지 않은 사절은 입경(入境)시키지 말 것을 명령한 내용[42]의 연장선에 있는 조치이기도 했다.

실제로는 고닌 연간 이후 정식 외국 사절이 쓰시마 쪽으로 내항하는 일이 없었지만 일본 측은 외교문서에 대한 대응이 뛰어난 박사를 배치함으로써 외교상의 예적(禮的) 문제는 물론 가짜 사절의 출현에도 대비할 수 있었을 것이라 생각된다.

이상의 검토를 정리하면, 쓰시마로의 신라역어 배치는 내항사유가 불명확한 이국인 유입이 증가하고 수상한 배의 빈번한 등장이 확인되는 가운데서 만에 하나 일어날 수 있는 트러블을 미연에 방지하고 내항사유를 묻기 위해 행해졌다고 할 수 있다. 한편, 박사 배치는 복수의 선박이나 대규모 집단이 내항하는 가운데서 외교문서를 소지한 사신이 포함되어 있는 경우를 상정한 조치였다고 판단된다. 신라역어는 구두대응을, 박사는 문서대응을 전문으로 하였다고 평가할 수 있을 것이다.

한편, 고닌 5년(814) 5월 21일에는 '應大宰府省史生置弩師事'로 시작하는 태정관부가 나온다.[43] 이 관부는 지난 엔랴쿠 16년(797)에 행해진 노사정폐(弩師停廢)를 개정하는 형태를 취하고 있는데, 이로부터는 엔랴쿠 연간의 이국인 내항상황이 고닌 연간 이후 크게 바뀌었음을 읽어낼 수 있다. 엔랴쿠 연간의 '내항 공백'과 고닌·덴초 연간의 '내항 쇄도'를 매우 잘 대비해주는 사례라고 하겠다.

---

42) <표 1>의 No.12에 보이는 내용이다.

43) 『類聚三代格』 卷5·弘仁5年(814) 5月 21日 官符. 연해지역으로의 노사배치가 가지는 성격에 대해서는 鄭淳一, 「貞觀年間における弩師配置と新羅問題」, 『早稻田大學文學研究科紀要』 56-4, 2011 참조.

6. 맺음말

'고대 동아시아에서 인민의 국제이동은 자유로웠다'라고 하는 명제는 일면 옳다고 할 수 있지만 일면 타당하지 않다고 볼 수도 있을 것이다. 국가 간의 경계선(국경선)이 근대국민국가의 출현 이후에나 탄생하였다고 보는 입장에서는 근대 이전의 사람들 특히 고대인의 월경행위(越境行爲)에는 제한이 없었다고 생각하기 쉽다. 그러나 실은 반드시 그렇다고 잘라 말할 수 없는 측면이 있다. 실제로 사료를 검토해보는 한 완전하게 자유이동을 허락받은 사람의 사례를 접하기는 어렵다. 오히려 왕권과 같은 특정 권력에 기대어, 혹은 그 권력의 허가 아래에 경계를 넘나드는 사람들의 이야기는 자주 볼 수 있다.

현재의 우리들이 상상하는 명확한 선으로서의 국경이 고대에도 존재했는지는 알 수 없으나, 특정 국가를 인민이 드나들 때에 반드시 그들은 어떤 형태로든 제한, 규제, 감시, 확인을 받고 있었던 듯하다. 특히 일본열도와 같이 '안'과 '밖'이 자연환경에 의한 경계로 나누어져 있는 경우, 경계에서의 '자유롭지 못함'은 더욱 선명해진다.

여기에서 주의를 기울여야할 점은 월경행위가 자유롭지 않았다는 것 자체가 곧바로 '이동의 적음'을 의미하지는 않는다는 사실이다. 뒤집어 생각하면, 사람들의 활발한 이동에 의해, 월경(越境)에 대한 통제 실태가 명확해진다고 말할 수도 있을 것이다. 본고에서 다룬 신라역어의 배치라는 입국관리강화 조치 또한 역설적이게도 쓰시마와 같은 연해·도서부에서 이루어진 역동적 교류의 결과인 동시에 그 변경에서의 자유로운 왕래를 뒷받침해주었던 요소인 것이다.

참고문헌

1. 사료

『舊唐書』
『唐會要』
『類聚國史』
『類聚三代格』
『三國史記』
『續日本紀』
『續日本後紀』
『安祥寺伽藍緣起資材帳』
『延喜式』
『律令』
『日本紀略』
『日本三代實錄』
『日本後紀』
『入唐求法巡礼行記』
『入唐五家伝』
『平安遺文』
『弘仁格抄』

2. 연구서

佐伯有淸,『新撰姓氏錄の硏究 硏究篇』, 吉川弘文館, 1983.
森公章,『古代日本の對外認識と通交』, 吉川弘文館, 1998.
黑板伸夫·森田悌 編,『譯注日本史料·日本後紀』, 集英社, 2003.
湯澤質幸,『(改訂增補)古代日本人と外國語－東アジア異文化交流の言語世界』, 勉誠出版, 2010.

渡邊誠,『平安時代貿易管理制度史の研究』, 思文閣出版, 2012.
鄭淳一,『九世紀の來航新羅人と日本列島』, 勉誠出版, 2015.

3. 연구논문

장종진,「圓仁의 入唐求法巡禮行記를 통하여 본 新羅譯語」,『한국고대사탐구』 7, 2011.
정순일,「『속일본후기』 所收 신라국 집사성첩에 보이는 ‘島嶼之人’」,『일본역사연구』 37, 2013.
鄭淳一,「緣海警固と『九世紀』の黎明」,『일본학보』 97, 한국일본학회, 2013.
정호섭,「신라하대의 사회변동」,『한국고대사입문(3) 신라와 발해』, 신서원, 2006.
榎本渉,「『遣唐使以後』へ」,『僧侶と海商たちの東シナ海』, 講談社選書メチエ, 2010.
榎本淳一,「遣唐使と通譯」,『唐王朝と古代日本』, 吉川弘文館, 2008.
東野治之,「平安時代の語學教育」,『新潮』 45, 7月号, 1993.
李成市,「京師交易から大宰府交易へ」,『東アジアの王權と交易』, 青木書店, 1997.
馬一虹,「古代東アジアのなかの通事と譯語－唐と日本を中心として」,『アジア遊學』 3, 1999.
山内晋次,「朝鮮半島漂流民の送還をめぐって」,『奈良平安時代の日本とアジア』, 吉川弘文館, 2003.
山内晋次,「9~12世紀の日本とアジア－海域を往來するヒトの視点から」,『専修大學東アジア世界史研究センター年報』 6, 2012.
森公章,「遣唐使と唐文化の移入」,『遣唐使と古代日本の對外政策』, 吉川弘文館, 2008.
森克己,「末期日唐貿易と中世的貿易の萌芽」,『新編森克己著作集(2) 續日宋貿易の研究』, 勉誠出版, 2009.
石井正敏,「遣唐使と語學」,『歷史と地理』 565, 2003.
遠山美都男,「日本古代國家における民族と言語」,『學習院大學文學部研究年報』 38, 1991.
遠山美都男,「日本古代の譯語と通事」,『歷史評論』 574, 1998.
田中史生,「『歸化』と『流來』と『商賈之輩』－律令國家における國際交易の変遷過程

ー」, 『日本古代國家の民族支配と渡來人』, 校倉書房, 1997.
鄭淳一, 「貞觀年間における弩師配置と新羅問題」, 『早稲田大學文學研究科紀要』 56-4, 2011.
鄭淳一, 「延曆·弘仁·天長年間の新羅人來航者」, 『早稲田大學大學院文學研究科紀要』 58-4, 2013.
佐伯有清, 「九世紀の日本と朝鮮」, 『日本古代の政治と社會』, 吉川弘文館, 1970.
酒寄雅志, 「渤海通事の研究」, 『栃木史學』 2, 2009.
湯澤質幸, 「古代日本·新羅間における使用言語」, 『日本學報』 43, 韓國日本學會, 1999.
荒野泰典, 「通譯論ー序說」, 『アジアのなかの日本史(五)自意識と相互理解』, 東京大學出版會, 1993.
横山伊勢雄, 「北東アジア世界の漢詩と外交」, 『環日本海論叢』 8, 1995.

고려전기 공복제(公服制)의 정비 과정에 대한 연구*

김보광

1. 머리말

옷은 인간 생활의 가장 기본이 되는 요소인 의식주(衣食住)의 한 가지이다. 국가에 의한 복제(服制)는 사회의 규범을 드러내어 정치·사회질서를 유지한다는 점에서 특히 중요하다. 이 때문에 당시 사회적 특성은 물론 국가의 지배체제와도 밀접한 관련을 지닌다. 고려의 공복 또한 관인들이 착용한다는 점에서 공적 지배체제와 밀접할 수밖에 없는 요소이다.[1] 특히 공복에 반영된 복색(服色)은 일정한

* 이 글은 「고려 전기 公服制의 정비 과정에 대한 연구」(『사학연구』 121, 2016)를 수정 보완한 것이다.

1) 고려시대에 관인들이 착용하는 공적 복식(服飾)에는 제복(祭服), 조복(朝服), 공복(公服)이 있다. 관인의 일상 업무 중에 착용하는 것이 공복이기 때문에, 공복이 관인의 복(服)으로 가장 대표적이라고 생각한다. 이에 이 글의 주요 연구 대상을 공복으로 하였다.

기준에 따라 관료들을 체계화, 계서화하여 구별하고 있다.

그래서인지 공복에 대해 여러 연구들이 있어왔으니, 우선 주로 복식사의 입장에서 조선과의 복식 비교, 중국과의 복식, 소재, 문양 비교 등의 주제로 문헌, 회화 자료 등을 통해 연구되었다.[2] 역사학의 입장에서는 공복의 변화를 관제의 정비과정과 연관지어 검토한 연구들이 많다. 광종 11년의 공복 제정 사실을 신라와의 관련 속에서 찾거나[3] 광종대 정치세력의 변동에서 찾으면서 후주의 제도를 도입했을 것으로 파악한 견해가 있다.[4] 또 현종대 향리 공복의 성립과정을 관제 및 공복의 정비과정과 결부지어 살핀 연구도 있다.[5] 특히 김윤정의 연구는 공복의 변천에 대한 사실상의 총정리라 할 만큼 면밀히 시간순으로 추적하면서도 공복의 변화를 고려사회의 관제상 변화와 관련지었다는 점에서 의의가 크다.[6] 한편으로 공복의 한 요소인 어대(魚袋)에 대해서도 검토하여 어대가 관직구조와 일정한 상관관계에 있으며,[7] 다른 한편으로는 산계와도 관련이 있다고 지적되기도[8] 하였다. 이제 공복의 정비 과정에 대해서는 어느 정도 정리가

---

2) 서옥경, 「고려시대와 송대의 관복 비교연구－공, 상복을 중심으로－」, 『복식』 31, 한국복식학회, 1997 ; 임경화·강순제, 「고려 초 공복제(公服制) 도입과 복색(服色) 운용에 관한 연구」, 『복식』 56~1, 한국복식학회, 2006 ; 이승해, 『고려시대 官服 연구』, 이화여대 의류직물학과 박사학위논문, 2011.

3) 黃善榮, 「高麗初期 公服制의 成立」, 『釜山史學』 12, 부산사학회, 1987 ; 『나말여초 정치제도사 연구』, 국학자료원, 2002.

4) 申虎澈, 「高麗 光宗代의 公服制度」, 『高麗光宗研究』(이기백 편), 一潮閣, 1981.

5) 강은경, 「高麗時期 鄕吏 公服制」, 『韓國思想과 文化』 4, 1999.

6) 김윤정, 「고려전기 집권체제의 정비와 관복제의 확립」, 『한국중세사연구』 28, 한국중세사학회, 2010.

7) 김보광, 「고려전기 魚袋의 개념과 운영방식에 대한 검토」, 『韓國史研究』 169, 한국사연구회, 2015.

8) 이현숙, 「신라말 魚袋制의 成立과 運用」, 『史學研究』 43·44, 한국사학회, 1992 ; 이현숙, 「금석문으로 본 고려후기 어대제의 변화」, 『역사와 현실』 91, 한국역

되었다고 평가해도 될 수준이라고 생각한다.

한편으로 고려의 공복과 관련하여 흥미로운 일화가 있다.

> 신은 상국에 사신으로 세 번 갔는데, 일행의 의관(衣冠)이 송나라 사람과 차이가 없었습니다. 한 번은 조회에 들어가다가 너무 일찍 도착하여 자신전(紫宸殿) 문 앞에 서 있는데, 합문원(閤門員) 한 명이 와서 "누가 고려인 사자인가"라고 묻기에 "나다"라고 하였더니 웃으면서 간 일이 있습니다.[9)]

위 기록은 『三國史記』 잡지에 실려 있는 것으로, 김부식이 송에 가서 직접 겪은 일화이다. 즉 송나라 관인이 김부식을 같은 송나라의 관인으로 착각하여 일어난 것인데, 착각의 원인은 얼굴과 같은 외양이 아니라 옷에 있었다. 다시 말해서 고려와 송의 복식이 흡사했던 것이다.

그렇다면 고려의 복식 규정은 송의 것과 얼마나, 왜 비슷하였는가에 대해 생각해 볼 여지가 있다. 즉 고려가 당제를 기초로 중추원과 삼사로 대표되는 송제를 부분적으로 수용하여 관제를 갖추었다는 이제까지의 연구 성과에 비추어, 공복으로 대표되는 복식 관련 제도가 당제와 유사하다는 통설과 달리 송의 그것과 흡사한 이유를 살필 필요가 있는 것이다. 하지만 이제까지 이에 대한 충분한 설명이 있었다고는 생각되지 않는다.

이 글에서는 광종과 의종 대까지의 공복 변화 과정을 살피면서 공복이 관직 등 관료체제와 어떻게 직접적으로 연결되어 있는지, 또 송제와의 관련성은 어떠한지에 대해서 살피고자 한다.

사연구회, 2014.

9) 『三國史記』 33, 雜志 2 色服.

2. 광종 11년 공복의 제정 과정과 그 내용

관인들은 국가로부터 공적 지위를 부여받아 일정한 임무를 수행하는 이들로, 일반인과 구별되는 복장을 갖추고 있었다.

가) 6월, 문덕전에 납시어 진사들을 대상으로 복시를 시행하였는데, 시어사 노단이 아뢴 일이 왕의 뜻을 거슬렀다. 왕이 화가 나서 사람들로 하여금 (그를) 끌고 나가 공란(公襴)을 벗기고 묶게 했다.[10)]

1065년 6월에 문종이 복시를 보는 과정에서 시어사인 노단이 아뢴 말이 국왕 문종의 뜻을 거스르는 일이 벌어졌다. 이에 화가 난 문종이 노단을 밖으로 끌어내 묶어 두게 했는데, 이때 그의 '공란'을 벗기고 있다. 글자 그대로 공적인 두루마기라는 뜻의 공란을 벗긴 이유는, 이를 입힌 채 죄인처럼 묶을 수 없었기 때문일 것이다. 여기에서 시어사(侍御史)인 노단이 입고 있던 '공란'은 곧 공복이라 하겠다.

이처럼 평상시 업무 중에 입는 관인들의 옷인 공복에 대해서, 광종 11년인 960년에 고려는 아래와 같이 백관의 공복을 네 가지 색으로 하는 규정을 마련했다. 이것이 고려시대 최초의 공복 규정이다.

나-1) 광종 11년(960) 3월에 백관의 공복을 정하였다. 원윤(元尹) 이상은 자삼, 중단경 이상은 단삼, 도항경 이상은 비삼, 소주부 이상은 녹삼으로 한다.[11)]

---

10) 『高麗史節要』 5, 文宗 19년(1065) 6월.

11) 『高麗史』 72, 志 26 輿服 1 冠服 公服 光宗 11年(960) 3月.

960년에 백관의 공복을 정했는데, 자색, 단색, 비색, 녹색의 4색으로 구분하였다. 그리고 4색을 가름하는 기준으로 원윤이라는 관계와 중단경, 도항경, 소주부라는 관직이 제시되어 있다. 이것들은 각 복색이 일정한 기준에 의해 당시 관료들을 계서화한 것으로 이해된다.

이것이 최초의 공복 규정인 바, 이보다 앞선 956년(광종 7)에 이미 백관의복 제도를 규정하도록 한 계기가 있었다.

나-2) 7년(956) 후주에서 장작감(將作監) 설문우(薛文遇)를 보내 왕을 가책하여 개부의동삼사(開府儀同三司) 검교태사(檢校太師)로 삼고, 아울러 백관의 의관제도는 중국 제도를 따르도록 명하였다. 전 대리평사(大理評使) 쌍기(雙冀)가 설문우를 따라왔다.12)

이것은 후주에서 광종을 책봉해준 기록으로, 앞서 953년(광종 4)에 검교태보·사지절·현토주도독·충대의군사겸어사대부·고려국왕으로 책봉하였던 것에 대한 가책(加冊)이었다.13) 이때 후주가 고려에 '백관의 의관제도는 중국 제도를 따르도록' 요구한 것과 이때의 사신에 쌍기가 고려에 왔음도 기록되어 있다.

위의 기록에서 후주가 고려에 '중국의 제도'를 따를 것으로 요구하고 있어 주목된다. 이 문장이 "周遣將作監薛文遇 來加冊王 爲開府儀同三司 檢校太師 仍令百官衣冠 從華制"로, 후주가 광종을 책봉한다는 내용과 백관의관에 대한 내용의 두 부분으로 나뉜다. 그런데 말을 잇는다는 연용사인 '仍'으로 두 구문이 이어지고 있어 뒤 내용의 주어는 앞과

---

12) 『高麗史』 2, 世家 2 光宗 7년(956).

13) 沈載錫, 「고려와 五代·宋의 책봉관계」, 『高麗國王 冊封 研究』, 혜안, 2002, 64~66쪽.

같은 (후)주라 생각된다. 곧 후주가 광종을 책봉하고는 의관 제도를 화제(華制)인 중국의 제도를 좇도록 하였다고 이해된다. 더구나 책봉문에 "다만 성교(聲敎)를 따를 뿐이니 어찌 멀다고 끝이겠는가"라는 구절도 있어,[14] 후주의 세종이 자신의 정치를 과시하려는 의도가 담겨있음을 짐작할 수 있다.[15]

주지하다시피 956년(광종 7) 이후 광종의 정치 개혁은 본격적으로 진행되었다. 즉 광종은 즉위 이래 온건한 방법으로 호족 세력을 무마하면서 왕권의 안정을 도모하다가 956년에 노비안검법의 시행을 시작으로 쌍기를 귀화시키면서 개혁 정치를 추진하였다. 이어 958년(광종 9)에는 과거제도의 시행으로 이어졌다.[16] 960년의 공복 제정도 그 일환으로 이해되는 것이다. 이 같은 정책 변화에는 왕권을 강화하면서 호족 세력을 약화시키려는 목적에서 추진된 것이었다.[17] 특히

---

14) 『冊府元龜』 965, 外臣部 封冊 3 世宗 顯德 2년(955) 11월, "朕嗣守鴻圖 方崇王道禮樂征伐之柄 盡出眇躬 山河帶礪之盟 思傳不朽 但遵聲教 豈限遐遙 俾光纛土之封 更假自天之寵."

15) 신호철, 앞의 글, 1981, 86쪽. 다만 고려측에서 衣冠을 후주의 제도를 따르겠다고 요청을 하여서 '수락'을 하였다고 보아서 보다 적극적으로 해석할 여지가 있다. 신라의 김춘추가 648년에 백관의 의복제도를 당제에 따르는 문제로 당의 허락을 구한 바 있는데(『三國史記』 33, 雜志 2 色服), 참고되는 사례가 아닌가 한다. 한편으로 이때의 의관 제도 등으로 광종의 왕권강화 및 11년의 공복제도 제정에 후주가 영향을 끼쳤다고 파악하기도 한다(나종우, 「오대 및 송과의 관계」, 『한국사』 15－고려전기의 사회와 대외관계, 국사편찬위원회, 1995, 282~283쪽). 이와 달리 이때 중국식의 의관제도를 좇도록 한 주체를 광종으로 이해한 견해도 있다(李基白, 「光宗의 改革과 後周와의 關係」, 『高麗光宗研究』(李基白 編), 一潮閣, 1981, 147쪽).

16) 『高麗史』 2, 世家 2 光宗 9년(958) 5월 병신(16), "丙申 御威鳳樓 放枋 賜崔暹等及第" ; 『高麗史』 73, 志 27 選擧 1 科目 1, "光宗九年五月 雙冀獻議 始設科擧 試以詩·賦·頌及時務策 取進士 兼取明經·醫·卜等業."

17) 이상 광종대 개혁 정치의 과정, 목적 등에 대해서는 이미 많은 연구들이 있다. 金龍德, 「高麗 光宗朝의 科擧制度 問題」, 『中央大論文集』 4, 1959 ; 朴菖熙, 「高麗時代 '官僚制'에 대한 고찰」, 『歷史學報』 58, 1973 ; 河炫綱, 「豪族과 王權」,

960년에 대상 준홍, 좌승 왕동의 제거를 비롯해 감옥이 넘칠 정도로 호족 숙청이 과격하게 진행되었고, 순군부를 군부로, 내군을 장위부로 개편하는 군제개혁도 이루어졌으며, 이해 3월에는 개경을 황도, 서경을 서도로 부르는 등 자부심을 제고하는 작업도 이루어졌다. 따라서 이 시기에 광종은 지배세력에 대한 대대적인 개편을 시도한 것으로 이해된다.[18]

그렇다고 해서 광종 11년이 되어서야 고려에 공복이 처음 등장한 것은 아니었다. 공복제도는 이미 신라 중대에 등장한다. 법흥왕대에 공복을 마련하였는데,[19] 관등에 따라 자색-비색-청색-황색의 4색이었다.[20] 무열왕은 당제에 입각한 공복제도를 수용하였고, 신라 하대에는 당대에 공복의 장식물이었던 어대 사례도 나타나고 있다. 즉 신라시대에 이미 중국식에 따른 공복제도가 도입되어 있었다.[21] 그리고 이 같은 신라의 공복제는 신라하대까지 존속하였다.[22] 이는 최승로가 "신라 때에 공경·백료·서인의 의복·신발·버선에는 각기 품색(品色)이 있었습니다. 공경과 백료는 조회 시에는 공란을 입고 아집(穿執)을 갖추었으나, 조회에서 물러나오면 편복을 입었습니다."라고[23]

『한국사』 4, 국사편찬위원회, 1974 ; 洪承基, 「高麗前期 奴婢政策에 대한 一考察 -國王과 貴族의 政治的 利害와 이에 따른 奴婢에 대한 입장의 차이-」, 『震檀學報』 51, 1981 ; 『高麗貴族社會와 奴婢』, 一潮閣, 1983 ; 윤성재, 「高麗 光宗의 政治基盤」, 『韓國史學報』 13, 2002 ; 최종석, 「고려초기의 관계(官階) 수여 양상과 광종대 문산계(文散階) 도입의 배경」, 『역사와 현실』 67, 2008.

18) 申虎澈, 앞의 글, 1981, 83쪽.

19) 『三國史記』 4, 新羅本紀 4 法興王 7년(520) 춘정월.

20) 『三國史記』 33, 雜志 2 色服.

21) 신라시대의 공복에 대해서는 다음의 연구들이 참고된다.
申虎澈, 앞의 글, 1981, 76~81쪽 및 黃善榮, 앞의 글, 1987 ; 앞의 책, 2002.

22) 834년에 내린 禁制를 통해서도 당식의 복식이 왕실과 귀족층에 영향력을 끼치고 있음이 확인된다고 한다(金東旭, 「興德王 服飾 禁制의 研究-新羅末期 服飾 再構를 中心으로-」, 『增補 韓國服飾史研究』, 亞細亞文化史, 1979).

한 데에서 짐작할 수 있다. 이 때문에 고려초라고 해서 공복에 대한 개념이 없거나 전혀 사용되지 않았던 것은 아니었다. 실제로 금석문 등으로 그 실례를 엿볼 수 있다. 곧 939년(태조 22)에 이항추는 병부대감으로 있으면서 단금어대를 받았고,[24] 943년(혜종 즉위년)에 구족달은 비은어대를 받았다.[25] 또 950년(광종 1)에 손소는 자금어대를 받은 바 있다.[26] 이때 이들이 받은 '사모모어대(賜某某魚袋)'는 공복과 어대의 결합을 의미하는데,[27] 단금어대라면 단색 공복과 금어대, 비은어대는 비색 공복과 은어대, 자금어대는 자색 공복과 금어대를 의미한다. 곧 이들 사례는 광종 11년 이전, 태조대부터 이미 공복이 존재했음을 알려준다.

이같이 국초부터 자색, 단색, 비색의 공복과 금어대, 은어대의 장식물이 등장하고 있어 광종 11년의 공복 규정 중 녹색을 제외한 나머지 세 색의 사례를 찾을 수 있다. 곧 국초부터 4색의 공복제가 운용되었을 가능성이 높다.[28] 그럼에도 공복 착용에 꽤나 혼란스러운 부분도 있음을 아래의 사례를 통해 짐작할 수 있다.

> 나-3) 우리 조정에서는 태조 이래로 귀천을 논하지 않고 마음대로 옷을 입었습니다. 비록 관직이 높아도 집이 가난하면 공란을 갖출

23) 『高麗史』 93, 列傳 6 崔承老, "新羅之時 公卿百僚庶人 衣服鞋襪 各有品色 公卿百僚朝會 則著公襴具穿執 退朝 則逐便服之."

24) 한국역사연구회 편, 「毘盧庵眞空大師普法塔碑」, 『羅末麗初金石文』(上), 1996, 59쪽.

25) 한국역사연구회 편, 「淨土寺法鏡大師慈燈塔碑」, 『羅末麗初金石文』(上), 1996, 109쪽.

26) 한국역사연구회 편, 「大安寺廣慈大師碑」, 『羅末麗初金石文』(上), 1996, 181쪽.

27) 어대에 대해서는 다음의 연구 참고. 이현숙, 앞의 글, 1992 ; 이현숙, 앞의 글, 2014 ; 김보광, 앞의 글, 2015.

28) 김윤정, 앞의 글, 2010, 448쪽 주31).

수 없고, 관직이 없어도 집이 부유하면 능라금수(綾羅錦繡)를 입습니다.[29]

나-4) 고려 태조가 나라를 열면서는 초창기라 일이 많으므로 신라의 구제를 그대로 썼다.[30]

나-3)은 역시 최승로의 시무책 중 일부인데, 고려초기에는 신분의 귀천이나 관직의 고하가 아니라 마음대로 복식을 착용하였음을 지적하고 있다. 특히 관직의 유무가 아닌 재력에 의해 복식, 특히 비단류 등을 착용하는 것을 비판하고 있다. 여기에서 관직 없이 재력만 있는 이들이 소위 지방호족 세력을 가리킨 것이 아닌가 하나, 고려초의 복식이 일정한 규칙이 아닌 재력에 따라 마음대로 입을 수도 있는 혼란스러운 상황이었음을 지적한 것이라는 점에는 어느 정도 동의할 수 있겠다. 또 나-4)는 여복지의 서문으로, 조선초의 『高麗史』 찬자들의 입장에서 고려초기의 복식 관련 규정을 찾지 못해 신라의 것을 그대로 사용했다고 평가하고 있다. 여기에서도 고려초의 복식 관련 제도는 미비했음을 짐작할 수 있다. 이 같은 혼란한 상황이었던 데에는 건국 초기라는 시대적 상황만으로 충분히 설명되지 않는다. 아무래도 호족이 전국적으로 세력을 지니고 있던 당시까지의 정치적 상황으로 인해 중앙집권화된 관료체계가 성립하기 어려웠던 것이 보다 직접적인 원인이라 생각된다.[31]

이상의 내용을 정리하면, 고려는 건국 이래 공복이 존재하기는 하였지만 그 구체적인 운영방식 등 관련 제도까지는 미처 정비되지

29) 『高麗史』 93, 列傳 6 崔承老.
30) 『高麗史』 72, 志 26 輿服 序.
31) 申虎澈, 앞의 글, 1981, 82쪽.

못한 상태였다고 하겠다. 이렇게 보면 광종 11년의 공복 규정은 없던 것을 새로 만든 것이 아니라 기존의 공복을 일정한 방식으로 정비하였던 것이다.

그럼 광종 11년 공복 규정의 자세한 내용을 살피기 위해 그 규정을 다시 한 번 보자.

> 나-1) 광종 11년 3월에 백관의 공복을 정하였다. 원윤 이상은 자삼, 중단경 이상은 단삼, 도항경 이상은 비삼, 소주부 이상은 녹삼으로 한다.[32)]

광종 11년에 백관의 공복제도로 제정된 내용은 원윤 이상은 자삼, 중단경과 도항경, 소주부를 경계로 단삼, 비삼, 녹삼으로 하여 복색으로 4개 등급으로 나눈 것이다. 복색 사이의 관계는 시정전시과의 지급대상을 나누는 데에 복색이 사용되고 있어 이를 통해 파악할 수 있다. 즉 자삼은 1품 전 110결, 시 110결부터 18품 전 32결, 시 25결까지의 18개 품으로 나뉘어서, 문반의 경우에 단삼은 1품 전 65결, 시 55결부터 10품 전 30결, 시 18결의 10개 품으로, 비삼은 1품 전 50결, 시 40결부터 8품 전 27결, 시 14결까지, 녹삼은 1품 전 45결, 시 35결부터 10품 전 21결, 시 10결까지 품별로 차등적으로 토지를 지급받고 있다. 토지 지급결수에 따라 자삼-단삼-비삼-녹삼의 순으로 감소하고 있어, 이들 복색에 상하고저의 관계가 있음을 알려준다. 결국 광종 11년의 공복 규정은 관인의 고하에 따라 4색 중 하나로 정해진 복색을 착용하도록 한 것이다.

---

32) 앞의 주11)과 같음.

여기에서 원윤은 6품의 향직으로, 국초에 관계로 사용된 것이고, 중단경, 도항경, 소주부는 관직으로 보이는데 그 실체는 잘 알 수 없다.[33] 다만 중단경과 도항경은 모두 일선 관부의 장 또는 부장을 의미하는 '경'에 해당되어, 명칭상 중단경과 도항경은 비슷한 지위였을 가능성이 있다. 현재 중단경의 사례는 찾을 수 없고, 그나마 도항경은 몇 사례를 찾을 수 있어 그 실체를 짐작케 한다. 즉 왕건이 918년 고려를 건국하고 행한 첫 번째 인사조치에 한찬(韓粲) 귀평(歸評)을 도항령으로, 임상난(林湘煖)을 도항경으로 삼고 있다.[34] 이로 보아 도항경은 도항사의 부장임을 알 수 있다. 특히 개국초에 시행된 인사조치는 상징성이 매우 강해서, 이때 임명이 이루어져 나열된 관사의 순서가 곧 당시 각 관사의 서열로 이해된다.[35] 이렇게 보면 도항경은 국초부터 주요 관직의 하나였으며, 문반 계통의 관직이라 하겠다.[36]

소주부 역시 잘 알 수 없다. 하지만 주부(主簿), 주부(注簿)로 나타나는 관직명을 곳곳에서 찾을 수 있는데, 국자감, 예빈성, 위위시를 비롯해 태복시, 태부시, 소부감, 장작감, 사재시, 군기감 등의 종7품 관직이다.[37] '7寺'나 '5監' 등으로 불리는 실무 행정관청의 하위 실무

33) 末松保和,「高麗初期の兩班について」,『東洋學報』36-2, 1953 ;『青丘史草』1, 笠井出版社, 1965.

34) 『高麗史』1, 世家 1 太祖 원년(918) 6월 신유, "辛酉 詔曰 …… 遂以韓粲金行濤爲廣評侍中 韓粲黔剛爲內奉令 …… 韓粲歸評爲都航司令 …… 林湘煖爲都航司卿."

35) 李泰鎭,「高麗 宰府의 成立－그 制度史的 考察－」,『歷史學報』56, 1972 ; 金甲童,「고려 태조 초기의 중앙 관부와 지배세력」,『고려전기 정치사』, 일지사, 2005 ; 金甫桄,「고려 태조의 政治觀과 國政 운영」,『韓國人物史硏究』17, 2012.

36) 이외에 934년(태조 17)에 서경의 직제를 늘리면서 도항사를 설치했는데, 여기의 장이 도항경이다. 그리고 1178년(명종 8)에는 서경 직제를 개편하여 도항사를 공조에 예속시킨 바 있다(『高麗史』77, 志 31 百官 2 西京留守官, "太祖 …… 十七年 增置官宅司 掌供賓客之事 卿二人 大舍二人 史二人 都航司 卿一人 大舍一人 史一人 …… 明宗八年 更定官制 …… 工曹員吏亦同上 雜材·營作院·都航司幷屬焉"). 서경의 직제에서도 도항사는 문반 계통의 관직으로 보인다.

직이라 하겠다. 여기에 작다는 의미의 '小'가 붙었으니, 소주부는 주부보다 하위에 위치하는 관직임은 분명하다. 주부가 하위 실무직이라는 점에서 소주부는, 광종대 관직구조를 알 수는 없지만, 최하급의 품관직이거나 서리직일 가능성이 크다. 그래서 녹삼은 '소주부'로 대표되는 관직 구조상 최하급 이상이 착용하는 것으로 보아도 되겠다.[38)]

그렇다고 할 때, 광종 11년의 4색 공복은 일단 중앙의 모든 관인이 그 대상으로 포함되었으리라 본다.

> 다) 봄 3월, 김책 및 명경업과 복업의 각 1인에게 급제를 내려주었다. 왕이 천덕전에 납시어 신하들에게 연회를 베풀고, 김책에게 갈옷을 벗도록 명하여 공복을 내려주고는 연회에 나아가게 했다.[39)]

964년(광종 15) 3월에 과거 시험이 있었고, 이때 김책이 급제했다. 광종은 그에게 공복을 내려주었다고 하므로, 이것은 합격자에 대한 포상과 우대의 의미로 공복을 내려주었을 것이다. 당시 김책에게 일반인으로서의 복장을 벗게 하는, '석갈(釋褐)'하도록 하였다는 점에서 그가 아직 서리, 하급 관료 등이 아닌 순수하게 백신(白身)이었음을 알 수 있다.[40)] 이제 급제하여 아직 관직을 제수받기 이전인 그에게

---

37) 『高麗史』 76, 志 30 百官 1 해당 관청. 이외에도 동궁관, 제비주부 등 왕실 관련 관청에서도 찾아지며, 고려후기로 가면 倉庫 등 그 설치 범위가 더욱 늘어난다.

38) 시정전시과에서 최하급은 문반과 잡업의 녹삼 10품으로 전 21결, 시 10결이다. 이 수치는 문종대 갱정된 전시과에서 전 22결의 16과와 전 20결의 17과 사이와 비교된다. 更定田柴科의 16, 17과에는 諸令史, 書史, 主事나 書令史, 諸史 등 서리직들이 대거 속해 있어 참고된다.

39) 『高麗史節要』 2, 光宗 15년(964) 3월.

관직자의 자격을 부여하는 의미로 공복을 사여한 것이다. 이 점에서 그는 광종대 새로운 지배체계를 확립하기 위해 마련한 공복제를 적용받는 신진세력이었을 것이다.[41]

문제는 김책이 받은 공복의 색이 무엇인가 하는 점이다. 분명 김책에게 사여된 공복은 광종 11년의 규정에 따른 것이다. 광종 11년 규정에서 가장 낮은 것은 소주부 이상이 녹삼으로 규정되어 있는 바, 갓 급제한 김책이 급제와 동시에 소주부 수준의 관직에 임명되었다고 보아야 하는가. 그렇게 보기는 어렵다. 즉 김책은 급제자의 자격을 획득하고 곧바로 연회에서 공복을 사여받았을 뿐이므로 아직 관직을 제수받기 전이라고 보아야 맞을 것이다.

그렇다면 김책이 사여받은 공복의 복색은 무엇이며, 광종 11년 규정에는 누락된 것인가. 이미 관직 취임 자격을 획득한 급제자가 착용대상에서 제외된 듯이 보여 이 규정이 당시 모든 관인층을 포괄하지 못하는 불완전한 규정으로 얼핏 생각되기도 한다. 게다가 광종대 공복 규정이 불완전하다는 가정을 도와주는 사례가 더 있다. 즉 이 시기 공복에 대해 "관의 조복은 자·단·비·녹·청·벽이다."라고 한 견문이[42] 전하고 있는 것이다. 이 글은 『海外使程廣記』라는 책이 전재된 것이라 하는데, 『海外使程廣記』는 960년대에 작성된 사행기로,

---

40) 개정전시과 시기 급제자들이 곧바로 관직을 제수 받지 못하고 將仕郎 등의 산계만을 받는 경우가 많았음을 밝힌 연구가 있어 참고된다(朴龍雲, 「高麗時代의 科擧－製述科의 運營－」, 『高麗時代 蔭敍制와 科擧制 研究』, 一志社, 1990, 285~286쪽 ; 李鎭漢, 「高麗 前期 官人의 初入仕와 土地分給」, 『민족문화연구』 29, 1996, 271~276쪽). 더불어 이규보가 급제 후에 관직을 받지 못해 괴로워하였음이 그의 문집에 묘사되어 있다. 이 점에서 급제하였다고 해서 곧바로 관직을 제수받는 것이 아님은 분명하다.

41) 申虎澈, 앞의 글, 1981, 84~85쪽.

42) 『十國春秋』 28, 南唐 14 列傳 章僚, "官朝服紫·丹·緋·綠·靑·碧."

이 책은 남당(南唐)의 사신으로 대략 959~963년 사이에 고려에 왔던 장요(章僚)가 지은 것이다. 이 책의 내용은 『十國春秋』, 『資治通鑑』, 『陸氏南唐書』 등에 산재되어 일부의 내용이 전하고 있다.[43] 즉 광종대에 고려로 온 사신 장료가 보기에 고려는, 자·단·비·녹이라는 「輿服志」 상에 있는 복색뿐만 아니라, 청색과 벽색이라는 두 가지 색의 복색을 더 갖고 있던 것이다. 여기에서 청색과 벽색은 모두 푸른색 계통으로 사실 한 가지인지 아니면 두 가지 색을 말하는지 정확히 알 수는 없다. 또 이들 복색의 구분 기준에 대해서도 알 수 없다. 이 때문에 품관은 자, 단, 비, 녹의 사색 공복으로, 청색과 벽색은 잡리(雜吏)의 공복으로 추정하면서 이는 광종대의 공복 규정이 중국의 그것과는 다른 독자적 성격의 것으로 파악하기도 한다.[44]

하지만 녹색과 청색, 벽색이 모두 비슷한 색을 지칭한다는 점에 주의해야 한다. 이들이 필요에 의해 표현상 구분되었는지는 몰라도 적어도 공복의 복색으로 구체적인 색깔로 구별되었는지는 불분명한 것이다. 녹색이나 청색, 벽색 모두 푸른색 계통의 색상으로, 구별하기 어려운 것이었다. 아래 서긍의 언급을 보자.

라-1) 이직의 복색은 서관의 복색과 다르지 않다. 다만 녹의에 때로<색이> 진하고[深] 옅은[淺] 것이 있다. 예로부터 고려는 당의 제도를 모방하여 푸른[碧] 옷을 입었다고 전하나, 이제 물어 보니 그렇지는 않다. 대체로 고려의 백성은 가난하고 풍속은 검소하다. 그런데 도포[袍] 하나의 값이 거의 백금 1근이나 되니, 항상 빨아서 다시

43) 이 사행기에 대한 소개는 김대식, 「고려 초기 중앙관제의 성립과 변화」, 『역사와 현실』 58, 2005 참고.

44) 김대식, 「고려 초기 중앙관제의 성립과 변화」, 『역사와 현실』 58, 2005, 209쪽.

물들여 쓴다. <그래서 색이> 진하거나 푸른 것[碧] 같을 뿐이요, 특정 등급을 구별하는 복색은 아니다.[45]

서긍은 청색과 벽색이 옷감이 비싸 세탁과 염색의 반복 과정에서 채도의 청탁으로 구별되지만 실은 하나의 색상이라고 말하고 있다. 서긍의 견문이 12세기 전반의 일이기는 하지만, 염색 기술에 있어 큰 차이가 있다고 생각되지 않고 오히려 광종대가 더 낮았을 가능성이 있다. 이런 측면에서 장료가 목격한 녹색, 청색과 벽색이 별개의 것이 아니라 하나의 색일 가능성이 크다.

다시 서긍의 말을 들어보자.

라-2) 서관의 복식은 녹색 옷[綠衣]에 나무로 된 홀[木笏]을 들고 복두(幞頭)를 쓰고 검은 가죽신[烏鞾]을 신는다. 진사로 입관(入官)한 때로부터 중앙관서[省曹]의 보리나 주현의 영위·주부·사재 등은 누구나 이것을 착용한다.[46]

서긍은 서관(庶官)의 복식으로 녹색 옷을 거론하고 있다. 그러면서 그 대상이 이제 막 과거에 급제한 진사를 비롯해 관서의 서리, 지방의 영위, 주부, 사재까지라고 말하고 있다. 즉 '영위'라는 지방의 수령과 향리까지도 녹색 옷을 입는 대상이라는 것이다. 여기에서 품관은 아니지만 진사가 공복을 입는 대상이라는 점이 눈길을 끈다. 서긍에게 하위 관인과 서리들은 사실상 녹색 옷을 입는 하나의 카테고리로 보였다.

45) 『高麗圖經』 21, 吏職.

46) 『高麗圖經』 7, 冠服 庶官服.

서긍의 견문이 12세기로 차이가 나지만, 분명 향리에 이르기까지 고려초부터 공복을 입었음은 분명하다. 다음을 보자.

라-3) 이때에 당대등·정조·사단은어대(賜丹銀魚袋) 김희일 등이 저쪽에서 돌이킨 서원이 되게 하고 이쪽에서 끊어진 인연을 이어 마침내 30단의 철통을 주조하고 이어 60척의 당주(幢柱)를 세웠다.[47]

이것은 962년(광종 13)에 세워진 청주 용두사철당간의 명문 중 일부이다. 여기에 보면 청주의 호족 김희일이 당대등이었는데, 정조·사단은어대라고 되어 있다. 당대등은 뒤에 호장으로 개칭되는 것으로[48] 그가 향리, 즉 호족이었음을 말해준다. 또 정조는 7품에 해당하는 관계로, 6품인 원윤보다 아래에 위치한다.[49]

이 사례에서 두 가지를 알 수 있다. 당장 단색 공복이 사용되고 있음을 보여주는 사례이면서, 다른 하나는 원윤에 미치지 못하는 지방 호족들도 단색 등의 공복을 입었다는 점이다.[50] 따라서 광종 11년의 공복제도는 전국적으로 시행된 것이라 하겠다. 이에 따라 광종대 공복제의 적용 대상은 관직이나 원윤 이상의 관계를 지닌 호족만이 아니라 진사나 지방의 낮은 호족 같은 전체 지배층을 포괄하는 것이었다고 생각된다.

---

47) 蔡雄錫 편, 「龍頭寺址鐵幢竿」, 『韓國金石文集成』 35－高麗 19 金石 및 기타－, 국학진흥원, 2012.

48) 『高麗史』 75, 志 29 選擧 3 鄕職 成宗 2년(983), "成宗二年 改州府郡縣吏職 以兵部爲司兵 倉部爲司倉 堂大等爲戶長."

49) 『高麗史』 77, 志 31 百官 2 文散階.

50) 강은경, 앞의 글, 1999. 한편 그는 같은 논문 124쪽에서 김희일이 중앙의 관직이 없어서 금어대 대신 은어대를 받은 것으로 이해하였다.

이상을 정리하자면 광종 11년에 제정된 4색의 공복 중 푸른색 계통의 복색, 즉 녹색이 가장 하위에 위치한 것이며, 그 기준으로 제시된 소주부는 문반 관직 보다는 향리나 서리직 정도의 지위로 파악해 보았다. 또한 원윤 이하의 향리들도 분명 공복을 입고 있었다. 그렇기 때문에 김책처럼 급제한 '진사'도 공복을 착용할 수 있고, 그 복색은 녹색이었을 것으로 추론해 보았다.[51] 결국 이 4색 공복은 품관직만이 아니라 급제자, 서리, 향리를 포함하는 모든 지배층을 포함하고 있었다고 하겠다.[52]

하지만 공복 규정을 제정하였어도 그 즉시 일률적으로 시행되기에는 다소 어려움이 있던 것으로 보인다. 이는 최승로의 표현에서 찾을 수 있다.

> 라-4) 우리 조정에서는 태조 이래로 귀천을 논하지 않고 마음대로 옷을 입었습니다. 비록 관직이 높아도 집이 가난하면 공란을 갖출 수 없고, 관직이 없어도 집이 부유하면 능라금수(綾羅錦繡)를 입습니다. …… 간청하건대 관료들이 조회에서는 모두 중국과 신라의 제도에 의거하여 공란과 천집을 갖추도록 하고, 일을 아뢸 때에는 버선신·명주신·가죽신을 신도록 하며, 서인들은 화려한 문양과 주름이 잡힌 고운 비단[紗縠]을 입을 수 없게 하고 다만 굵은 명주[紬絹]만 입도록 하십시오.[53]

---

51) 다만, '소주부'라는 관직명으로는 당시 공복 대상자의 하한을 담아내기 어려웠음은 분명하다.

52) 黃善榮, 앞의 글, 1987 ; 앞의 책, 2002 ; 金塘澤, 「崔承老의 上書文에 보이는 光宗代의 '後生'과 景宗元年 田柴科」, 『高麗光宗硏究』, 一潮閣, 1981 ; 全基雄, 「高麗 景宗代의 政治構造와 始定田柴科의 성립기반」, 『震檀學報』 59, 1985 ; 全基雄, 『나말려초의 정치사회와 문인지식층』, 혜안, 1996.

53) 『高麗史』 93, 列傳 6 崔承老.

최승로의 시무28조 중 일부이다. 여기에서 그는 '귀천을 논하지 않고 마음대로 옷을 입었'다고 하면서 관직의 유무가 아니라 빈부에 따라 공복을 갖추는 데에 차이가 있음을 비판하고 있다. 특히 귀천을 논하지 않고 마음대로 옷을 입었다는 데에서 공복이 갖는 계서화 기능을 사실상 하지 못했음을 짐작할 수 있다. 광종 11년 공복 규정이 있음에도 봉사를 올린 시점이 성종 원년까지도 혼란한 상황임을 지적하고 있는 것이다. 이는 관계(官階)인 원윤과 관직인 중단경, 도항경 등 이중의 기준이 당시의 지배층에게 적용된 결과로 빚어진 혼란이 아니었나 한다.

정리하자면, 광종 11년에 제정된 공복 규정은 자색, 단색, 비색, 녹색의 4색으로 나뉘고 원윤이라는 관계 및 중단경, 도항경, 소주부라는 관직이 그 기준이 되었다. 또한 원윤 이상의 호족들뿐만 아니라 그 이하의 향리들도 단색 공복을 입거나 급제를 통해 입사한 진사도 녹색 공복을 입는 등, 이때의 공복은 중앙의 관직자들만이 아니라 향리 등 사실상 모든 지배층을 대상으로 하였다. 하지만 아직 관계와 관직이 동시에 공복 착용 기준으로 적용되어 공복 착용상에 귀천의 구별이 없는 등의 혼란한 상황이 이어지고 있었다.

3. 성종 이후의 공복 정비 과정

광종 11년의 공복 규정은 이후 고려의 기준으로 작동했다. 당장 앞 장에서 언급한 962년의 '용두사철당간'이나 976년(경종 원년) 시정 전시과의 지급 기준으로 복색이 사용되고 있는 것에서 그 점이 확인된다.

하지만 성종대에 들어와서는 공복에 대한 규정이 개정되었을 가능성이 높다. 무엇보다 관제의 개편 때문이다. 주지하다시피 성종은 원년(982), 2년(983)에 걸쳐 대대적인 관제 개편을 단행했다. 우선 내사문하성이 설치되어 재상기구로 자리매김하였고, 어사도성과 6관이 마련되어 행정실무를 장악했다.[54] 또 991년(성종 10)에는 중추원과 삼사가 도입되어 설치되었다.[55] 지방의 경우에도, 983년(성종 2)에는 12주에 외관을 임명하기 시작하였고[56] 호장, 부호장 등의 향리직제 또한 정비되었다.[57] 한편으로 원윤(元尹)으로 대표되던 국초의 관계가 958년(광종 9)에 도입된 문산계에 밀려 향직화하고 문산계가 양반을 계서화하는 유일한 산계로 기능하였다. 하지만 이 또한 관인의 지위를 나타내는 데에 제대로 기능하지 못하는 한계를 드러내고 있었다.[58]

공복은 복색을 통해 귀천을 구별하고 존비를 드러내어 예를 잃지 않게 하는 것이 주요 목적 중 하나였다.[59] 즉 관인들의 상하를 드러내

---

54) 『高麗史』 76, 志 30 百官 1 門下府 및 尙書省 등.

55) 『高麗史節要』 2, 成宗 10년(991) 10월, "韓彦恭奏 宋樞密院 卽我朝宿直員吏之職 於是 始置中樞院."

56) 『高麗史』 3, 世家 3 成宗 2년(983) 2월 무자(1), "二月 戊子 始置十二牧."

57) 『高麗史』 75, 志 29 選擧 3 鄕職 成宗 2년(983), "成宗二年 改州府郡縣吏職 以兵部爲司兵 倉部爲司倉 堂大等爲戶長 大等爲副戶長 郎中爲戶正 員外郎爲副戶正 執事爲史 兵部卿爲兵正 筵上爲副兵正 維乃爲兵史 倉部卿爲倉正."

58) 문산계의 도입 및 역할에 대해서는 다음 연구 참고.
武田幸男, 「高麗初期の官階－高麗王朝確立過程の一考察－」, 『朝鮮學報』 41, 1966 ; 朴龍雲, 「高麗時代의 文散階」, 『震檀學報』 52, 1981 ; 金甲童, 「高麗 初期 官階의 成立과 그 意義」, 『歷史學報』 117, 1988 ; 金甲童, 「高麗初의 官階와 鄕職」, 『國史館論叢』 78, 1997 ; 최종석, 앞의 글, 2008.

59) 『高麗史節要』 2, 成宗 원년(982) 6월, "一 新羅之時 公卿百僚庶人衣服鞋襪各有品色 公卿百僚朝會 則著公襴 具穿執 退朝 則逐便服之 庶人百姓不得服文彩 所以別貴賤辨尊卑也."

는 기준으로 관직이 광범위하게 사용된 상황에서, 성종대 초반부터 이어진 각종 관제 개편으로 인해 관직 변화도 크게 발생했고, 이로 인해 광종대 이래의 관료조직체계는 더 이상 존재하기 어렵게 되었다. 광종 11년 공복 규정에 등장한 중단경, 도항경 같은 기존에 기준으로 작동하던 관직이 사라졌을 가능성이 매우 높은 것이다. 이제 새로운 공복 기준의 설정이 요구되었다 하겠다. 따라서 성종대의 관제 개편에 따른 관직명 등의 변화를 담으려는 데에 초점이 맞춰졌을 것임에 틀림없다.[60] 유방헌의 사례를 통해 이를 확인해 보겠다.

> 마-1) 옹희 4년 정해년, 성종이 처음 즉위하여 유신에 명하여 대책을 짓게 하였는데 공이 또 1등을 하였다. 임금이 포상하여 제(制)로 어사우사원외낭 사비(賜緋) 사관수찬관에 임명하였다. 또 기거사인 지제고를 더하였다가 다시 예부낭중 사자(賜紫)를 더하였다. 통화 13년 을미년에 제로 통직랑 중추직학사에 임명하였다.[61]

이것은 유방헌의 묘지명 중 성종대 전반의 관력을 보여주는 부분이다. 정해년(987) 이후에 어사우사원외랑 사비(賜緋) 사관수찬관이 되었다가 기거사인 지제고를 거쳐 예부낭중 사자로 올라갔다. 그리고 을미년(995)에 통직랑 중추직학사가 되었다. 즉 유방헌이 정해년인 987년(성종 6)에 어사우사원외랑으로 사비, 즉 비색 공복을 받고, 을미년인 995년(성종 14) 이전에 예부낭중으로 사자, 자색 공복을 받았다. 원외랑은 정6품, 낭중이 정5품에 해당하므로, 약 8년 정도의

60) 이 때문에 성종대 이후 공복 규정은 관직 중심으로 재편되었다고 이해된다. 강은경, 앞의 글, 1999 및 김윤정, 앞의 글, 2010.

61) 金龍善 編, 「柳邦憲墓誌銘」, 『(第五版)高麗墓誌銘集成』, 한림대출판부, 2012.

시간 동안 공복 복색이 비색에서 자색으로 바뀌고 있다. 그 계기가 낭중이라는 관직이었다는 점에서, 자삼의 기준이었던 원윤에서 낭중 같은 관직으로 완전히 재편되었음을 보여준다. 또 광종 11년 규정에 있던 단색이 등장하지 않고 복색이 비색, 자색의 순으로 곧바로 바뀌고 있어 4색 공복의 단색(丹色)이 제외되는 방향으로 공복제가 개편되었음도 시사한다.[62)]

성종대에 공복 개정이 있었음은 현종대 장리 공복 규정으로도 짐작할 수 있다.

> 마-2) 현종 9년에 장리의 공복을 정했다. 주부군현의 호장은 자삼으로, 부호장 이하와 병창정 이상은 비삼, 호정 이하 사옥부정 이상은 녹삼으로 모두 가죽신을 신고 홀을 든다. 주부군현의 사는 심청삼, 병창사와 제단사는 천벽삼이되 가죽신과 홀은 없다.[63)]

> 마-3) 갑오일에 삼군이 개선하여 포로를 바쳤다. 왕이 친히 영파역에서 맞이하고, 채붕을 엮고 음악을 준비하여 장수들과 병사들에게 연회를 베풀어 주었다. 금으로 만든 꽃 8가지를 직접 강감찬의 머리에 꽂아준 후 오른손에는 금으로 된 술잔을, 왼손에는 강감찬의 손을 잡고서 위로하고 찬탄하기를 그치지 않으니, 강감찬이 절을 올려 감사의 뜻을 표하면서 몸 둘 바를 몰라 하였다. 이어서

---

62) 강은경, 앞의 글, 1999, 129쪽. 한편 그는 유방헌의 사례를 통해 단색이 제외된 것도 성종 6년~성종 14년 사이라고 추정하였다. 하지만 공복이 관제와 밀접한 상관이 있으므로, 성종 초에 관제 개편에 따라 단색 제외와 같은 복색 개편이 있다고 보는 것이 보다 타당하겠다.

63) 『高麗史』 72, 志 26 輿服 1 冠服 長吏公服 顯宗 9년(1018), "顯宗九年 定長吏公服. 州府郡縣戶長 紫衫 副戶長以下兵倉正以上 緋衫 戶正以下司獄副正以上 綠衫 幷靴笏 州府郡縣史 深靑衫 兵倉史諸壇史 天碧衫 無靴笏."

영파를 흥의로 바꾸고 역리들에게 공복[冠帶]을 하사하여 주현의 향리들과 동등하게 해주었다.[64]

마-2)처럼 1018년(현종 9)에 향리의 공복을 정했는데, 자색-비색-녹색-심청색-천벽색의 5색으로 정했다. 특히 주목할 부분은 복색에 해당하는 향리직의 순서가 문종대 정해진 향리 승진 규정과[65] 일치한다는 것이다. 곧 5색의 향리 공복은 향리직의 고하에 따라 정해진 것이라 하겠다.[66] 이어 마-3)은 역리(驛吏)에 대한 공복 관련의 1019년 규정이다. 강감찬이 거란과의 전쟁에서 승리하고 개선한 기념으로 개선식이 이루어진 영파역에 내린 우대 조치였다. 물론 역리의 경우, 관대에 대한 규정을 주현의 리와 같이한다는 것으로 공복은 드러나지 않는다. 하지만 머리에 쓰는 관과 허리에 매는 대는 공복 전체를 구성하는 구성요소로,[67] 관대에 대한 규정이 나온다는 것은 공복을 전제하여야만 되는 것이다. 결국 1018년과 1019년의 두 사례에서 주현의 향리와 역리까지도 공복을 착용하고 있음이 확인된다. 따라서 현종대에는 주현의 리나 역리에까지 공복에 대한 규정을 마련하였다고 하겠다.

그런데 흥미로운 점은 그 복색이다. 장리의 복색으로 자색, 비색,

---

64) 『高麗史節要』 3, 顯宗 10년(1019) 2월 갑오(6).

65) 『高麗史』 75, 志 29 選擧 3 鄕職 文宗 5년(1051) 10월, "文宗五年十月 判 諸州縣吏 初職後壇史 二轉兵倉史 三轉州府郡縣史 四轉副兵倉正 五轉副戶正 六轉戶正 七轉兵倉正 八轉副戶長 九轉戶長 其公須·食祿正准戶正 副正准副兵倉正 客舍·藥店·司獄正准副戶正 副正准州府郡縣史 以家風不及戶正·副兵倉正者 差之 若累世有家風子息 初授兵倉史 其次 初授後壇史."

66) 강은경, 앞의 글, 1999.

67) 예컨대 의종대 공복 규정을 보면, 복색에 대한 규정과 함께 冠, 帶, 笏, 魚袋 등 공복을 착용하는 구성품에 대해서 세세히 규정하고 있다.

녹색, 심청색, 천벽색의 5색이 등장한다. 또 가장 낮은 등급의 향리인 사급(史級)에 해당하는 심청색, 천벽색을 제외하면, 자색, 비색, 녹색의 세 가지이다. 앞서 광종대 김희일의 사례에서처럼 광종대에는 분명 향리에게도 단색 공복이 있었으므로, 현종대에 와서는 향리 복색에서도 단색이 제외된 것을 확인할 수 있다. 성종대에 향리직제가 개편되었으므로,[68] 향리 공복 역시 이때 개정되었을 수 있다. 비록 향리 복색에 대한 것이지만 관직자를 대상으로 한 복색에서도 비슷한 상황이 벌어졌을 가능성이 크다.

녹색과 청색에 대한 문제는 서긍의 견문으로 설명을 할 수 있을 것 같다. 즉 앞서 ㈑-1)에서 그는 리직의 복색은 서관의 복색과 다르지 않은데, 녹의에 색이 진하고[深] 옅은[淺] 것이 있다고 했다. 푸른 색이 짙고 옅은 것이 구별하는 것이 아닌 하나의 복색이라고 하고 있다. 서긍의 이런 증언을 인용한다면, 현종대 향리 복색 하위의 세 색은 모두 한 가지, 녹색으로 귀결된다고 이해할 수 있지 않을까 한다. 보다 자세한 내용은 알 수 없지만, 성종대 이후에 관료들의 공복은 자색-비색-녹색의 3색 체제로 변화되었을 개연성은 충분하다고 하겠다.[69]

또 989년(성종 8)에는 양계의 병마사, 병마부사에 대한 관복을 처음으로 규정하였다.[70] '관복'이라고 나오는데, 이때의 복은 의례용으로 입는 제복이나 조복이 아닌 일상 근무를 위한 공복으로 이해되는 바, 이제 대표적인 외관이라 할 병마사의 공복을 마련한 것이다.

---

68) 앞의 주57)과 같음.

69) 강은경, 앞의 글, 1999, 130쪽.

70) 『高麗史』 74, 志 26 輿服 冠服通制 成宗 8년(989) 3월, "成宗八年三月 始定東西北面兵馬使 玉帶紫襟 兵馬副使 紫衣帶劒."

분명 중앙의 관직에 대한 공복을 규정한 이후 혹은 동시에 외관에 대한 공복을 마련하였을 것이다. 이 또한 성종대에 공복 규정이 개정되었을 가능성을 더해준다.

정리하자면, 성종대에 들어 고려의 관제는 대대적으로 변하여 중서문하성, 상서성, 6부로 대표되는 중앙관서가 등장하고 지방관이 파견되었다. 그에 따라 공복의 기준이었던 기존의 관계, 관직에도 변화가 발생했다. 시기가 뒤인 현종대에 장리 공복이 단색이 사라지고 자색, 비색, 녹색의 3색으로 정리된 것이 확인되어, 곧 성종대에 공복제가 자, 단, 비, 녹의 4색에서 단색을 뺀 3색으로 개정되었을 가능성이 높다 하겠다.

4. 인종·의종 대의 공복 개정과 3색 공복의 내용

12세기로 들어가면서 이자의의 난, 이자겸의 난과 같이 지배층의 분열과 경쟁이 심화되는 가운데 정치상황에 대한 위기 의식이 고조되었다.[71] 이에 예적 질서의 재정비를 통해 해결하려는 움직임도 나타났다. 이미 앞서 1086년(선종 3)에 선종은 사치가 심각하므로 예전의 법전을 조사하여 복식, 거마 등의 제도를 보고하도록 했으며,[72] 1116년(예종 11)에 예종은 예의상정소(禮儀詳定所)를 설치하여 예제의 검토 및 새로운 예법의 정비를 추진하였다.[73] 인종 역시도 "선왕의

71) 채웅석, 「고려사회의 변화와 고려중기론」, 『역사와 현실』 32, 1999.

72) 『高麗史』 10, 世家 10 宣宗 3년(1086) 7월 병인(11), "秋七月 丙寅 詔曰 朕覽群臣所上封事 多言世俗尙侈靡 莫有禁制 其令所司與宰臣諸學士風憲長官 據先王典禮 凡衣服車馬品制 斟酌詳定 以聞."

73) 『高麗史』 14, 世家 14 睿宗 11년(1116) 4월 경진(17), "庚辰 御乾元殿 受朝賀

법은 형명(刑名)을 바로 잡고 분수를 자세히 밝혀 의장을 두루 갖추고 잘못된 것을 바로 잡아 관면(冠冕)의 양식과 의복의 제도에 상하의 구별이 있되 존비가 달랐다."라고 예제를 강조하였다.[74] 공복에 대해서도 비슷하게 정비의 필요성이 제기되었을 것이다. 의종대 공복 규정은 이런 맥락에서 이루어진 것이다.[75]

의종대에 50권으로 된 『詳定古今禮』가 평장사 최윤의 등의 주도 아래 정리되었는데,[76] 최윤의는 1155년에 평장사로 임명되었고,[77] 1162년에 평장사로 죽었다.[78] 따라서 『詳定古今禮』로 대표되는 의종대의 예제는 바로 1155년에서 1162년 사이에 정비되었다 하겠다. 그 중 공복제는 다음과 같이 정리되었다.

바) 의종조에 다음과 같이 자세히 정했다. "문관 4품 이상은 자색옷을 입고 붉은 띠[紅鞓]를 매고 금어를 차며, 상참 6품 이상은 비색옷을 입고 붉은 띠를 매고 은어를 찬다. 관위가 이에 이르지 못했더라도

下制曰 …… 且國風欲其儉朴 而今朝廷士庶 衣服華侈 尊卑無等 宜令禮儀詳定所據祖宗代式例沿革 制定以聞."

74) 『高麗史』 16, 世家 16 仁宗 7년(1129) 5월 갑진(27), "甲辰 詔曰 先王之法 正刑名詳分守 大爲之備 曲爲之防 冠冕之式 衣服之制 上下有別 尊卑不同."

75) 이 시기 유교적 예제 정비에 따른 정치개혁에 대해서는 다음 참고. 蔡雄錫, 「12세기초 고려의 개혁 추진과 정치적 갈등」, 『韓國史硏究』 112, 2001 ; 김윤정, 앞의 글, 2010 ; 채웅석, 「고려 인종대 '惟新'정국과 정치갈등」, 『韓國史硏究』 151, 2013.

76) 『高麗史』 59, 志 13 禮 序, "至毅宗時 平章事崔允儀 撰詳定古今禮五十卷." 『高麗史』 72, 志 26 輿服 序, "毅宗朝 平章事崔允儀 裒集祖宗憲章 雜采唐制 詳定古今禮 上而王之冕服輿輅以及儀衛鹵簿 下而百官冠服 莫不具載 一代之制 備矣."

77) 金龍善 編, 「崔允儀墓誌銘」, 『(第五版)高麗墓誌銘集成』, 한림대출판부, 2012, "乙亥年(1155) 中書侍郎同中書門下平章事 判尙書吏部事 兼西京留守使."

78) 『高麗史』 18, 世家 18 毅宗 16년(1162) 8월 임진(28), "壬辰 門下侍郎平章事崔允儀卒."

특별히 사여받은 자는 이 예에 구애되지 않는다. 9품 이상은 녹색옷을 입는다. 각문에 도열하는 무신은 모두 자색옷을 입되 어대를 차지 않으며, 내시·다방 등의 관원은 본래의 복이 아니라 역시 모두 자색옷을 입되 어대를 차지 않는다. 서경유수는 상서에 준하고 부유수는 3품에 준하며, 이하는 각기 본품에 의거하고, 동경과 남경의 부유수 및 대도호부·목의 판관과 지주사 이상은 공복과 띠, 어대는 본품에 따르되, 자색 및 비색 공복을 차대한 자는 어대를 차지 못한다. 지주의 부사 이하로 자색과 비색의 공복을 입은 자는 붉은 띠를 착용하지 못한다."[79]

의종대에 정해진 백관들이 공복을 착용할 때의 규정이다. 문관 4품, 상참 6품, 9품 이상, 각문반의 무신, 내시와 다방 등처럼 공복의 착용 대상이 되는 전체 관료들을 몇 개의 범주화된 그룹으로 나누고 옷의 색깔, 어대, 허리띠 등의 착용에 대한 세부 규정을 마련하고 있다. 즉 문관 4품 이상은 자색 공복과 금어(金魚)를, 상참 6품 이상은 비색 공복과 은어(銀魚)를 갖춰 입도록 했다. 서경유수, 부유수는 상서 및 3품에 준하는 등 외관의 경우에도 관직의 본품에 따라 복색과 어대의 패용 여부가 정해지도록 되어 있다. 여기에서 문반의 경우 기본적으로 4품, 상참 6품, 9품이라는 세 개의 등급에 따라 자색, 비색, 녹색의 3색 공복을 입도록 했음이 확인된다.

이 같은 복색은 서긍의 견문을 통해 이미 인종대에 거의 비슷하게 적용되고 있음을 알 수 있다. 즉 서긍은 1123년(인종 2) 초반에 사신으로 고려에 왔다가 그때의 견문을 토대로 『高麗圖經』을 지었는데, 그

79) 『高麗史』 72, 志 26 輿服 1 冠服 百官公服 毅宗朝.

속에서 공복에 대한 내용이 담겨 있다. 서긍은 자신이 살핀 고려의 관복을 영관복, 국상복, 근시복, 경감복, 종관복, 조관복, 서관복으로 구별하였는데,[80] 그 내용을 정리하면 아래 <표 1>과 같다.

<표 1>『고려도경』 속 복색

명칭	복색	어대	관직
令官服	자색	금어	太師, 太尉, 中書令, 尙書令
國相服	자색	금어	侍中, 太尉, 司徒, 中書門下侍郞平章事, 參知政事, 左右僕射, 政堂文學, 判尙書吏部事, 樞密使副, 同知院奏事
近侍服	자색	금어	左右常侍, 御史大夫, 左右丞, 六尙書, 翰林學士 承旨學士以上, 及祗待國朝使命接伴, 館伴官
從官服	자색	×	御史中丞, 諫官, 給事侍郞, 州牧留守使副, 閤門執贊, 6尙直官, 都知兵馬, 4部護使 등, 특별한 은혜를 입은 자
卿監服	비색	은어	6寺卿貳, 省部丞郞, 國子儒官, 祕書典職 이상
朝官服	비색	은어	司業博士, 史館校書, 太醫司天兩省錄事 이상
庶官服	녹색	×	

서긍은 고려의 관인들을 7개의 범주로 나누고 각각에 해당하는 복식과 복두, 어대 등을 적고 해당하는 관직들을 나열하고 있다. 위 <표 1>에서는 복두에 대한 부분은 생략을 했다. 이를 보면 자색-비색-녹색의 셋으로 복색이 나뉘며, 어대의 경우에는 패용 여부, 패용할 경우에는 다시 금어대와 은어대로 나뉘어 있다. 즉 관직에 따라 복색, 어대의 소재, 어대 패용 여부 등에 따라 다양하게 조합되어, 각 관직에 맞는 공복을 갖춰 입고 있음을 알 수 있다.

바)의 의종대 기록보다 30여년 앞선 견문인데, 여기에서도 자색, 비색, 녹색의 3색 공복이 적용되고 있음을 분명히 확인할 수 있다. 의종대의 기록과 『高麗圖經』의 규정과 비교해 보자.

80) 『高麗圖經』 7, 冠服.

자색복을 입는 대상으로 서긍은 영관복, 국상복, 근시복, 종관복의 네 그룹에 태사, 태위, 중서령, 상서령을 시작으로 관직들을 각각 나열하고 있다. 가장 낮은 종관복 대상자를 보면, 어사중승, 간관, 급사시랑, 주목유수사부(州牧留守使副), 합문집찬(閤門執贊), 6상직관, 도지병마, 4부호사 및 '특별한 은혜를 입은 이들[與其非泛恩數]'이다. 외관인 주목유수사부, 4부호사나[81] '특별한 은혜를 입은 자'의 경우를 일단 제외하면, 어사중승, 간관, 급사시랑, 합문집찬, 6상직관, 도지병마가 남는다. 이중 급사시랑은 중서문하성의 급사중과 6부의 시랑을 말하는 것 같고, 간관은 중서문하성의 낭관들인데 정4품인 좌우간의대부와 종4품의 중서사인으로 이해된다. 특히 어사중승과 급사중, 중서사인은 급사중승으로 합칭되는 비슷한 지위의 관직이다. 이들은 모두 종4품에 해당하는 관직들로, 각 관서의 차관격에 해당하는 관직들이다.[82] 또 합문집찬은 '집찬'이란 명칭으로 보아 각종 의례에서 주요 역할을 담당하는 사, 인진사, 인진부사, 부사를 비롯해 통사사인이나 합문지후까지의 관직들로 보이는데, 관품상 모두 비색복과 은어대의 대상이어야 한다.[83] 하지만 '합문집찬'으로 묶여 모두 자색복을 입는다고 하였으니, 아마도 궁중에서 국왕이 주재하는 의례를 진행하는 역할 때문에 우대받은 것으로 생각된다.

---

81) 외관직 자체가 어대의 패용 기준인 唐宋과는 달리, 고려시대 지방관은 경관직을 겸대하고 그 경관직이 외관의 지위를 결정하였기 때문에 공복이나 어대의 경우도 경관직에 따랐을 것이다.

82) 상시(정3품)가 郎官 중 가장 높고, 간의대부(정4품), 중서사인·급사중(종4품)의 순이다. 따라서 상시가 간관의 長, 그 다음인 간의대부 등은 그 副長格이다. 어사중승은 어사대의 장관인 어사대부의 다음이고, 시랑은 6부의 장관인 尙書의 다음이다.

83) 『高麗史』 76, 志 30 百官 1 通禮門에 따르면, 사와 인진사는 정5품, 인진부사는 종5품, 각문부사는 정6품, 통사사인과 지후는 정7품이다.

종관복에 해당되는 관직들은, 궁중과 관계되어 특별대우를 받는 합문과 6국을 제외하면, 대체로 2성6부의 차관급인 4품 정도로 정리할 수 있다.[84]

다음으로 비색 공복에 해당하는 관직군을 보면, 의종대 규정에는 상참6품 이상으로, 『高麗圖經』에는 경감복으로 6시경이(寺卿貳), 성부승랑(省部丞郞), 국자유관(國子儒官), 비서전직(祕書典職) 이상, 조관복으로 사업박사, 사관교서, 태의·사천양성녹사 이상이라 되어 있다. 두 기록 모두 복색에 대해서는 비색복과 은어대로 규정된 내용이 같다. 6시의 장차관은 군기감, 태부시, 소부시와 같은 행정 실무 기구를 말하는데, 이들 조직은 경과 소경 또는 령과 부령이 장차관으로 있다. 예컨대 위위시의 장관인 경은 문종대를 기준으로 종3품, 차관인 소경은 종4품이었다.[85] 이는 여타의 시감도 비슷하다. 즉 관품으로 보면, 이들은 모두 자색 공복을 입었어야 한다. 이어 성부승랑은 중서문하성과 상서성, 6부의 '승랑'을 말하는 것으로 이해되는데, 이미 근시복과 종관복에서 중서문하성의 상시, 승(丞), 6부의 상서와 시랑이 포함되었으므로, 그 이하의 관직으로 하겠다. 그럼 중서문하성의 종5품인 기거주, 기거랑, 기거사인, 상서성과 6부라면 낭중(정5품)과 원외랑(정6품)에 해당된다. 이들은 모두 참상직이다.

이어 경감복의 국자유관, 조관복의 사업박사, 사관교서를 보자. 국자유관과 사업박사는 모두 국자감의 관직으로 생각된다. 이때 유관(儒官)으로 좨주, 사업, 승 등이 상정되는데, 국자사업으로 자색복을

84) 김보광, 앞의 글, 2015. 또한 같은 글에서 州牧留守使副와 4部護使라는 외관도 자색복에 해당하는 관직들로 京官을 지닌 채 임명되는데, 의종대 규정과 같음을 보였다.

85) 『高麗史』 76, 志 30 百官 1 衛尉寺.

입은 사례가 있어[86] 좨주와 사업의 복색은 자색이라고 이해된다. 그럼 승만 남는데, 문종대를 기준으로 종6품이었다. '사업박사'는 성종대의 관직명이었고 문종대에 국자박사(정7품)로 개칭되었다.[87] 사관교서는 사관의 관직으로, 감수국사, 수국사, 동수국사, 수찬관은 2품 이상(수국사) 또는 한림원 3품 이하가 겸하도록 되어 있다. 또 직사관이 있는데, 이들은 8품 정도로 생각된다.[88] 또 비서전직의 경우, 비서성의 장차관인 경(종3품)과 소경(종4품)은 앞서 언급한 6시경이(寺卿貳)와 비슷한 것으로 보여, 그 이하의 승(종5품), 랑(종6품)을 의미한다고 생각된다.[89] 태의·사천양성녹사는 태의감과 사천대의 녹사라 하겠는데, 문제는 이들 두 기구에 녹사라는 관직이 없다는 점이다. 이들 기구에서 행정실무를 담당한 것으로 대신 승, 주부가 있었다. 태의감의 경우, 승만 종8품으로 있었고, 사천대의 경우, 승이 종6품, 주부는 종7품이다.[90] 흥미로운 부분은 국자승부터 이들 관직이 모두 참외직으로,[91] 의종대 규정에 따르면 녹색 공복에 해당된다는 점이다. 인종대에 비색에 해당되었다가 의종대에 변동되었거나 서긍의 언급에 오류가 있는 것인데, 어느 쪽이 맞는지 분명히 알 수 없다.[92]

---

86) 金龍善 編, 「尹彦頤墓誌銘」, 『(第五版)高麗墓誌銘集成』, 한림대출판부, 2012, "丁未 在秋官理獄 獄空二十三日 寃枉頓釋 改吏部郎中 餘如故 遷國子司業寶文閣待制知制誥 賜紫金魚袋."

87) 『高麗史』 76, 志 30 百官 1 成均館.

88) 『高麗史』 76, 志 30 百官 1 史館. 연혁에 따르면 직사관은 뒤에 8품으로 정해졌다.

89) 『高麗史』 76, 志 30 百官 1 典校寺.

90) 『高麗史』 76, 志 30 百官 1 典醫寺·書雲觀.

91) 李鎭漢, 「高麗時代 叅上·叅外職의 區分과 祿俸」, 『韓國史研究』 99·100, 1997, 178~180쪽.

92) 다만 한 두 관직이 아니라 서긍이 國子儒官, 祕書典職, 司業博士, 史館校書,

이상에서 서긍이 비색 공복을 입는 것으로 언급한 관직들을 검토한 결과, 거의 의종대 규정과 일치함을 확인할 수 있었다. 인종과 의종대의 공복제가 대체로 자색-비색-녹색의 3색 공복체계에 맞춰 운영되었다고 하겠다.[93] 그리고 인종·의종 대에 정비된 공복 규정에 등장하는 관직명이나 구조는 사실상 성종대에 마련된 관제를 따른다는 점에서, 이 시기의 공복제 역시 성종대 제도에서 연유하였다고 해도 크게 무리는 없겠다.

고려인들은 자신들의 각종 제도가 당제에 따른 것이라는 인식을 하고 있었다. 이 점은 『고려사』를 지은 조선초의 유학자들도 마찬가지였다.

사-1) 지금 (고려의) 관명이나 훈질(勳秩)이 중국의 것을 모방하고 있어 그 사유를 물으니 개원(開元)의 고사를 따르고 있다고 답하였다.[94]

사-2) (태조) 2년(919)에 3성·6상서·9시·6위를 두었으니, 대체로 당제를 본 뜬 것이었다.[95]

사-1)은 서긍이 고려에 와서 고려의 관제가 왜 중국의 것을 모방하고 있는지에 대한 이유를 물었더니 고려인이 당 현종의 연호인 개원

太醫·司天兩省錄事으로 묶은 관직 모두가 해당된다는 점에서, 인종대 비색이던 이들이 의종대 공복 규정에서 '상참6품' 이상으로 강화되면서 녹색 공복 대상으로 바뀌었을 가능성이 더 높다고 생각한다.

93) 물론 이러한 운영방식에도 불구하고 서긍이 '其非泛恩數'라고 한 것처럼 복색에 대한 혜택을 베풀어 주는 임금의 '은혜'가 수시로 있었다(김보광, 앞의 논문, 2015, 주23)).

94) 『高麗圖經』 7, 冠服 令官服.

95) 『高麗史』 76, 志 30 百官 1 序.

(開元)을 들어 답하였다는 기록이다. '개원고사'로 대표되는 당나라의 제도를 고려가 좇고 있다는 의미로 읽힌다. 즉 고려의 관제가 당제라는 것이다. 이런 점은 사-2)의 「百官志」 서문에서도 그대로 보인다. 조선초 『高麗史』의 찬자들이 고려의 관제를 집대성하여 「百官志」를 지으면서 그 서문에 '당제를 본떴다'라고 평가한 것이다.

하지만 이 당시 고려의 복색은 당제와 달랐다. 『唐六典』에 보면,[96] 3품, 5품, 7품, 9품을 경계로 각기 자색, 비색, 녹색, 청색으로 입는다고 되어 있다. 『唐六典』이 바로 현종 개원 연간에 만들어진 것이므로,[97] 이 조항이 바로 '개원고사'의 실체였다. 하지만 광종대의 규정이건 의종대의 규정이건 고려인이 말하는 개원 연간의 당제와는 복색에서부터 분명 달랐다. 실제로 1123년의 고려 상황을 본 서긍은 고려인들과는 달리 그가 목격한 고려의 공복제 등에 대해서 송의 것과 유사하다는 점을 여러 차례 언급하고 있다.

> 사-3) ＜고려에서는＞ 점차 우리 중국풍[華風]에 젖게 되면서 천자의 총애를 입어 복식 제도가 개선되어 우리 송의 제도를 한결같이 따르게 되었으니, 변발(辮髮)을 풀고 섶[衽]을 바꾸는데 그친 것만이 아니다. 그렇지만 ＜고려는＞ 관직명이 일정하지 않고, 조정에서 입는 옷과 집에서 입는 옷이 ＜우리 중국의 것과＞ 다르다.[98]

> 사-4) 근년에 ＜고려＞ 사신[貢使]이 중국 궁궐에 와서[詣闕] 송[朝廷]의

96) 『唐六典』 4, 尙書禮部, "親王 三品已上 二王後服用紫 飾以玉 五品已上服用朱 飾以金 七品已上服用綠 飾以銀 九品已上服用靑 飾以鍮石 流外 庶人服用黃 飾以銅鐵."

97) 金鐸敏 主編, 「解題」, 『譯註 唐六典』, 신서원, 2003, 15~20쪽.

98) 『高麗圖經』 7, 冠服.

하사품인 10등 관복(冠服)을 얻은 것을 계기로 중국 제도를 좇았다.[99]

서긍은 고려의 복식제도가 '송의 제도를 한결같이 따르게 되었다'라고 평가하면서 송의 복식과 흡사함을 말하고 있다. 그리고 고려의 사신이 왔을 때 송이 '10등 관복(冠服)'을 내려준 데에서 그 계기를 찾고 있다. 서긍이 고려의 공복제도가 송의 것과 매우 비슷하다는 인상을 받은 데에는 송의 공복제도와 유사했기 때문일 것이다. 송의 공복제를 간단히 보자.

사-5) 원풍 원년(1078), 청색을 없애고 사용하지 않는다. 산계가 4품에 이르면 자색옷을 입고, 6품에 이르면 비색옷을 입는데, 모두 상아로 된 홀을 들고 어대를 찬다. 9품 이상은 녹색옷을 입는데 나무로 된 홀이다. 무신과 내시는 모두 자색옷을 입는데 어대를 차지 않는다.[100]

사-6) 예로부터 고려는 당(唐)의 제도를 모방하여 푸른[碧] 옷을 입었다고 전하나, 이제 물어 보니 그렇지는 않다.[101]

사-5)는 『宋史』 여복지의 공복 관련 기록인데, 4품, 6품, 9품을 기준으로 자색, 비색, 녹색의 복색이 대응하고 있다. 이는 3품 이상 자색, 4, 5품 비색, 6, 7품은 녹색, 8, 9품은 청색의 4색 공복이었던 당제에서

99) 『高麗圖經』 20, 婦人.
100) 『宋史』 153, 輿服 5 諸臣服下 公服 元豐 元年(1078).
101) 『高麗圖經』 21, 皂隸 吏職.

바뀐 것이다.[102] 물론 고려는 관직이 기준이었던 데 비해, 송은 계관(階官)이라 하여 산계를 기준으로 하고 있는 것이 차이이지만, 기준선과 복색은 사실상 의종대의 규정과 동일하다.[103] 더구나 서긍은 자신이 고려가 당제를 모방하였다고 들었는데, 이제 와서 직접 물어보니 그렇지 않다는 것을 확인하였다. 즉 서긍은 '벽색(碧色)'이라고 한 푸른색이 공복에서 제외된 것을 확인한 것이다. 앞서 고려가 "송의 제도를 한결같이 따르게 되었다"라고 평가한 것처럼 송의 복색과 더욱 비슷하다고 느꼈다.

이제 다시 김부식이 송에 가서 경험한 상황을 보자.

> 사-7) 신(김부식)은 상국에 사신으로 세 번 갔는데, 일행의 의관이 송나라 사람과 차이가 없었습니다. 한 번은 조회에 들어가다가 너무 일찍 도착하여 자신전 문 앞에 서 있는데, 합문원 한 명이 와서 "누가 고려인 사자인가"라고 묻기에 "나다"라고 하였더니 웃으면서 간 일이 있습니다.[104]

이것은 김부식이 송으로 사행을 갔을 때의 일화를 전하는 것인데, 구체적인 시기는 알 수 없다.[105] 그의 활동시기상 예종대와 인종대 전반의 시기로 이해된다. 송의 수도 개봉에서 조회를 위해 입궐하여

---

102) 앞의 주96) 참고.

103) 당송의 공복에 대해서는 다음의 연구들이 참고된다. 이현숙, 앞의 글, 1992 ; 김윤정, 앞의 글, 2010 ; 이종서, 「고려 국왕과 관리의 복식(服飾)이 반영하는 국가 위상과 자의식의 변동」, 『한국문화』 60, 2012.

104) 『三國史記』 33, 雜志 2 色服.

105) 김부식 스스로 세 번 송으로 사행을 했다고 밝혔는데, 1116년 7월부터 1117년 5월까지, 1126년 9월부터 1127년 5월까지 송에 다녀온 것이 확인된다(『高麗史』 15, 世家 15 仁宗 4년(1126) 9월 을축(2)). 나머지 한번은 확인할 수 없다.

기다리던 김부식은 분명 사신단의 일원으로 황제를 알현하거나 관련된 의례에 참여하기 위해 정해진 격식에 맞는 의관, 즉 조복(朝服)이나 공복(公服)을 입고 있었을 것이다. 물론 송이 아닌 고려의 복이었을 것이다. 그런 그에게 송의 관인이, 그것도 궁중에서의 의례를 주관하는 합문의 관인이 다가와서 고려의 사신이 어디에 있는지를 물었다는 사실은, 송의 관인이 김부식을 송나라 관인으로 착각하였음을 뜻한다. 김부식의 이런 경험에서 고려의 공복이 송나라 관인이 혼란을 일으킬 정도로 송의 것과 흡사함을 알 수 있다.

이런 김부식의 경험담이 예종, 인종대이므로, 서긍이 목격한 1123년의 상황과 크게 다르지 않고, 오히려 같았다고 보아도 무리 없을 것이다. 송의 합문 관원이 김부식의 복식을 보고 헷갈릴 정도였으니, 동시기의 서긍이 고려의 복색을 보고 '송의 제도를 한결같이 따르게 되었다'라고 말한 것도 전혀 이상한 상황이 아니다.

결국 고려인들 스스로 그들의 공복제를 사-1)처럼 '개원의 고사'를 따랐다고 하지만, 그것은 당제의 원형 그대로를 답습한 것은 아니었다. 성종대에 중서문하성, 상서성 등 당제에 입각한 관제를 도입하였지만, 중추원과 같은 송제도 받아들였음은 이미 주지의 사실이다. 이 과정에서 고려가 수용한 '당제'는 당제 자체가 아니라 송이 이해하고 수용한 당제였을 가능성이 큰 것이다. 아마도 현실에 존재하던 '송제화된 당제'를 참고하여 수용하였기 때문에[106] 벌어진 현상이라 하겠다.

요컨대 문종 이후 고려는 예제를 강조하면 정치, 사회질서의 회복을 도모하였다. 이는 의종대에 『상정고금례』의 편찬으로 집대성되었

106) 김대식, 앞의 글, 2005.

다. 성종대 이래 3색으로 운영되던 복색으로 공복제가 정리되었다. 3색의 구별은 인종대 고려에 온 서긍의 견문을 통해서 확인할 수 있는데, 4품 이상, 상참 6품 이상, 9품 이상의 셋으로 나뉜다. 복색에 따라 서긍이 진술한 관직들은 대체로 의종대의 공복 규정과도 대부분 부합함을 확인했다. 이를 보고 서긍은 고려의 공복제가 송의 것을 모방했기 때문으로 이해하였지만, 고려가 성종대 이래 '송제화된 당제'에 따른 관제를 수용한 결과가 공복제에도 반영되었기 때문이다.

5. 맺음말

이 글은 광종 11년과 의종대의 공복 규정 사이의 시간적 간극을 메워 공복의 정비 과정을 살피보자 한 것이다. 이의 내용을 간단히 정리하는 것으로 결론을 대신하고자 한다.

고려는 자색, 비색, 단색 등의 공복 사례나 어대의 사례들이 태조 때부터 확인되어 국초부터 공복을 입었음을 알 수 있다. 하지만 신라의 유제가 남아 있는 등 아직 혼란한 상황이어서 구체적인 운영방식 등은 알기 어렵다. 이후 광종 11년에 후주의 제도를 도입하여 일정한 방식으로 정리하여 공복 규정을 정한 것으로 보인다. 이때 공복 규정은 자색, 단색, 비색, 녹색의 4색으로 나뉘고 원윤이라는 관계 및 중단경, 도항경, 소주부라는 관직이 그 기준이었다. 또한 원윤 이상의 호족들뿐만 아니라 그 이하의 향리들도 단색 공복을 입거나 급제를 통해 입사한 진사도 녹색 공복을 입는 등, 사실상 관직자들만이 아니라 향리 등 사실상 모든 지배층을 대상으로 하였다. 하지만 아직 관계와 관직이 동시에 공복 착용 기준으로 적용되어 공복 착용상에 혼란한 상황이 여전하기도 했다.

성종대에 들어 고려의 관제는 대대적으로 변하여 중서문하성, 상서성, 6부로 대표되는 중앙관서가 등장하고 지방관이 파견되었다. 그에 따라 공복의 기준이었던 기존의 관계, 관직에도 변화가 발생했다. 현종대 장리 공복이 개정되는 가운데 자색, 비색, 녹색의 3색으로 정리되고 단색이 사라진 것을 확인할 수 있는데, 성종대 관제 개편에 따라 향리의 공복만이 아니라 공복제가 자색, 비색, 녹색의 3색 공복제로 개정되었다고 판단된다.

문종 이후 고려는 예제를 강조하면서 정치, 사회질서의 회복을 도모하였다. 이는 의종대에 『詳定古今禮』의 편찬으로 집대성되었다. 성종대 이래 3색으로 운영되던 복색으로 공복제가 정리되었다. 3색의 구별은 인종대 고려에 온 서긍의 견문을 통해서 확인할 수 있는데, 4품 이상, 상참 6품 이상, 9품 이상의 셋으로 나뉜다. 복색에 따라 서긍이 진술한 관직들은 대체로 의종대의 공복 규정과도 대부분 부합함을 확인했다. 이런 구조를 서긍은 고려의 공복제가 송의 것을 모방했기 때문으로 이해하였지만, 고려가 성종대 이래 '송제화된 당제'에 따른 관제를 수용한 결과가 공복제에도 반영되었기 때문이다.

참고문헌

1. 사료

『高麗史』, 『高麗史節要』, 『高麗圖經』(이상 국사편찬위원회 한국사데이터베이스 고려시대史料, http://db.history.go.kr/KOREA/)

金龍善 編, 『(第五版)高麗墓誌銘集成』, 한림대출판부, 2012.

2. 연구서

李基白 등, 『崔承老上書文硏究』, 一潮閣, 1993.

李鎭漢, 『고려전기 官職과 祿俸의 관계 연구』, 一志社, 1999.

3. 연구논문

朴龍雲, 「高麗時代의 文散階」, 『震檀學報』 52, 震檀學會, 1981 ; 『고려시대 官階·官職 연구』, 고려대출판부, 1997.

申虎澈, 「高麗 光宗代의 公服制度」, 『高麗光宗硏究』(이기백 편), 一潮閣, 1981.

朴龍雲, 「高麗時代의 科擧－製述科의 運營－」, 『高麗時代 蔭敍制와 科擧制 硏究』, 一志社, 1990.

이현숙, 「신라말 魚袋制의 成立과 運用」, 『史學硏究』 43·44, 한국사학회, 1992.

李鎭漢, 「高麗 前期 官人의 初入仕와 土地分給」, 『민족문화연구』 29, 고려대 민족문화연구소, 1996.

李鎭漢, 「高麗時代 參上·參外職의 區分과 祿俸」, 『韓國史硏究』 99·100, 韓國史硏究會, 1997.

서옥경, 「고려시대와 송대의 관복 비교연구－공, 상복을 중심으로－」, 『복식』 31, 한국복식학회, 1997.

강은경, 「高麗時期 鄕吏 公服制」, 『韓國思想과 文化』 4, 한국사상문화학회, 1999.

黃善榮, 「高麗初期 公服制의 成立」, 『釜山史學』 12, 부산사학회, 1987 ; 『나말여

초 정치제도사 연구』, 국학자료원, 2002.
김대식,「고려 초기 중앙관제의 성립과 변화」,『역사와 현실』 58, 한국역사연구회, 2005.
임경화·강순제,「고려 초 공복제(公服制) 도입과 복색(服色) 운용에 관한 연구」,『복식』 56-1, 한국복식학회, 2006.
김윤정,「고려전기 집권체제의 정비와 관복제의 확립」,『한국중세사연구』 28, 한국중세사학회, 2010.
이승해,『고려시대 官服 연구』, 이화여대 의류직물학과 박사학위논문, 2011.
金甫桄,「고려 태조의 政治觀과 國政 운영」,『韓國人物史硏究』 17, 한국인물사연구회, 2012.
이종서,「고려 국왕과 관리의 복식(服飾)이 반영하는 국가 위상과 자의식의 변동」,『한국문화』 60, 서울대 규장각 한국학연구원, 2012.
이현숙,「금석문으로 본 고려후기 어대제의 변화」,『역사와 현실』 91, 한국역사연구회, 2014.
김보광,「고려 성종·현종대 太祖配享功臣의 선정 과정과 의미」,『사학연구』 113, 한국사학회, 2014.
김보광,「고려전기 魚袋의 개념과 운영방식에 대한 검토」,『韓國史硏究』 169, 한국사연구회, 2015.

훈춘, 청과 조선의 변경*

김선민

1. 머리말

중국의 길림성에 위치한 훈춘은 두만강을 사이에 두고 북한의 경원과 마주보고 있는 국경도시이다. 동남으로 러시아, 서남으로 북한과 접경하고 있는 훈춘은 서쪽 바깥에는 두만강이 돌아 흐르고 안에는 홍계하(紅溪河)가 관통한다. 이곳은 산으로 둘러싸인 평원으로 주변에 하천이 발달하여 목재·어류·조류·인삼·천연진주 등 다양한 자연자원이 풍부하다.

오늘날 훈춘이 위치한 두만강 동쪽 일대는 과거 조선과 청에서 여러 가지 이름으로 불렸다. 『龍飛御天歌』에는 샨춘[實眼春]이라는 지명이 보이는데 이곳은 "경원부(慶源府)에서 북으로 이틀거리이며,

* 이 글은 『만주연구』 19, 2015에 수록된 논문을 수정 보완한 것이다.

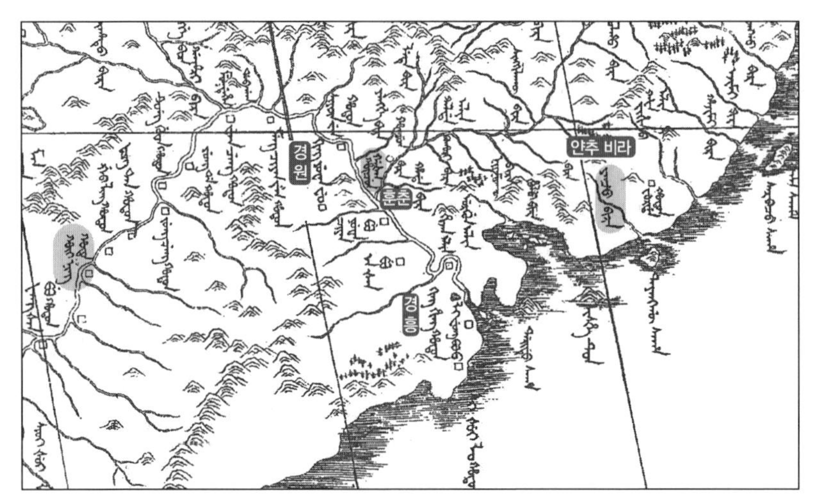

18세기 훈춘 : 강희 『皇輿展覽圖』(1718) 第3排1號의 일부

동으로 계관성(系關城)까지 하루거리이고 남으로 두만강까지 이틀거리"에 있었다.[1]

『조선왕조실록』에는 '薰春·會春·也春·訓春·厚春·琿春' 등의 이름이 다양하게 등장한다.[2] 각각의 지명에 대한 설명은 시기마다 조금씩 달랐다. 정종 연간(1398~1400)에는 야춘의 위치를 "경원 건너편"으로 설명했고[3] 인조 연간(1623~1649)에 이르러는 "경원과 경흥 사이," "경흥부의 북안(北岸)에 있으며 경흥과의 거리가 겨우 1백여 리에 불과하다"고 여겼다.[4] 1646년경에 이르면 "야춘(也春)은 경흥 건너편,

---

1) 『龍飛御天歌』, 『原本韓國古典叢書』 제2권, 大提閣, 1973, 권7, 22b.

2) 薰春·會春은 세종대 이후 사라지고 也春은 인조대까지 보이며, 세종-성종 연간에는 訓春이 널리 사용되다가 후금-청과의 접촉이 정례화되는 인조-숙종 연간에는 厚春으로 통칭되었다. 琿春은 고종연간 이후에 사용되기 시작했다.

3) 『조선정종실록』 권250, 15b (정종22/2/갑자).

4) 『조선인조실록』 권40, 10a (인조18/2/병진) ; 『조선인조실록』 권40, 11a (인조18/2/계해).

후춘강(厚春江)은 경원 건너편"에 있으며 "후춘(厚春)은 토지가 기름져 생활이 매우 넉넉하다"고 여겼다.[5] 18세기 말 조선의 기록은 "혼춘(渾春) 부락은 경원 강북 십여 리에 있으며 속칭 후춘(後春)이라 한다"고 설명했다.[6]

데라우치 이타로(寺內威太郎)에 따르면 야춘은 조선이 오늘날 포시에트 만(Possiet Bay) 일대를 가리킬 때 사용한 지명이었다. 그는 『용비어천가』에 나오는 샨춘[實眼春]은 『大明實錄』의 안춘(顏春)과 같은 곳으로, 포시에트 만 혹은 암저하(巖杵河 : 延楚河, 彦楚河, yancu bira) 일대라고 설명한다. 한편 훈춘은 야춘과는 다른 곳으로, 순치 연간 초기에 청이 야춘의 둔전민들을 훈춘강 일대로 이주시키면서 새로이 설립한 곳이었다.[7] 결국 조선은 두만강 동쪽 일대를 야춘·후춘 등 여러 이름으로 범칭(凡稱)하다가 17세기 중반 청과의 교섭이 빈번해지고 이 지역에 대한 지리정보가 축적되면서 지명을 세분화하여 "야춘은 남쪽의 경흥 건너편, 후춘은 북쪽의 경원 건너편"에 있음을 파악하게 되었다고 볼 수 있다.

훈춘의 위치는 청 황실에서 제작한 지도에서 잘 나타난다. 1718년(강희 57) 만주어로 제작된 강희 『皇輿全覽圖』에는 "경원부(ging yuwan fu)"의 두만강 건너편과 "훈춘 비라(hūncun bira, 훈춘강)" 사이에 "훈춘 가샨(hūncun gašan)"이 표기되어 있다. 1761년(건륭 26) 한자로 제작된 『乾隆十三排圖』에는 혼춘갈산(渾春噶珊)과 혼춘참(渾春站)이 보이는데, 혼춘갈산은 훈춘강의 서쪽에 있고 혼춘참은 훈춘강의 동쪽에 위치해

5) 『조선인조실록』 권47, 57a (인조24/8/임인).

6) 洪良浩, 『北塞記略』, 「江外記聞」, 고구려연구재단 편, 『조선시대 북방사 자료집』, 고구려연구재단, 2004, 176쪽.

7) 寺內威太郎, 「慶源開市と琿春」, 『東方學』 70, 1985, 1~3, 9~10쪽.

있어 만문본 강희 『皇輿全覽圖』의 위치와 다소 차이가 있다. 『淸實錄』의 기록에서 훈춘은 대체로 닝구타[Ningguta, 寧古塔]·버두나[Beduna, 伯都訥]·알추카[Alcuka, 阿勒楚喀]·삼성(三姓) 등 청대 동북지역의 주요 도시들과 함께 거론되었다. 즉 훈춘은 청대 동북지역 동남단의 대표 도시이자 그 일대를 포괄하는 행정영역을 가리키기도 했다. 이곳은 강희 연간에는 渾春으로 불렸고 건륭 연간에는 渾春과 琿春이 병칭되다가 가경 연간에 이르러 琿春으로 불리게 되었다.

훈춘 일대에는 그 지명만큼이나 다양한 여러 부족민이 거주하면서 만주지역·중원·한반도의 주변 세력과 접촉하고 교류했다. 명대와 조선 전기에 이곳에 주로 거주했던 여진인들은 단일하고 통일적인 집단을 유지한 것이 아니라 세력이 분산된 채 거주지를 계속 옮겨가며 살았다. 명말에 이르러 건주여진이 흥기하여 여진부족을 통합하고 인근의 다른 부족민들을 복속시킬 때까지, 동해 연안에서 흑룡강에 이르는 광범위한 지역의 거주민들은 명·조선·몽골 그리고 북방의 다양한 부족들과 정치적·문화적·사회적으로 교류하면서 계속 변화해갔다. 훈춘 일대를 근거로 주변 세력과 교류했던 여진-만주인의 역사는 변경에서 나타나는 유동성과 가변성을 전형적으로 보여준다. 훈춘의 역사, 그리고 이곳을 거쳐간 사람들의 역사는 단선적·영토중심적·일국사적인 시각에서 벗어나 접촉과 교류에 주목하는 변경사적 관점으로 접근하지 않는 한 제대로 이해될 수 없다.[8] 본고는 훈춘의 지리적 특징, 거주민의 변화, 그리고 주변 세력과의 관계를 통시적으로 검토함으로써 앞으로 진행할 구체적인 사료 분석을 위한 배경을 제시하고자 한다. 무엇보다 청과 조선의 변경에 위치한 훈춘

8) 변경사적 관점에 대한 설명은 김선민, 「한중관계사에서 변경사로 : 여진-만주족과 조선의 관계」, 『만주연구』 15, 2013.

에 주목함으로써 만주와 한반도의 밀접한 관계에 주목하는 새로운 한중관계사의 가능성을 모색하고자 한다.

2. 야인(野人) 번호(藩胡)

조선 전기 압록강과 두만강 유역에는 우량하(兀良哈),[9] 오도리(斡朶里, 吾都里), 우디거(兀狄哈)[10] 등 다양한 여진 부족이 거주하고 있었다. 김구진에 따르면 명과 조선은 만주에 거주하는 여진을 각기 다른 관점에서 분류했다. 명은 지역적인 행정 구분에 따라 건주여진·해서여진·야인여진으로 구분한 반면, 조선은 여진족 자신들의 분류에 따라 여진(토착여진)·우량하·오도리·우디거로 나누었다. 이 가운데 우량하와 오도리는 생활양식에 따라 우디거와 구분되는데, 어원적으로 우량하는 "강가(ula)에 사는 사람들"을 뜻하는 반면 우디거는 "숲(wedi)에 사는 사람들"을 뜻한다. 이러한 설명을 종합하면, 우량하와 오도리는 압록강과 두만강 일대에서 농경생활을 하던 건주여진에 해당하고, 송화강과 무단강(후르하강) 상류에서 半牧半農 생활을 한

9) 우량하(兀良哈)은 『明史』에서는 蒙古 兀良哈三衛를 가리키는 반면, 『조선왕조실록』에서는 오도리를 제외한 建州女眞을 가리키는 말로 사용된다. 김구진은 건주여진의 우량하를 "오랑캐"라고 부르고 있으나, 본고에서는 한자어 음역의 통일성을 위해 사료에서 "兀良哈"으로 기록된 것은 모두 "우량하"로 표기한다.

10) 우디거는 만주의 삼림지대에서 수렵생활을 하거나 초원지대에서 유목생활을 하는 사람들을 광범위하게 가리키는 말로 쓰였다. 『金史』는 兀的改·烏底改, 『元史』는 吾者, 『明史』는 兀者라고 썼다. 兀者는 '숲'을 의미하는 여진어(만주어)인 '우디(udi)' 혹은 워지[weji ; 窩集, 渥集]를 음역한 것이다. 김구진, 「조선 전기 여진족의 2대 종족 : 오랑캐(兀良哈)와 우디캐(兀狄哈)」, 『白山學報』 68, 2004, 321~324쪽.

우디거는 해서여진에 해당한다. 한편 만주 동북쪽의 산악지대에서 수렵활동을 하는 우디거는 야인여진에 속한다고 할 수 있다.[11]

우량하와 오도리의 원래 거주지는 송화강과 무단강이 합류하는 곳이었다. 이 지역은 청대에 이르러 '세 씨족'을 의미하는 만주어 '일란 할라[ilan hala, 三姓]'로 불렸고 이를 한자로 음역하여 依蘭哈喇로 썼으며, 오늘날에는 이를 축약한 이란[Yilan, 依蘭]으로 불리고 있다. 元은 이 지역에 오도리[斡朶憐], 후르하[胡里改], 타온[桃溫], 탈알련(脫斡憐), 패고강(孛苦江)의 다섯 만호부(萬戶部)를 설치했는데 원 말기에 이르러 이 가운데 오도리, 후르하, 타온의 세 만호만 남게 되었다. 조선의 『龍飛御天歌』에서 기록한 '移闌豆漫(이란투먼)'은 바로 세 만호를 뜻하는 여진어 'ilan tumen'의 한자와 한글 음역이다. 이들은 도시나 성곽에서 거주하지 않고 물과 풀을 따라 이주하며 수렵했으며 소부족 단위로 광범위하게 유동하였다. 원말 만주지역의 상황이 혼란해지자 이들 가운데 일부는 무단강을 따라 남하하여 수분하(綏芬河)·알하하(嘎呀河)·부르하투 강·해란하·두만강 일대로 들어왔다.[12]

무단강 유역에서 남하한 여진 부족 가운데 후르하는 서쪽으로 이주했다. 후르하의 수장 아하추(阿哈出, ?~1411)는 무리를 이끌고 수분하 상류의 봉주(鳳州)로 이주했는데, 1403년(永樂 1)에 이르러 명의 건주위지휘사(建州衛指揮使)에 임명되었고 아들 시가노(時家奴 : 釋迦奴)와 함께 명에 입조(入朝)했다.[13] 1424년에 이르러 아하추의 손자 이만주(李滿住, 1407?~1467)는 다시 남하하여 압록강의 지류인 파저강(婆猪江 : 佟佳江) 일대에 정착했다. 조선은 가까이 이주해온

---

11) 김구진, 앞의 논문, 2004, 293~295쪽.

12) 김구진, 「吾音會의 斡朶里女眞에 對한 硏究」, 『史叢』 17·18합집, 1973, 92~93쪽.

13) 『明太宗實錄』 권25, 6b (永樂1/11/辛丑).

후르하를 점차 우량하라고 불렀다. 즉 『조선왕조실록』에서 후르하(火兒阿)의 명칭은 점차 사라지고 오도리 외의 여러 여진은 모두 우량하라고 불리게 된 것이다. 김구진에 따르면 이러한 명칭의 변화는 아마도 후르하가 조선 인근으로 남하한 후 이전부터 그곳에 거주해온 우량하와 합류하게 되었고 그 결과 자연히 우량하로 불린 것으로 추측된다.[14]

서쪽에 정착한 후르하와 달리 오도리는 동쪽으로 이주하여 두만강 상류의 오음회(吾音會 : 오늘날 함경북도 회령) 지역에 정착했는데, 이들은 남하 후에도 여전히 오도리로 불렸다.[15] 오도리의 수장은 청태조 누르하치의 6대조로 알려진 몽케테무르(1370?~1433)였다. 몽케테무르의 오도리 부가 오음회로 이주한 시기는 1385년경으로 추정된다.[16] 1395년(태조 4) 그는 조선의 "吾都里上萬戶 童猛哥帖木兒"로 조선에 입조하여 토산물을 바쳤으며 1399년(정종 1)에는 "吾音會吾都里萬戶 童猛哥帖木兒"로 칭해졌다.[17] 몽케테무르는 이후 영락제의 회유에 따라 1405년 명에 입조했고 건주좌위도지휘사(建州左衛都指揮

14) 한편 원말명초의 후르하는 명말청초 사료에서 와르카(瓦爾喀)로 불린다는 점에서 후르하·우량하·와르카는 어원이 서로 같다고 할 수 있다. 김구진, 앞의 논문, 2004, 309~310쪽.

15) 오음회는 조선의 기록에서 斡木河·阿木河로 표기되며, 훗날 청대 기록에서는 만주어로 오모호이(omohoi), 한자로 鼇莫輝, 俄漠惠, 鄂謨輝로 음역되었다. 김구진, 앞의 논문, 1973, 93~94쪽.

16) 1405년(태종 5) 몽케테무르가 '우리가 조선을 섬긴 지 20여년'이라고 말한 사실로 미루어 오도리의 이주는 고려 말 1385년(고려 禑王 11) 경으로 추정된다. 『조선태종실록』 권9, 16a (태종 5/4/乙酉).

17) 『조선태종실록』 권8, 7b (태조 4/윤9/기사) ; 『조선정종실록』 권1, 4b (정종 1/1/庚寅). 반면 건륭 44년(1779) 청제국의 전성기에 완성된 『滿洲實錄(Manju i yargiyan kooli)』에서 몽케테무르는 먼터무(Mentemu, 孟特穆)로 소개되어 있으며 그의 거주지는 "그의 선조가 살았던 오모호이 들판의 오도리 성에서 해 지는 방향으로 1500里의 앞에 숙수후 강, 훌란 하다, 허투 알라"로 설명되어 있다. 『만주실록 역주』, 소명출판, 2014, 25~26쪽.

使)에 임명되었다.[18] 1440년에 이르러 몽케테무르의 동생 판차(fanca, 凡察)와 몽케테무르의 둘째아들 충샨(cungšan, 童倉)은 오도리의 일부를 데리고 혼하 상류의 소자하 쪽으로 이주하여 건주본위의 이만주와 합류했다. "국경 부근에 거주하는 오도리·우량하는 파저강 야인들과 혼인하거나 친교하는 경우가 많다"라는 기록에 보이듯이 압록강 인근의 우량하와 두만강 일대의 오도리는 서로 밀접하게 교류했다.[19] 1433년 충샨이 조선조정을 방문하여 "훈춘(薰春)에 있는 부친(몽케테무르)의 백성들을 오모호이로 이주하게 해달라"고 요청한 사실에서 보이듯이 오도리는 두만강을 사이에 두고 훈춘과 회령 일대에 분산하여 거주하고 있었다.[20]

두만강 일대에는 건주좌위·건주우위의 오도리 외에도 모린[毛憐] 우량하가 살고 있었다. 모린(morin)은 여진어로 "말(馬)"을 뜻한다. 『조선왕조실록』에 따르면 모린 우량하의 거주지는 두문(豆門 : 土門, 慶源 대안)·수주(愁州 : 鍾城)·동건(童巾 : 潼關鎭)·벌시온(伐時溫, 鍾城 대안)·시응건(時應巾 : 時建, 穩城의 서쪽)·가하라(加下羅, 鍾城 대안)·청포(靑浦 : 甫靑浦, 鍾城 대안)·동량북(東良北, 茂山 대안)·아지랑귀(阿之郎貴, 해란하와 부르하투하의 합류지) 등으로, 두만강 일대 전역에 광범위하게 산재했다. 모린 우량하는 계통이 매우 잡다하여 벌시온(伐時溫)의 추장 유파아손(劉把兒遜)은 우디거에 가깝고, 청포(靑浦)의 아란(阿亂)은 오도리에 가까우며 시응건(時應巾)의 고리보리(高里寶里)

18) 建州右衛는 건주본위·건주좌위보다 훨씬 후에 설치되었다. 몽케테무르의 동생 판차(fanca, 凡察)가 건주좌위의 지배권을 둘러싸고 조카 충샨과 갈등하자 1442년(정통 7) 명은 건주우위를 새로 설치하여 충샨을 건주우위에 임명했다. 河內良弘, 『明代女眞史の硏究』, 京都: 同朋舍出版, 1992, 101~103쪽.

19) "近境住居斡朶里兀良哈, 或昏媾, 或交親於婆猪江野人者多矣." 『조선세종실록』 권79, 9b (세종 19/11/기축).

20) 『조선세종실록』 권82, 13b (세종 20/8/계축).

와 동량북(東良北)의 타시(他時)는 후르하에 가까웠다.[21]

우량하·오도리와 비교하여 우디거는 만주의 동북쪽 산악 지대에 거주했기 때문에 명보다는 조선과의 접촉이 더 많았다. 이 가운데 골간(骨看, 闊兒看) 우디거는 "물(水) 우디거" 혹은 "水野人"라고도 불렸다. 『龍飛御天歌』에 따르면 "골간 우디거[闊兒看兀狄哈] 추장은 샤춘[實眼春] 골야투칭개[括兒牙禿成改]이며 골간 우디거는 물가에 살면서 어업을 생업으로 삼는다."[22] 이들은 경흥·강양(江陽)·구신포(仇信浦) 등 두만강 하류, 훈춘(訓春)·회춘(會春) 등 훈춘하 하류, 두만강에서 포시에트 만 및 수분하 일대에 걸쳐 거주했다. 골간 우디거는 연해(沿海)에 거주했기 때문에 배를 사용하여 주로 어업·수렵에 종사했고, 일부는 농사에 종사하기도 했는데 흉년이 들면 조선에서 식량을 구하기도 하고 조선에서 토지를 얻기도 했다. 15세기 중후반 초피무역이 활발해지면서 이들은 말을 기르기도 했다.[23] 한편 혐진(嫌眞) 우디거는 '필성(七姓) 우디거'라고도 불렸는데 무단강 중류 영고탑 지역에 주로 거주했다.

조선은 개국 직후부터 두만강 일대의 모린 우량하, 오음회의 오도리, 두만강 하류 동해안 일대의 골간 우디거 등 세 부족을 회유하기 위해 많은 노력을 기울였다. 조선은 세 부족의 수장인 모린 우량하의 유파아손(劉把兒孫)·오도리의 몽케테무르·골간 우디거의 골야 투칭개(括兒牙禿成改 : 金豆稱改)를 회유하기 위해 식량·포목·의복 등 생필

---

21) 김구진, 「初期 毛憐 兀良哈 硏究」, 『白山學報』 17, 1974, 164~180쪽.

22) 『용비어천가』 권7, 22b.

23) 劉小萌 지음, 이훈·김선민·이선애 옮김, 『여진부락에서 만주국가로』, 푸른역사, 2013, 109쪽 ; 河內良弘, 「骨看兀狄哈管見」, 『神田信夫先生古稀記念論集: 淸朝と東アジア』, 山川出版社, 1992, 130~139쪽. 뒤에서 설명하듯이 명대의 골간 우디거는 청대의 쿠르카·쿠야라의 선조였다.

품을 하사하고 경원에 개시를 열어 교역의 기회를 제공했다.[24] 1393년(태조 2) 조선은 삼산(參散 : 北靑) 출신의 여진 천호(千戶)이자 조선의 개국공신인 이지란(李之蘭), 즉 고론 투란테무르(Koron turantemur, 古論豆蘭帖木兒)를 동북면도안무사(東北面都按撫使)로 임명하여 갑주(甲州)와 공주(孔州)에 성을 쌓고 일대의 여진을 다스리게 했다. 이어 1398년(태조 7)에는 정도전을 동북면도선무순찰이사(東北面都宣撫巡察理使)로 파견하여 이 지역의 군사·행정체계와 관할구역을 정비하게 했다. 이때 공주의 성을 개축하여 경원도호부(慶源都護府)로 승격하고 종성군을 설치하여 만호를 두었으며 두만강에 병선(兵船)을 정박하게 하는 등 동북면을 장악하기 위한 일련의 군사조치를 실시했다.[25]

이러한 노력에도 불구하고 두만강 일대의 여진 부족을 조선의 영향력 하에 복속시키는 일은 순조롭지 않았다. 북원 세력을 축출한 명의 영락제가 만주 일대의 여러 부족을 복속시키기 위해 접근해오자, 조선과 긴밀한 관계를 맺고 있던 두만강 일대의 여진 부족은 크게 동요했다. 1403년(영락 1, 태종 5) 영락제는 가장 먼저 후르하의 아하추를 명에 입조시키고 건주위를 설립함으로써 중원에 가까운 남만주 일대의 여진부터 복속시키기 시작했다. 이어 영락제는 두만강 유역으로 손을 뻗어 오도리의 몽케테무르를 여러 차례 초무(招撫)했다. 조선은 두만강 일대에 명의 영향력이 미치는 것을 막기 위해 갖은 노력을 기울였으나 1405년(영락 3, 태종 5) 9월 몽케테무르 역시 명에 입조하고 건주좌위도지휘사(建州左衛都指揮使)에 임명되었

24) 당시 조선과 여진의 교섭과 관련하여 이인영은 여진에게 조선과의 무역이 매우 중요했으며 따라서 양측의 관계는 주로 경제적인 것이었다고 강조한다. 이인영, 『韓國滿洲關係史의 硏究』, 을유문화사, 1954, 30~56쪽.

25) 方東仁, 『韓國의 國境劃定硏究』, 일조각, 1997, 219~221쪽.

다.[26] 같은 해 12월 명은 모린 우량하를 초무하는 데도 성공했다. "毛憐 등처 野人頭目 把兒遜 등 64인이 來朝"하였고 명은 모린위(毛憐衛)를 설치하여 파아손(把兒遜) 등을 지휘(指揮)·천호(千戶)·백호(百戶) 등에 임명했다.[27] 영락 4년(1406) 골간 우디거의 수장 골야 투칭개(金禿成改)가 입조하자 명은 이듬해 희락온위(喜樂溫衛)를 설치하고 그를 지휘에 임명했다.[28]

오도리와 모린 우량하는 두만강 일대에 거주하면서 생존권과 교역권을 보장받는 것이 주된 목표였기 때문에 명에 입조한 후에도 조선과의 관계를 계속 유지하고자 했다. 그러나 조선은 이들의 배반에 대한 응징으로 하사품 지급을 중단하고 경원의 개시도 철폐했다. 생필품의 공급원인 조선과의 교역이 차단되자 생존의 위협을 느낀 오도리와 모린 우량하 뿐만 아니라 인근의 혐진 우디거·심처(深處) 여진 등은 조선 변경을 침입하여 인명을 살상하고 물품을 약탈하기 시작했다. 1410년(태종 10)에는 혐진우디거·모린 우량하·오도리가 결탁하여 경원을 침입하여 조선의 병마사가 전사하기에 이르자, 조선은 두만강 연안의 모린 여진의 거주지를 습격하여 모린위지휘사 아고차(阿古車)·모린위지휘첨사 유파아손(劉把兒孫)·모린위우량하 만호 착화(着和)·

---

26) 몽케테무르가 명에 入朝한 것에 대한 보복으로 조선은 여진과의 교역을 중단했다. 이에 물자 수급에 어려움을 겪게 된 여진은 조선을 공격하기 시작했고 이는 다시 조선의 보복 공격을 불러왔다. 1411년 몽케테무르는 혼란을 피해 오도리 부의 일부를 이끌고 鳳州로 이주했다가 1423년 다시 오모호이로 돌아왔다. 이후 몽케테무르는 조선과의 관계를 우호적으로 유지하고자 노력했으나 1433년 혼거하던 인근의 혐진 우디거에게 피살되었다. 몽케테무르의 입조를 둘러싼 명과 조선의 관계는 박원호, 『明初朝鮮關係史研究』, 일조각, 2002, 169~179쪽 참조.

27) 『明太宗實錄』 권49, 2a-b (永樂 3/12/甲戌) ; 『조선태종실록』 권11, 10a (태종 6/3/병신).

28) 『明太宗實錄』 권63, 2a (永樂 5/1/戊辰). 喜樂溫은 眼春 부근의 작은 강의 이름이다.

모린위우량하 천호 하을주(下乙主) 등 추장들을 참살했다.[29]

조선의 모린위 정벌 후에도 우량하와 오도리의 조선 침입은 계속되었다. 두만강 일대에서 여진의 습격이 계속되자 세종은 방어지를 후퇴시키자는 일부의 제안을 뿌리치고 반대로 여진에 대한 공세를 더욱 강화했다. 1434년(세종 16) 김종서는 함길도(咸吉道)에 파견되어 두만강 일대의 방비를 강화하는 데 주력했고, 그 결과 1449년(세종 25)까지 조선은 경원·회령·종성·온성·경흥·부녕에 6진을 설치하여 동북을 경영했다.[30] 6진의 설치와 병행하여 실시한 함길도 사민(徙民) 역시 비교적 성공적으로 진행되었다. 두만강 일대의 5진은 "튼튼하고 풍성하며 군사와 말들이 날래고 강력하니, 군대를 일으켜 토벌하기에는 부족해도 성을 견고하게 하여 지킨다면 대적(大賊)이 와도 염려할 것이 없다"고 여겨졌다.[31]

세조 연간 조선은 1410년 정벌에서 살아남은 모린 우량하의 추장 낭패아한(浪孛兒罕 : 郎卜兒罕)을 후대하고 그가 명으로부터 모린위 도

---

29) 김구진, 앞의 논문, 1974, 205~210쪽.

30) 方東仁, 앞의 책, 1997, 216~227쪽. 압록강 상류 지역에 대해서는 1416년(태종 16)부터 1443(세종 25)까지 27년에 걸쳐 閭延·慈城·茂昌·虞芮에 4군을 설치하여 방비체제를 갖추었다. 4군 설치 역시 세종 연간 여진에 대한 두 차례 정벌 후에 본격적으로 진행된 것이었다. 그러나 두만강 일대의 6진과 달리 압록강 일대의 4군은 지리적으로 賊地에 가까이 들어가 있고 토지가 척박하여 백성이 거주하기 어렵다는 이유 때문에 1450년부터 이미 철폐가 논의되기 시작했고 1459년(세조 5)에 마침내 철폐되었다(같은 책, 199~216쪽). 한편 이인영은 세조 연간에 이르러 조선이 압록강 인근의 4군을 폐지하게 된 것은 서몽골 오이라트의 에센이 만주 방면으로 세력을 확대하고 있던 당시의 상황과 관련이 있었음을 지적한다. 에센이 우량하 삼위와 해서여진을 위협하면서 요동의 정세가 불안정해지고 건주여진이 동요하게 되자, 이들의 남하를 우려한 조선조정이 평안도의 방어전략을 재조정하면서 4군이 철폐되었던 것이다. 이인영, 앞의 책, 1954, 68~69쪽.

31) "今五鎭阜盛, 士馬精强, 以此行兵攻伐, 則不足矣, 堅壁自守, 則雖有大賊, 不足慮也." 『조선세종실록』 권116, 9b (세종 29/윤4/신사).

지휘사의 관직을 받았음에도 불구하고 다시 조선의 관직을 내려 정헌대부지중추원사(正憲大夫知中樞院事)에 임명하는 등 두만강 일대를 안정시키기 위해 노력했다. 그러나 낭패아한이 회유에 협조하지 않자 1459년(세조 5) 조선은 그를 참수하고,[32] 이듬해 신숙주를 함길도에 파견하여 두만강 인근에 거주하는 여진인 430명을 사살하고 가옥과 재산을 불태웠다.[33] 그러나 신숙주의 정벌에도 불구하고 종성이 공격을 당하는 등 여진의 조선 침입은 경원·온성·길주·갑산에서 계속되었다. 한편 두만강 일대의 골간 우디거는 혐진 우디거의 압박에 밀려 성종 14년(1483) 압록강 중류로 이주했고, 중종 연간(1506~ 1544)에 이르러 여연(閭延)과 무창(茂昌) 사이에 널리 거주하게 되었다.[34]

김구진의 분석에 따르면 『조선왕조실록』에서 태조부터 성종까지는 우량하와 우디거의 구분이 명확하다가 그 이후부터는 불분명해진다.[35] 대신 조선에서는 두만강 일대의 여진을 점차 번리(藩籬)·번병(藩屛)·번호(藩胡)라고 부르기 시작했다. 여진을 번리로 여기는 인식은 실제로 세종 연간 두만강 일대에 6진을 설치할 때부터 이미 등장하고 있었다.[36] 여기에서 말하는 번리는 "조선에 귀순하여 순종하고, 대대

---

32) 『조선세조실록』 권17, 27b (세조 5/9/계묘). 조선이 浪孛兒罕을 참수한 일이 전해지자 명은 사신을 파견하여 '명의 관직을 가진 자를 명에 알리지 않고 조선이 마음대로 주살한' 배경을 추궁했다. 명은 조선의 왕이 법에 따라 죄를 주는 것은 오직 왕국에서만 할 수 있는 것이며 鄰境에서는 할 수 없으며, 명에 주문하지 않고 죄를 준 것은 잘못이라고 지적했다. 浪孛兒罕을 둘러싼 조선과 명의 외교 갈등에 대해서는 한성주, 『조선전기 수직여진인 연구』, 경인문화사, 2011, 143~152쪽.

33) 『조선세조실록』 권21, 24b (세조 6/9/갑신)

34) 河內良弘, 앞의 논문, 1992, 142~143쪽.

35) 김구진, 앞의 논문, 2004, 304쪽.

36) 세종은 육진 설치와 관련한 논의에서 다음과 같이 말했다. "생각컨대 오음회(斡木河)는 본래 우리나라의 영토 안에 있다. 만약 판차 등이 다른 곳으로 이주하고 어떤 강적이 와서 오음회에 거주한다면, 우리나라의 영토를 잃을

로 조선 경내에 살면서 먼 지역이나 심처(深處)의 우디거의 소식을 전하거나 사변(事變)을 탐지하여 보고하고, 보고 들은 것을 달려와 고하며, 심처의 우디거가 접근하지 못하게 하면서 적변(賊變)이 있으면 같은 마음으로 막아 온 여진"을 가리켰다.[37] 번리·번호는 곧 두만강 일대의 여진을 울타리로 삼아 변경을 안정시키고자 하는 조선의 동북 방어정책을 보여주는 용어였다.

문종 연간에 이르러 조선은 오도리 뿐만 아니라 우량하·우디거도 번리로 여기게 되었다. 1450년(문종 1) 조선은 "우량하는 그 수가 많고 동량북에서 야춘에 이르기까지 5진을 둘러싸고 있으면서 오랫동안 번리가 되어 안심하고 생활해 왔다"고 여겼다.[38] 1460년(세조 6) 조선을 방문한 명의 사신 역시 "(조선의) 성 가까이에 사는 야인들[城底野人]은 곧 귀국의 번리이니 잘 다스려야 한다"는 뜻을 세조에게 전달했다.[39] 16세기 초에 이르러 조선은 스스로 "성저야인(城底野人)들은 대대로 우리 땅에 살고 우리의 번리가 되어 국가에서 항상 불러서 무마하고 굶주리면 먹을 것을 주고 조정에 오면 입히고 먹었으며 작질(爵秩)을 주고 녹봉 또한 넉넉하게 주어서" 이들을 후한 은혜로 대우했다고 여겼다.[40] 두만강 일대에 거주하는 여진을 곧

뿐만 아니라 또 하나의 강적이 생기는 것이다. (중략) 祖宗께서 오음회를 경계로 삼은 마음을 일찌기 잊은 적이 없다. 내가 (鎭을) 옮기려는 것은 큰 공을 좋아해서가 아니다. 祖宗이 藩籬를 세웠다면 자손된 자는 (그 뜻을) 따르고 보충할 뿐이다." 『조선세종실록』 권6, 17a (세종 15/11/戊戌).

37) 한성주, 앞의 책, 2011, 183쪽.

38) 『조선문종실록』 권4, 50b (문종 1/11/무오).

39) 『조선세조실록』 권21, 15a (세조 6/8/병진).

40) "城底野人世居我土, 爲我藩籬, 故國家常加招撫, 飢則賑給之, 來朝則衣食之, 又加其爵秩, 豐其祿俸, 恩亦至矣。 近日奸細之徒, 潛結深處野人, 以我愚民爲奇貨, 或潛隱招引, 或指導虜去, 至於久遠來居向化者, 亦皆招納. 又於推還之際, 互相庇覆, 其爲惡無忌, 如此其極." 『조선연산군일기』 권46, 18a (연산군 8/10/정사).

조선의 보호를 받는 자들로 간주한 것이었다. 이에 따라 심처야인의 침입에 대비해서 여진 번리를 위해 목책과 토성을 설치하고, 심처의 우디거가 침입해오면 조선의 진장(鎭將)이 여진 번리를 보호하며, 이들 가운데 침략을 당하여 성을 넘어 들어오는 자가 있으면 쫓아내지 않고 성 안에서 보살피고, 또한 성저야인이 흉년을 당하면 편맹(編氓)처럼 여기고 구제해야 한다고 여겼다. 여진 번리가 피해를 당하는데도 구원하지 않으면 조선의 위신이 손상되는 것이며 이들이 조선에 신복하지 않게 될 것이라고 여겼던 것이다.[41]

두만강 일대에 거주하는 여진이 조선의 영향력 하에 있다고 여기는 태도는 선조 연간까지 계속되었다. 1599년(선조 32) 함경감사는 6진에 이르러 연회를 베풀었는데, 이때 참석한 번호의 수가 7천명에 달했다고 보고했다.[42] 그러나 조선의 이러한 노력에도 불구하고 16세기 말 두만강 일대 여진은 동요하고 있었다. 1583년(선조 16)『선조수정실록』의 사관(史官)은 당시 여진 번호의 상황을 다음과 같이 설명했다.

> 북도의 胡人 가운데 두만강 너머 邊堡 가까이 살며 무역을 하고 공물을 바치는 자들을 藩胡라고 하고, 백두산 북쪽의 여러 胡人 가운데 아직 親附하지 않은 자들을 深處胡라고 한다. 이들 또한 때때로 변방에 찾아와 공물을 바치기도 한다. 심처호가 변방에 들어오려고 하면 번호가 곧 보고하여 이들을 막거나 구원했다. 祖宗부터 藩胡를 후대한 것은 이 때문이었다. 변방의 방어가 점차 소홀해지고 번호가 날로 강성해졌으나 이들을 마땅히 다스리지 못하여 오히려 환란이 일어나게 되었다. 지금 번호가 앞장서 난을 일으키고 스스로 深處胡를 이끌고

41) 한성주, 앞의 책, 2011, 190~191쪽.
42)『조선선조실록』 권114, 27a (선조 32/6/병오).

침입하기도 하고 반복해서 자신들의 이익을 추구하니 북쪽 변경이 불안해지기 시작했다.[43]

선조 연간 사관이 지적한대로 두만강 일대의 여진은 크게 동요하게 되었는데, 이는 임진왜란에 따른 조선의 북방 방어력 약화와 함께 16세기 말부터 본격적으로 진행된 건주여진의 흥기와 관련되어 있었다. 누르하치가 이끄는 건주여진은 남만주의 여러 부족을 병합하고 이어 두만강 일대로 세력을 확장하기 시작했다. 1595년(선조 28) 당시 누르하치의 도읍 퍼알라(Fe Ala)를 방문한 신충일(申忠一)은 건주여진의 수장들에게 두만강 일대의 여진과 조선의 관계를 다음과 같이 설명했다. "우리나라의 동북면은 여진족과 인접하여 단지 강 하나를 사이에 두고 있기 때문에 심상히 왕래하며, 귀순한 사람이 종종 강도짓을 하기도 하고 여러 차례 변란을 일으키기도 한다."[44] 당시 모린위의 추장 로툰(lotun, 老佟)은 이미 휘하를 거느리고 말과 초피를 예물로 바치고 누르하치에게 투항한 상태였다.[45] 건주여진의 성장과 금국(金國, aisin gurun)의 등장은 궁극적으로 조선 정벌과 청의

---

43) "北道胡人, 居江外接近邊堡, 交貨納貢者爲藩胡, 山北諸胡, 未嘗親附者, 謂之深處胡, 亦時時款邊. 深處胡欲入邊, 藩人輒告之, 或遮防調捄, 故自祖宗朝厚待藩胡者以此. 及邊防浸踈, 藩胡浸盛, 撫馭失宜, 反爲亂階. 至是, 藩胡首亂, 自是或引深處胡入寇, 反覆自利, 北邊始不安矣." 『선조수정실록』 권17, 1b (선조 16/2/갑신).

44) 신충일은 뒤이어 두만강 일대와 압록강 일대는 조선과의 관계가 서로 다르다는 것을 강조했다. "그러나 서북면은 여진족이 사는 곳과 수백 리 떨어져 있기 때문에 국경을 넘어 해를 끼치는 일이 많지 않다. 너희도 두 귀가 있는데 어찌 익히 듣지 못했겠는가." 이민환 지음, 중세사료강독회 옮김, 『책중일록』, 서해문집, 2014, 178쪽.

45) 이민환, 앞의 책, 2014, 188쪽. 로툰에 대한 여러 출전과 설명은 장정수, 「선조대 말 여진 번호 로툰(老土)의 건주여진 귀부와 조선의 대응」, 『조선시대사학회』 78, 2016, 8쪽 참조.

칭제(稱帝)로 이어졌고, 두만강 일대의 여진은 조선의 영향에서 벗어나 청에 복속되어갔다.

3. 와르카

훈춘 일대의 거주민들은 조선과 마찬가지로 청에서도 여러 가지 이름으로 불렸다. 1779년(건륭 44)에 완성된 『만주실록(Manju i yargiyan kooli)』은 누르하치가 아직 세력을 구축하기 이전 압록강과 두만강 일대에 거주하는 사람들을 다음과 같이 분류했다.

> 숙수후 강의 지역의 부(suksuhu birai goloi aiman)·후너허 강의 지역의 부(hunehe birai goloi aiman)·왕기야 지역의 부(wanggiyai goloi aiman)·동고 지역의 부(donggoi goloi aiman)·저천 지방의 부(jecen i bai aiman)·백산 지역(šanggiyan alin goloi)의 너연(neyen)·얄루강의 부(yalu giyang ni aiman)·동해 지역(dergi mederi goloi)의 워지(weji)·와르카(warka)·쿠르카 부(kūrkai aiman).[46)]

18세기에 중회(重繪)된 『滿洲實錄』에서 오늘날 훈춘 일대에 거주한 사람들은 "워지(weji, 窩集)·와르카(warka, 瓦爾喀)·쿠르카(kūrka, 庫爾喀)"로 구분되어 있다. 한편 『만주실록』과 비슷한 시기인 1777년(건륭 46)에 작성된 『滿洲原流考』에 따르면 쿠르카는 쿠야라(庫雅拉)라고도 불렸으며 토문강 북쪽, 조선의 경원 건너편에 거주하는 자들을 가리

46) 『만주실록역주』, 2014, 35쪽.

키는 이름이었다. 1927년(民國 16)에 완성된 民國 『琿春縣志』는 와르카는 명대의 명칭이고 쿠르카는 청초의 명칭이었으며, 와르카의 거주지는 훈춘·화룡·연길·왕청 및 러시아령 巖杵河·圖拉木·블라디보스톡의 동쪽이었다고 설명한다.[47]

와르카·후르하·쿠르카 등 훈춘 일대에 거주했던 부족민의 명칭에 대해서는 이미 많은 학자들이 분석한 바 있다. 아나미 고레히로(阿南惟敬)에 따르면 누르하치 시기에 와르카는 두만강 일대에서 북쪽으로 우수리강 상류의 흥개호 남안에 걸쳐 거주했고, 후르카는 무단강(후르카강) 하류의 일란할라(Ilan hala, 依蘭縣)부터 동북쪽으로 흑룡강 하류의 볼론호수(博隆湖)에 걸쳐 거주하면서 닝구타 부근에서 와르카와 인접했다.[48] 워지는 무단강 상류와 우수리강 상류, 북쪽으로 송화강 하류부터 우수리강 하류에 걸쳐 거주했다고 여겨지지만, 이들의 실체에 대해서는 다소 논란이 있다.[49] 홍타이지 시기에 이르면 와르카와 후르카의 구분이 모호해지면서 두 명칭이 혼용되기도 하고 때로 별개의 집단을 가리키기도 했다. 아나미는 누르하치 시기 두만

---

47) 民國 『琿春縣志』(1927), 『長白叢書』 4集, 吉林文史出版社, 1990, 43~45쪽. 이어 民國 『琿春史地』는 명대에 기미정책이 실시되면서 훈춘 일대에 다수의 衛所가 설치되었고 그 우두머리에게는 都督·都指揮·指揮·千百戶·鎭撫 등의 직책이 주어졌다고 설명한다. 「滿洲原流考」와 「吉林通志」의 기록을 바탕으로 民國 『琿春縣志』에서 정리한, "琿春 舊境"에 설치되었다고 여겨지는 위소는 다음과 같다. 率濱江衛·珠倫衛·穆霞河衛·賚金河衛·色珠倫河衛·烏爾渾山衛·額哲密河衛·通肯山衛·舒爾河衛·赫圖河衛·阿布達哩衛·富色克摩衛·布爾哈圖衛·錫璘衛·瑚葉衛·吉朗吉衛·珠倫河衛·舒爾哈衛·穆當阿山衛·呼濟河衛·愛丹衛·薩拉衛·布達衛·富爾哈河衛·喀爾達衛·鄂爾琿山衛·額圖密地面·伊津河地面·布爾哈圖河地面·塞珠倫河地面 등이다. 民國 『琿春縣志』(1927), 1990, 39~43쪽.

48) 阿南惟敬, 「清初の東海虎爾哈部について」, 『防衛大學校紀要』 7, 1963, 40쪽.

49) 워지는 독립적인 부족이 아니라 실제로는 "숲(weji)"에 거주하는 후르카와 와르카를 가리키는 말이라는 주장이 있는 반면, 『만주실록』의 분류대로 워지를 와르카 및 후르카와 구분되는 실체로 보는 견해도 있다.

강과 우수리강 상류의 와르카가 후금의 도성으로 이주하면서 이곳이 빈 땅이 되었고 이후 후르카가 옮겨오면서 명칭의 혼란이 발생했다고 추정한다.[50] 한편 동완륜(董萬倫)에 따르면 두만강 북쪽의 와르카인은 누르하치 시기에 이미 서쪽으로 이주했기 때문에 홍타이지 시기에 이 지역의 거주민은 실제로 후르하이며, 따라서 이들을 와르카로 기록한 것은 오류라고 주장한다.[51]

와르카 외에 후르하와 쿠르카 역시 혼용되었다. 데라우치 이타로(寺內威太郎)는 『清太宗實錄』의 順治初纂本에서는 쿠르카와 후르하가 혼용되다가 乾隆重修本에서는 양자가 구별되기 시작했으며, 이후 쿠르카는 주로 동해 일대의 거주민을, 후르하는 무단강과 송화강 일대의 거주민을 가리키게 되었다고 설명한다.[52] 마쓰우라 시게루(松浦茂)는 태종 연간의 기록에서 우수리 강 유역의 주민을 와르카라고 부르는 경우가 대부분이고 쿠르카라고 하는 경우는 없었지만, 실제로 우수리강 유역에 거주한 것은 쿠르카였다고 설명한다.[53]

그렇다면 『만주실록』·『만문노당』에 등장하는 와르카와 후르카는 『조선왕조실록』에 나타나는 여러 여진 부락과는 어떤 관계가 있을까? "동해의 와르카" 가운데 함경도와 두만강 일대에 거주하는 사람들이 바로 조선의 "번호(藩胡)"를 형성하고 있었다. 이 사실은 조선에서 와르카를 "여섯 지역(ninggun golo)" 즉 육진 지역에 거주하며 교역하는 사람들로 설명한 기록을 통해 확인된다.[54] 뿐만 아니라

---

50) 阿南惟敬, 「清の太宗のウスリー江征討について」, 『防衛大學校紀要』 20, 1970, 145쪽.
51) 董萬倫, 「明末清初圖們江內外瓦爾喀硏究」, 『民族硏究』, 2003, 70~73쪽.
52) 寺內威太郎, 앞의 논문, 1985, 1~2쪽.
53) 松浦茂, 『清朝のアムル政策と少數民族』, 京都大學學術出版會, 2006, 270쪽.
54) 『滿文老檔』, 1959, 4권, 太宗 1, 東京: 東洋文庫, 126쪽 (천총 2/3/8) ; 『清太宗實錄』 권4, 58下 (天聰 2/3/己巳).

조선의 함경도를 "와르카의 함경(咸鏡)지역(warka i šan jing golo)"이라고 부른 경우도 보인다.[55] 이러한 기록을 근거로 가와치 요시히로(河內良弘)는 동해 지역의 와르카는 조선 동북 변경의 우량하를 가리킨다고 설명한다.[56] 반면 동완륜은 치치하르 『타타라씨족보[他嗒喇氏家譜]』를 근거로 청초기 문헌에 나타나는 와르카는 목단강·송화강이 아니라 동해 연안과 두만강 일대에 분포했으며 이들은 명 초기의 건주 오도리와 모린 우량하의 후예였다고 설명한다.[57] 이러한 설명을 종합하면 결국 조선에서 우량하·오도리·우디거로 불리던 사람들, 즉 번호의 후손들이 청초에 이르러 와르카로 불렸음을 알 수 있다.

16세기 말에 이르러 누르하치의 세력이 팽창하면서 훈춘 일대의 와르카인들은 점차 건주여진에게 복속되어갔다. 만력 26년(1598) 누르하치는 군사를 파견하여 당시 울라의 부잔타이의 세력 하에 있던 와르카 部(warkai aiman)의 안출라쿠(anculakū)와 내하 지역(dorgi birai golo), 즉 오늘날의 훈춘 일대를 장악했다. 이듬해 1599년에는 동해 워지부의 후르가(후르하) 지역(hūrgai goloi)의 수장들이 초피가죽을 가지고 누르하치에게 고두(叩頭)해왔다.[58] 1607년(만력 35)에는 와르카 부의 피오 성(fio hoton)[59]의 사람들이 부잔타이에게 시달리고

---

55) 河內良弘, 『中國第一歷史檔案館藏 內國史院滿文檔案譯註: 崇德二·三年分』, 松香堂書店, 2010, 61쪽.

56) 한편 가와치에 따르면 쿠르카는 목단강 중류에서 송화강 입구에 걸쳐 거주했고 워지는 阿速江 衛에 거주했다. 특히 명말 워지 부 가운데 니마차(nimaca) 路에 거주하는 자들은 니마차 우디거[尼麻車兀狄哈]의 후예로, 이들이 곧 『八旗滿洲氏族通譜』에 수록된 청대 니마차 할라(nimaca hala, 尼麻車氏)라고 추정한다. 河內良弘, 앞의 책, 1992, 587~589쪽.

57) 董萬侖, 앞의 논문, 2003, 77쪽.

58) 『만주실록역주』, 2014, 123쪽.

59) 피오성은 『盛京吉林黑龍江等處標注戰蹟輿圖』(1776, 건륭 41)에 의하면 현재 훈춘하 입구의 高麗城이다. 董萬侖, 앞의 논문, 2003, 70쪽.

있다고 호소하자 누르하치는 군사를 파견하여 이곳의 와르카인들을 건주로 데려왔다. 1609년 동해 워지 부의 후여 지방(huye i golo), 이듬해 1610년 동해 워지 부의 남둘루(namdulu)·수이푼(suifun)·닝구타(ningguta)·니마차(nimaca) 네 곳, 야란 지역(yaran i golo), 동해 워지 부의 우르구천(urgucen)과 무런(muren), 동해 후르가 부(dergi mederi hūrga i aiman)의 자쿠다 지역(jakūta ba)을 복속시켰다. 1614년 동해 남쪽 워지 부의 야란(yaran)·시린(sirin) 두 지역을 공격하고 투항한 200호와 사람과 가축을 포함한 노획 1천을 데려왔고 이듬해 1615년 동해 워지 부의 동쪽에 있는 어허 쿠런(ehe kuren)을 공격하여 투항민 500호를 데려왔다.

후금국을 건국한 후에도 와르카·워지·후르하에 대한 공격은 계속되었다. 1618년 동해 지역 후르하 부에서 100호가 찾아오자 노복·말·소·비단·토지 등을 하사하고 고향에 남아있는 형제들을 모두 데려오도록 회유했으며 또한 병사를 보내 후르하의 남아있는 사람들을 모두 데려오게 했다.[60] 이듬해 1619년 동해의 후르하에서 투항한 1천 호와 2천 명의 성인남자를 취했다. 1625년 동해 와르카에서 330명의 남자를 데리고 왔으며 같은 해 다시 병사 1,500명을 보내 와르카인들을 데려왔다. 이때 이주시킨 수는 명확하지 않으나 "(노획을) 많이 얻어 데려온다"고 하여 누르하치가 직접 나아가 "100마리 짐승 고기와 200병 소주"로 병사와 데려온 와르카인들을 위해 잔치했다는 기록으로 보아 그 수가 상당했음을 알 수 있다.[61] 같은 해 동해 남쪽 지방의 후르하 500호를 얻었으며, 동해 북쪽 구왈차 부(gūwalcai aiman)를 공격하여 2천명을, 동해 북쪽 후르하에서 1,500명을 데려왔다.[62]

---

60) 『만주실록역주』, 2014, 233~235쪽 ; 237쪽.

61) 『만주실록역주』, 2014, 410~411쪽.

<표 1> 누르하치의 와르카·후르하 공격

연도	지역	출전 (『만주실록역주』)
1598년(만력26)	▪ 와르카 部(warkai aiman) 안출라쿠(anculakū) 내하 지역(dorgi birai golo)	119~120쪽
1607년(만력35)	▪ 와르카 부 피오 성(fio hoton)	138~140쪽
1607년(만력35)	▪ 동해 워지 부 허시허(hesihe) 오모호 수루(omoho suru) 퍼너허 톡소(fenehe)	145쪽
1609년(만력37)	▪ 동해 워지 부 후어 지방(huye i golo)	151~-152쪽
1610년(만력38)	▪ 동해 워지 부 남둘루(namdulu) 수이푼(suifun) 닝구타(ningguta) 니마차(nimaca) ▪ 야란 지역(yaran i golo) ▪ 동해 워지 부 우르구천(urgucen) 무런(muren) ▪ 동해 후르하 부(dergi mederi hūrga i aiman) 자쿠다 지역(jakūta ba)	153쪽, 155쪽, 156쪽
1614년(만력42)	▪ 동해 남쪽 워지 부 야란(yaran) 시린(sirin)	180~181쪽
1615년(만력43)	▪ 동해 워지 부 동쪽 어허 쿠런(ehe kuren)	189쪽
1619년(천명4)	▪ 동해 후르하	275쪽
1625년(천명10)	▪ 동해 와르카 ▪ 동해 남쪽 후르하 ▪ 동해 북쪽 구왈차 부(gūwalcai aiman) ▪ 동해 북쪽 후르하	410~411쪽, 416쪽

62) 누르하치가 와르카를 복속시키고 니루로 편제하는 과정에 대한 자세한 분석은 增井寛也, 「明末のワルカ部女直とその集團構造について」, 『立命館文學』 562, 1999.

누르하치의 뒤를 이어 홍타이지가 즉위한 후에도 후금의 와르카 정복은 계속되었다. 1629년(천총 3) 홍타이지는 병사를 보내 와르카를 공격하면서 이들을 함부로 죽이지 말고 투항하는 사람은 모두 민호로 편제하여 데리고 올 것을 명했다.[63] 특히 홍타이지는 누르하치 시기에 후금의 세력이 미치지 못한 우수리강 유역과 동해 인근의 와르카를 집중적으로 공략했다.[64] 황제에 즉위한 후 청 태종은 조선을 공격하면서 와르카 정벌도 동시에 진행했다. 1637년(숭덕 원년) 정월 코르친(korchin, 科爾沁)·자루트(jarut, 扎魯特)·아오한(aohan, 敖漢)·나이만(naiman, 奈曼) 등 몽고 병사를 파견하여 함경도에서 와르카 지방을 공격하게 했다.[65] 1637년(숭덕 2)에는 병사 1200명이 4로(路)로 나누어 와르카를 공격하여 장정 780명을 획득했다.[66] 같은 해 7월 조선을 공격하고 심양으로 돌아오면서 청군은 와르카 지방을 경유하여 회군했다.[67] 여기에는 그동안 수년간 공략하여 정복한 와르카 지방을 직접 순시하여 청의 지배를 확인한다는 의미가 담겨 있었다.

후금-청이 동해의 와르카를 복속시키기 위해 지속적으로 노력한 것은 무엇보다 이들을 팔기에 편입시켜 후금-청의 병력을 증강시키기 위함이었다. 따라서 와르카를 공격할 때마다 반드시 사람들을 포로로 노획하여 데려오고, 출전하는 병사들에게 포로를 위무할 것을 강조하고, 투항한 와르카 수장들을 교외로 나아가 맞이하고 토지와 가옥을 하사하여 환대했다. 일찍이 누르하치는 "조선인 열을 얻는

---

63) 『清太宗實錄』 권5, 72下 (天聰 3/7/甲午).

64) 天命-崇德 연간 와르카·후르하 정복 과정에 대해서는 佟冬 主編, 『中國東北史』 3권, 吉林文史出版社, 1998, 793~804쪽.

65) 『清太宗實錄』 권33, 426下 (崇德 1/1/壬戌)

66) 『清太宗實錄』 권37, 480下 (崇德 2/7/己巳).

67) 『清太宗實錄』 권39, 506上 (崇德 2/10/辛亥).

<표 2> 천총-숭덕년간 후금-청의 와르카 정벌

연도	노획	출전(『淸太宗實錄』)
1631년	남자 1219명·부녀 1284명·幼丁 603명	권8 天聰5/2/甲戌
1634년	니만지방(尼滿地方) 와르카 천여명	권21 天聰8/12/癸酉
1635년	壯丁 560인·부녀 500명·幼丁 90명·가축 660마리	권23 天聰9/4/甲辰
1635년	장정 1,160명·부녀 140명. 총 호구 1,300명	권25 天聰9/10/癸未; 권25 天聰10/3/庚申
1636년	壯丁 490명, 婦女·幼丁 1,240명	권28 天聰10/4/庚辰; 권28 天聰10/4/己丑
1636년	장정 295명, 부녀·幼丁 693명	권28 天聰10/4/辛丑
1636년	남자 361명·부녀 362명·유정 147명	권29 崇德1/5/丙午

것은 몽고인 하나를 얻는 것만 못하며 몽고인 열을 얻는 것은 만주 부락민 하나를 얻는 것만 못하다. 족류(族類)가 같으면 언어가 같고 환경[水土]이 같고 의복과 거처가 같고 수렵하는 풍습이 같다"고 강조했다.[68] 누르하치와 마찬가지로 홍타이지 역시 와르카를 복속시키고 이들 대부분을 만주팔기에 편입시켰다. 새로 획득한 호구는 팔기에 균분되는 것이 원칙이었으나, 1634년(천총 8)부터는 이를 폐지하고 대신 한 구사에 30개 니루를 기준으로 하여 정액(丁額)이 부족한 기분에 호구를 배분했다.[69] 1637년(숭덕 2) 청태종은 팔기는

68) 蕭一山 편, 『淸代通史』, 華東師範大學出版部, 2006, 제1권, 44쪽.

69) 이주시킨 와르카·후르하인들은 공을 세운 버일러와 대신들에게 분급되기도 했다. 또한 기존의 니루에 편입되기도 하고 귀순한 후르하인을 니루어전으로 삼아 같은 후르하인을 관할하게 하는 경우도 있었다. 후금-청이 아무르강 중류-우수리강 하류 지역민을 팔기로 편제하는 과정에 대해서는 松浦茂, 『清朝のアムル政策と少數民族』, 京都大學學術出版會, 2006, 224~226쪽. 한편 1634년(天聰 8) 당시 홍타이지는 557명의 와르카 장정을 배분하면서 자신이 거느린 양황기에 가장 많은 200명을 배분함으로써 휘하의 니루 장정를 확대하고 다른 버일러들을 압도하는 강력한 세력을 구축하는 데 이용했다. 八家均分에 대한 홍타이지의 도전에 대한 설명은 김선민, 「청 초기 팔기와 조선 무역」, 『史叢』 82, 2014, 142쪽.

모두 국가의 사람임을 강조하고 "새로이 나누어 준 후르하·와르카를 도망치거나 굶주려 죽게 하여 니루에 결액(缺額)이 생기면 나는 곧 (이들을) 무양(撫養)하지 못한 버일러 휘하의 식구량가인(食口粮家人)으로 결액을 보충할 것이다"라고 강조했다.[70] 1638년(숭덕 3) 청 태종은 "귀부해온 한인·몽고·후르카·와르카를 모두 여러 왕·버일러·버이서에게 나누어 주고 기르게 했음"을 다시 환기시키고 이들 투항민들은 "부모의 나라를 버리고 귀부한 자들이니 괴롭히지 말고 은혜로 잘 보살펴야 한다"고 강조했다.[71]

팔기로 편입시키지 않은 와르카·후르하인들은 기적(旗籍)이나 민적(民籍)에 속하지 않는 변민(邊民), 즉 변경의 소수민족으로 원래 거주지에 남겨졌다. 청은 이들을 촌락의 두목(頭目)인 가샨-다(gašan i da)와 씨족의 우두머리인 할라-다(hala i da)를 통해 지배하고 병역 대신 모피를 공납하는 의무를 부과했다. 실제로 동해의 후르하인들은 1599년에 이미 누르하치에게 찾아와 여우와 담비 가죽을 바치기 시작했는데, 홍타이지 시기에 이르러 청의 세력이 미치는 범위가 흑룡강 중류에서 우수리강 하류까지 확대되면서 초피를 바치는 동해 부락민의 수는 더욱 늘어났다. 당시 홍타이지는 초피를 바치러 온 동해의 부락민들을 궁에서 맞이하고 모자·신발 등의 하사품을 내렸다.[72]

후금의 세력이 동해의 와르카에까지 미치면서 조선과의 갈등은 불가피해졌다. 1609년(만력 37, 광해 1)에 이르러 누르하치는 명의

70) 『清太宗實錄』 권34, 444下 (崇德 1/4/丁酉). 여기서 말하는 "食口粮家人"는 "beile sei booi sini jeku i haha" 즉 버일러의 보이를 가리킨다. "食口粮家人"에 대한 설명은 増井寛也, 「清初ニル類別考」, 『立命館文學』 608, 2008, 120~121쪽, 126쪽.

71) 『清太宗實錄』 권42, 556上 (崇德 3/7/丁丑).

72) 松浦茂는 天命 11년부터 順治 10년까지 『청실록』에 기록된 邊民의 貢納 기록을 표로 정리했다. 松浦茂, 앞의 책, 2006, 228~229쪽.

만력제에게 "조선의 변경에 거주하는 와르카인은 모두 나의 사람이니 (조선으로 하여금) 그들을 찾아서 나에게 보내라고 해달라"고 요청했고, 명의 지시에 따라 조선은 와르카 천 호를 건주여진으로 송환했다.[73] 홍타이지 시기에 이르러 와르카 송환 문제는 후금-조선 관계에 지속적인 갈등 요인이 되었다.[74] 1627년(천총 1, 인조 5) 홍타이지는 즉위 직후부터 조선에 보낸 글에서 과거 만주 군대가 "우리 와르카"를 취하러 갔을 때 조선이 공격해 왔음을 비난했다.[75] 1633년(천총 7)에 이르러 홍타이지는 조선에게 후금과 와르카의 밀접한 관계를 다음과 같이 강조했다.

> 부잔타이는 몽고에서 왔으니 곧 몽고의 후예이다. 와르카와 우리는 함께 여진의 땅에서 거주했고, 우리가 건국한 발상지는 大金의 (발상지와) 같으니 와르카는 곧 우리나라의 백성이다. 과거 부잔타이가 우리나라에서 보낸 백성을 침략하여 두 나라가 전쟁에 이른 것은 귀국 또한 이미 들어 알고 있을 것이다. 지금 이들을 찾아내려는 이유는 우리나라에서 보낸 자들이 정벌하러 갈 때 땅이 귀국과 가깝고 평소에 친하여 人畜과 재물을 맡긴 자도 있고 혹은 마음대로 뒤에 남은 자도 있었다. 지금 찾아내려는 자들이 이들이니 어찌 이유없이 색출하는 것이겠는가?[76]

---

73) 『만주실록역주』, 2014, 151~152쪽.

74) 와르카인 송환을 둘러싼 후금과 조선의 갈등의 구체적인 정황은 김종원, 『근세 동아시아관계사 연구』, 혜안, 1999, 138~142쪽에 설명되어 있다.

75) 『滿文老檔』, 1959, 4권, 太宗 1, 39쪽 (天聰 1/1/28). 같은 해 7월에 보낸 글에서도 조선 병사들이 "1619년 우리의 동고와 와르카시 지역(의 사람들을) 죽였다"고 비난했다. 『滿文老檔』, 1959, 4권, 96쪽 (天聰 1/7/19).

76) "布占泰來自蒙古, 乃蒙古苗裔, 瓦爾喀與我, 俱居女直之地, 我發祥建國, 與大金相等, 是瓦爾喀人民, 原係我國人民也. 昔年布占泰, 侵掠我國所遺人民, 我兩國由此搆兵,

1636년(천총 10)에도 홍타이지는 후금에 속한 동쪽의 와르카 가운데 조선으로 달아난 자들을 돌려보내라고 여러 번 요구했으나 조선이 이를 듣지 않는다고 비난했다.[77] 조선에 거주하는 와르카는 병자호란 당시 청을 위한 정보 제공자의 역할을 담당했다. 1636년(숭덕 원년) 조선 정벌에 참여한 예친왕(豫親王) 호쇼이 버일러 도도(多鐸)는 조선에 거주하는 와르카 葉辰·痲福塔가 100여 호를 데리고 투항하자 이들을 심문하여 "조선의 4도(道)에서 원병을 모아 한양으로 오고 있다"는 소식을 얻어 이를 청 태종에게 전했다. 투항한 葉辰·痲福塔는 이후 청 태종을 알현하여 삼궤구고두(三跪九叩頭)를 행하고 비단과 초피를 하사받았다. 또한 청군이 남한산성을 포위하자 조선에 거주하는 와르카 200호가 청에 투항하기도 했다.[78]

1637년(숭덕 2) 정월 청 태종은 조선을 공격하면서 다시 와르카 송환을 요구했다. "조선이 소유한 와르카는 모두 마땅히 쇄환해야 한다. 일본과의 무역은 조선이 원하는 대로 예전과 같이 하되, 마땅히 그 사신을 인도하여 내조하게 해야 하며 짐 또한 사신을 파견하여 그들과 왕래할 것이다. 동쪽의 와르카 가운데 사사로이 그곳(일본)으로 달아나는 자는 다시는 무역하지 못하게 한다. 조선이 만약 와르카를 보면 곧 쇄환해야 한다."[79] 조선을 군사적·정치적으로 완전히 굴복시킨 후에도 청은 조선에 거주하는 와르카를 데려오기 위해

貴國亦常聞之矣. 今索取之由, 蓋以實係我國所遺向征取時, 因地近貴國, 素爲親友, 有將人畜財物寄留者, 亦有私自逗留在後者. 所索祗此等人耳, 豈無故而索取哉."『淸太宗實錄』 권15, 207下 (天聰 7/9/癸酉).

77) 『淸太宗實錄』 권28, 370上 (天聰 10/4/己丑).

78) 『淸太宗實錄』 권32, 412下, 415上·下 (崇德 1/12/乙未).

79) "爾國所有瓦爾喀俱當刷送, 日本貿易聽爾如舊, 當導其使者來朝, 朕亦將遣使與彼往來也, 其東邊瓦爾喀, 有私自逃居於彼者, 不得復與貿易往來, 爾若見瓦爾喀人, 便當執送."『淸太宗實錄』 권33, 430下 (崇德 1/1/戊辰).

지속적으로 조선을 압박했다. 1640년(숭덕 5) 청이 와르카를 모두 송환하고 도망자를 결박하여 보낼 것을 요구하자, 조선은 충청도에 거주하는 와르카 金奉을 찾아내 그의 모친 및 부인과 함께 청에 돌려보냈다.[80] 청의 계속되는 송환 요구에 대응하여 조선은 두만강 너머로 이주한 조선인도 마찬가지로 조선으로 돌려보내라고 요구하기도 했다. 같은 해 6월 조선이 야춘으로 달아난 조선인 20명을 송환할 것을 요청하자 청은 20명 가운데 6명은 조선인이지만 나머지 14명은 "우리나라의 와르카로, 조선으로 도망했다가 다시 (청으로) 돌아온 자"라고 설명했다.[81]

1640년(숭덕 5) 10월 청 황제의 사신으로 온 잉굴다이는 "와르카 가속을 모두 찾아내지 않는 것"은 조선 국왕의 죄라고 지적했다.[82] 조선은 반복되는 청의 와르카 송환 요구에 부응해야 했다. 그 해 조선은 청에 자문을 보내 경원에 무역하러 갔던 자가 와르카 여인 한 사람을 발견했으며 조사 결과 그녀는 원래 "河尋費耐 部落"의 사람이었는데 병자호란 시기에 남편과 함께 청군에 붙잡혔다가 도주한 자라고 보고했다. 조선은 이 여인을 원적(原籍)이나 야춘으로 돌려보내야 하나 청군이 포로로 잡았던 사람이니 어떻게 처리하고 인계할 것인지 알려달라고 청에 문의했다.[83] 동시에 조선은 와르카 송환의

---

80) 『淸太宗實錄』 권50, 663上 (崇德 5/1/甲子). 조선에서 청으로 송환된 金奉은 23세, 모친 莫介는 45세, 처 金合은 18세였다. 『淸太宗實錄』 권51, 681下 (崇德 5/4/庚午).

81) 『淸太宗實錄』 권52, 689下 (崇德 5/6/丁卯).

82) 『淸太宗實錄』 권53, 706上 (崇德 5/10/壬戌).

83) 조선의 馳啓에 따르면 청군으로부터 도망친 후 이 여인과 남편은 산에서 草根으로 연명하다가 後春 강변에 이르러 물고기를 잡아먹고 풀로 집을 지어 살았는데 이후 불이 나서 남편은 타죽고 부인만 살아남았다. 조선은 이 지역 둔전을 관장하는 관리[管屯官] 許奉新이 이를 제대로 보고하지 않고 驛裔에서 살게 한 죄를 물어 혁직했다. 『淸太宗實錄』 권52, 701下 (崇德 5/8/甲子).

어려움을 다음과 같이 설명했다.

> 와르카가 (조선에) 투항해 온 지 이미 오래되어 백여 년이 되었으니 그 자손은 모두 우리 백성입니다. 간혹 賦役을 피하려는 자들이 오히려 와르카라고 거짓 칭하거나 와르카의 옛 거주지에 숨어 살기도 합니다. 저들에게 속이고 거짓을 고한 죄는 있으나 법으로 (이들을) 쇄환할 수는 없습니다.[84]

청의 와르카 송환 요구는 조선과의 관계가 안정된 후에야 비로소 중단되었다. 1644년 순치제는 즉위 직후 인조에게 유지를 내려 조선에 거주하는 와르카를 청으로 송환하게 했던 부친 홍타이지의 지시를 영구히 중지하라고 명했다.[85] 순치제의 송환 중지 명령은 당시 섭정 도르곤의 대조선 유화정책의 하나였다. 홍타이지 시기 청과 조선의 관계를 경색시켰던 소현세자와 조선의 반청 관료들의 심양 억류, 과도한 세폐 요구, 청의 대명 전쟁을 위한 군사와 물품 지원 강요 등 여러 가지 현안은 순치제가 등극하고 도르곤이 정국을 주도하면서 점차 완화되었다. 와르카 색출과 송환 요구 역시 이때에 이르러 해소되었다.[86]

17세기 후반에 이르러 청은 제국의 동쪽 변경에 거주하는 와르카에 대해 17세기 초와는 다소 다른 인식을 갖게 되었다. 1671년(강희 10) 강희제는 영고탑 장군에게 와르카와 후르하[胡爾哈]는 습성이

---

84) 『淸太宗實錄』 권54, 726下 (崇德 6/1/甲辰).

85) 『淸世祖實錄』 권4, 52下 (順治 1/4/戊辰). 순치제의 諭旨에 조선국왕 인조는 곧 사신을 보내어 이에 감사했다. 『淸世祖實錄』 권6, 67下 (順治 1/7/丁酉).

86) 劉爲, 「試論攝政王多爾袞的朝鮮政策」, 『中國邊疆史地研究』 15-3, 2005, 95~98쪽.

포악하고 간사하게 속이는 경향이 있으니 이들에 대한 교화에 힘쓰라고 지시했다.[87] 황제에게 와르카는 이제 더 이상 팽창하는 후금의 병력을 보충해줄 인력원이 아니라, 문명화된 제국이 가르치고 다스려야 할 변방의 미개한 부족이었다. 1706년(강희 45)에 이르러 황제는 또한 다음과 같이 말했다. "조선국왕을 보니 매사에 공경하고 삼가하며 그 국인들 또한 모두 (청에) 감사하고 있다. 듣건대 그 나라에 8도가 있어 북쪽은 와르카 지방의 토문강과 경계를 접하며, 동쪽은 일본[倭子國]과 접하며 서쪽은 우리의 봉황성과 접하며 남쪽은 바다에 접하여 작은 섬들이 얼마 있다고 한다."[88] 18세기 청 황제에게 와르카는 곧 조선과의 인접지역을 가리키는 말이었다.

4. 변경 무역

병자호란을 통해 청과 조선의 상하질서가 조공관계를 기반으로 공고해지면서 두만강 일대 거주민에 대한 청의 통치도 점차 강화되어 갔다. 입관 직전 청은 이 지역에서 반란에 직면했다. 1639년(숭덕 4, 인조 17) 청의 병부가 조선에 보낸 자문에 따르면 "극동의 모피를 바치는 거주민(極東進皮張的居民)" 경하창(慶河昌) 일당은 후금-청을 배반하고 웅도(熊島)로 달아나 조선의 경흥·아오지보 등지와 왕래하며 교역했다. 청과 조선이 조공관계를 맺은 후에도 이들 중 일부가

87) 『淸聖祖實錄』 권37, 494上 (康熙 10/10/辛巳).

88) "諭大學士等曰, 觀朝鮮國王, 凡事極其敬愼, 其國人亦皆感戴. 聞其國有八道, 北道與瓦爾喀地方土門江接界, 東道接倭子國, 西道接我鳳凰城, 南道接海, 猶有數小島." 『淸聖祖實錄』 권227, 275上 (康熙 45/10/丁未).

웅도(lefu tun, 勒富通, 埒富島)에 남아 진공을 바치지 않자 청은 조선에 수군[舟師] 천명을 파견하여 섬을 함락하고 경하창 등 두목을 잡아 보낼 것을 지시했다. 『청태종실록』은 이들을 "동방의 쿠르카(東方庫爾喀)"라고 불렀는데,[89] 당시 청조는 경하창 등 체포된 쿠르카인 남녀 500여 명이 먹을 양식이 없으므로 조선에게 이들을 구휼하게 하는 한편 쿠르카인들을 "鄢朱屯(yanzhu tun)"으로 옮겨 매해 초피(貂皮)와 해초(海貂)를 진공하게 했다.[90] 또한 "경원과 경흥 사이에 있는 야춘 지방으로 여러 섬에서 포획한 귀순하지 않은 종족 500여 명을 이주시킬 것"임을 조선에 통보하고 이어 경흥부의 북쪽에 둔전을 설치했다.[91] 이듬해 호부(戶部)의 사을규(沙乙糾 : 薩爾糾)가 야춘에 와서 웅도에서 사로잡은 남녀 포로 100명을 심양으로 데려갔다.[92]

17세기 초 청이 두만강 일대 거주민을 복속시키는 일련의 과정은 조선의 변경무역과 밀접하게 관련되어 있었다. 정묘호란으로 조선과 형제지맹(兄弟之盟)을 체결한 홍타이지는 명과의 오랜 전쟁으로 피폐해진 후금의 경제를 개선하기 위해 조선과의 교역을 적극적으로 추진했다. 후금의 지속적인 요구로 1628년(천총 2) 양국은 압록강변의 중강에서 개시를 열기로 결정했다. 곧이어 홍타이지는 회령에서도

89) "先是東方庫爾喀叛入熊島. 上命朝鮮以兵討之. 擒叛首加哈禪·額盆都里至. 詢之, 言康古禮·喀克篤禮·車齊克墨爾根·薩爾糾等, 謀從朝鮮走入熊島, 約令叛逃, 事下法司鞫訊." 『淸太宗實錄』 권49, 650下 (崇德 4/10/己丑).

90) "又從前庫爾喀歸降進貢一百四十九人, 幷新獲二百九十二人, 俱留置鄢朱屯中, 令每年進貢貂皮海豹等物." 『淸太宗實錄』 권52, 695上 (崇德 5/7/癸未). 데라우치에 따르면 여기에서 말하는 "鄢朱屯"이 곧 也春이었다. 寺內威太郎, 1985, 앞의 논문, 8쪽.

91) "淸國移書曰, 我兵捕獲諸島未歸順種落五百餘口, 將移置于慶源·慶興之間也春地方." 『조선인조실록』 권40, 10a (인조 18/2/병진) ; 권40, 11a (인조 18/2/계해).

92) 『조선인조실록』 권40, 21b (인조 18/4/24). 『淸太宗實錄』 권50, 670上 (崇德 5/閏1/甲申).

개시를 열 것을 요구했다. “이제 두 나라가 한 나라가 되어 중강에서 크게 개시하고 있다. 생각건대 동쪽 변방의 백성은 원래 회령에서 개시했으니, 지금 이곳(中江)에서 개시하는 것을 보고 모두 회령에 가서 무역하고자 하나 왕명이 없으니 회령의 관리가 어찌 마음대로 결정하겠는가. 따라서 실상을 갖추어 미리 알리니 옳다고 여기면 속히 회령의 관리에게 명하여 준행(遵行)하게 하라.”[93] 조선은 전쟁으로 국력이 피폐해져 압록강과 두만강 양쪽의 무역을 감당할 수 없음을 호소했다. 그러나 홍타이지의 지속적인 요구에 따라 같은 해 12월 조선은 회령에서 개시를 시작했다.[94]

1628년 개설 당시에는 회령개시의 참여인수·규모·일자·기한이 규정되어 있지 않았다. 이 때문에 개시에 참여하러 오는 후금의 관병과 상인은 조선에게 큰 부담이 되었다.[95] 1632년(천총 6) 홍타이지는 개시에 참여하는 상인의 수는 미리 정할 수 없는 것이며 조선은 이들에게 식량과 마초를 공급하라고 요구했다.[96] 1637년(숭덕 1) 청과 조선의 군신관계가 수립되면서 개시에서의 의례도 달라졌다.[97]

---

93) “今兩國既成一國, 中江大開關市. 竊思東邊之民, 原在會寧做市矣, 今見此處開市, 皆欲往會寧貿易, 料無王命, 會寧官豈敢擅專, 故具悉預報, 如允當, 速令會寧官遵行.” 『조선인조실록』 권18, 30a (인조 6/2/갑인)

94) 아래에서 보듯이 『통문관지』에서는 회령개시가 1638년(숭덕 3)에 시작되었다고 기록하고 있으나 『조선왕조실록』을 보면 1628년(천총 2)부터 이미 시작되고 있었다. 張杰, 「清前期吉林滿族與朝鮮邊境貿易論述」, 『中國邊疆史地研究』 제20권 제4기, 2010, 58쪽.

95) 郭慶濤, 「試論17世紀中葉至18世紀清朝與朝鮮的會源邊市貿易」, 『韓國學論文集』 제6집, 1997, 46~47쪽.

96) “조선의 상인이 심양에 오면 (후금에서) 예에 따라 공급했으니 후금의 상인이 조선의 변경과 의주에 이르면 또한 공급을 받아야 한다. 지금 회령은 조선의 땅이고 이번에 가는 상인은 모두 후금의 상인이니 공급하는 예를 서로 다르게 해서는 안된다.” 『조선인조실록』 권26, 31a (인조 3/29/병인).

97) 張杰, 앞의 논문, 2010, 59~60쪽.

1638년(숭덕 3) 8월 청은 회령의 조선 지방관이 현지에 무역하러 간 영고탑 상인들을 "예로써 대하지 않고 기만했다"고 지적했다. 당시 회령부사가 상인들을 직접 맞이하지 않았고, 문을 잠가두고 상인들을 오랫동안 성에 들이지 않았으며, 이들을 위한 숙소가 정돈되어 있지 않았다는 것이었다. 조선은 "변경의 호시와 칙사(의 방문)이 다르기는 하나 모두 상국인(上國人)이니 지방관이 성 밖으로 나아가 맞이하고 성내의 객사에서 접견하는 것이 모두 마땅한 예의이나, 변방의 관리가 예절에 밝지 않아 이러한 실수를 하게 되었다"라고 해명했다.[98] 청과 조선의 군신관계가 수립되면서 회령개시에 참여하는 청인 상인들 역시 칙사에 준하는 대접을 받게 된 것이었다.

경원개시는 회령개시보다 훨씬 늦은 1646년(순치 3, 인조 16)에 시작되었다. 당시 청은 두만강 일대의 와르카 가운데 서쪽으로 이주하지 않고 남은 현지인들은 조선과의 교역을 통해 물자를 해결하게 했다. 이보다 앞서 1640년(숭덕 5, 인조 18) 청은 야춘에 천여 명이 둔전하고 있으니 조선에서 곡식을 보낼 것을 요구한 적이 있었다.[99] 그러나 두만강 일대의 거주민들에게 보다 안정적으로 물자를 공급하기 위해서는 일시적인 지원보다는 정기적인 교역이 필요했다. 청은 회령에 이어 경원에도 개시를 열 것을 요구했고, 이에 조선은 1646년부터 경원개시를 시작했다. 회령·경원 개시는 『통문관지』에서 다음과 같이 요약되어 있다.

---

98) "看詳邊上互市與敕使固不同, 而旣係上國人, 則地方官出迎城外, 館接於城內客舍, 皆禮所不可已者, 而邊臣不嫺禮節, 有此失誤." 『淸太宗實錄』 권44, 585-586 (崇德 3/11/甲申).

99) 당시 이러한 청의 요구에 조선이 빨리 응하지 않자 청의 장수는 慶興府使의 머리채를 잡고 창고를 열어 곡식 50석을 강탈해 갔다. 청의 위협이 날로 심해지자 조선은 결국 이들이 요구하는 곡식 3,400석을 보냈다. 『조선인조실록』 권40, 11a (인조18/2/계해) ; 권40, 17b (인조18/3/병신).

회령은 1638년(숭덕 11, 인조 16) 寧古塔 사람들이 호부에 표문을 가지고 와서 농기를 무역했다. 이를 관례로 삼아 1642년(숭덕 15, 인조 20)에 也春人들이 또 왔고, 1694년(강희 33, 숙종 20)에 烏喇人들이 또 왔다. 경원은 1646년(순치 3, 인조 24) 巖丘 賴達湖 戶人이 와서 농기를 무역했고 1654년(순치 8, 효종 5)에 枯兒凱의 新戶人이 또 왔다.[100)]

『同文彙考』 역시 순치 연간 경원으로 무역하러 온 청인들을 언급한다. 순치 6년 조선조정은 "(조선의) 민인들로 하여금 암구(巖丘) 지방의 거주민과 국경에서 개시하고 (그들이) 구하는 농기와 소 등 물건을 팔게 했다"고 청에 알렸다.[101)] 순치 11년 1월 청 예부는 "枯兒凱의 賴打庫[102)] 등이 말하기를 鴉客素河에서 이주해온 사람들과 이곳에 원래 거주하던 사람들이 모두 경우(耕牛)·가래[鏵]·쟁기[犁]·식염·솥[鍋口]이 없다고 하니, 북경의 8품 통사 2원과 성경(盛京)의 비터시[筆帖式] 1원을 파견하여 조선 경원에 가서 교역하게 한다"고 보고했다.[103)] 이어 같은 해 4월 경원부사는 "上國의 開市差官 金命先·張孝禮 등이 厚春 開市人들을 데리고 本府에 이르러 (중략) 전례에 따라 民人들로 하여금 각자 소와 각종 물건을 가지고 양측이 평등하게 교역하여 문제가 일어나지 않게 했다"고 보고했다.[104)]

---

100) 『通文館志』 卷3, 「事大」 63b (『국역 통문관지』, 제1권, 세종대왕기념사업회, 1998, 185~186쪽).

101) 『同文彙考』, 국사편찬위원회, 1978, 原編 권45, 「交易」 6b, "巖丘完市申文."

102) 데라우치는 『同文彙考』에 등장하는 "枯兒凱"와 "賴打庫"를 별개의 집단으로 해석했으나, 『淸太宗實錄』에서 "虎爾哈部落賴達庫等"으로 여러 차례 언급되는 것으로 보아 "賴打庫(賴達庫)"는 쿠르카의 수장 가운데 한 사람으로 보인다. 『淸太宗實錄』 권44, 587上 (崇德 3/11/甲申) ; 권44, 587下 (崇德 3/12/癸巳) ; 권63, 871上 (崇德 7/11/庚午). 마쓰우라 시게루(松浦茂) 역시 데라우치의 오해를 지적했다. 松浦茂, 앞의 책, 2006, 271쪽, 각주16).

103) 『同文彙考』, 1978, 原編 권45, 「交易」 7a-8a "禮部知會慶源開市咨."

여기에 등장하는 枯兒凱은 쿠르카(kūrka, 庫爾喀)를 가리킨다. 동완륜에 따르면 쿠르카와 쿠야라(kūyara, 庫雅喇, 庫雅拉, 苦雅拉)는 같은 부족을 가리키는 다른 이름으로, 이들은 원말명초의 골간 우디거의 후예이며 청대에 이르러 훈춘으로 이주하여 기적(旗籍)에 편입되어 쿠야라 만주가 되었고, 오늘날 길림성 훈춘현의 토착 만족(滿族)은 쿠야라의 후손이다.[105] 반면 마스이 간야(增井寬也)는 쿠르카와 쿠야라는 원래 서로 다른 부족이라고 지적한다. 쿠르카는 숭덕 연간에 얀추 지방[炎楮地方]에 거주하다가 순치 연간에 훈춘으로 이주한 사람들을 가리키는 반면, 쿠야라는 얀추·훈춘에서 멀리 우수리강 상류에까지 광범위한 지역에 거주하는 사람들을 가리켰다. 강희 10년에 이르러 쿠르카는 대부분 훈춘을 떠났고, 대신 우수리강 유역의 쿠야라가 길림 우라의 주방 팔기에 편입되어 "쿠야라 만주"로 분류되어 훈춘에 배치되었다. 훈춘의 쿠야라 만주가 원래 그곳에 살던 사람들의 이름대로 쿠르카라고도 불리면서 쿠르카와 쿠야라가 같은 부족으로 여겨지게 되었지만, 실제로 여러 쿠야라 가운데 훈춘에 거주하는 쿠야라만이 쿠르카로 불렸다는 것이다.[106]

쿠르카의 거주지 역시 다양한 이름으로 불렸다. 앞서 『청태종실록』은 쿠르카인들이 둔전한 곳을 "鄢朱屯"이라 하고 『조선인조실록』은 "경원과 경흥 사이에 있는 야춘 지방"이라 한 것으로 보아 언주와 야춘은 같은 곳을 가리키는 것으로 추측된다. 또한 『통문관지』와 『同文彙考』에서 말하는 "巖丘(yanqiu)"는 鄢朱(yanzhu)·巖杵河(yanchu)·

104) 『同文彙考』, 1978, 原編 권45, 「交易」 8b "完市咨."
105) 董萬侖, 「淸代庫雅喇滿洲硏究」, 『民族硏究』, 1987, 96~97쪽.
106) 增井寬也, 「クルカKūrkaとクヤラKūyala－淸代琿春地方の少數民族」, 『立命館文學』 514, 1989.

延楚河(yanchu)와 발음이 유사한 것으로 보아 역시 야춘 일대를 가리키는 것으로 보인다.[107] 경원개시는 야춘[巖丘] 사람들이 참여한다고 해서 "야춘개시[巖丘開市]"라고도 불렸으며, 조선의 북방에서 열리는 개시라 하여 "북도개시(北道開市)" 혹은 "북관개시(北關開市)"라고도 불렸다.[108]

회령·경원의 개시 규정은 1660년(순치 17, 현종 1)에야 비로소 제정되었는데, 그전까지 불분명한 개시 규정으로 인해 각종 폐단이 발생했다. 조선은 "당초 개시에 왕래하는 자는 200여 명, 우마는 500여 필에 불과했으나, 이번에 영고탑에서 온 사람은 594명, 우·마·낙타의 수는 1,144필에 달한다"고 보고했다.[109] 이때 이르러 청은 비로소 회령과 경원개시의 참가인원과 마소의 수를 삭감하고 체류 일자도 제한했다. "순치 16년에 왕래한 자 594명에서 274명을 감하여 320명을 정하고, 말·소·낙타 1,144마리에서 504필을 감하여 640필로 정한다. 왕래하는 교역인은 20일 전에 돌아야한다." 그러나 훈춘은 예외적이었다. "厚春은 (경원의) 교역처와 강 하나를 사이에 두고 있어 아침에 가서 저녁에 돌아올 수 있으니 논외로 한다."[110]

18세기에 이르러 두만강 일대 거주민의 생활이 안정되면서 이 지역에 대한 청의 행정체계도 발전해갔다. 1653년(순치 10)에 청은

---

107) 반면 동완륜은 鄢朱(巖丘)와 也春은 음이 비슷하기는 하나 서로 다른 곳이며 야춘은 포시에트 만의 남쪽 해변이라고 말한다. 董萬崙, 앞의 논문, 1987, 99쪽.

108) 郭慶濤, 「試論17世紀中葉至18世紀清朝與朝鮮的會源邊市貿易」, 『韓國學論文集』 6, 1997, 48쪽.

109) 당시 함경도는 소 235마리, 釜 372개, 犁 710마리를 준비했다. 『同文彙考』, 1978, 原編 권45, 「交易」 18a-19b "淸定開市式例咨."

110) 『同文彙考』, 1978, 原編 권45, 「交易」 20a-20b "禮部減定開市式例咨"; 「咸鏡道會源開市定例」, 『各司謄錄』 46권, "名額" 국사편찬위원회, 1990, 487~488쪽.

영고탑 앙방장경(寧古塔昂邦章京)을 설치하여 동남으로 360리 떨어져 있는 훈춘까지 관할하게 했다. 1729년(옹정 7) 영고탑 앙방장경의 후신인 닝구타장군(寧古塔將軍)이 길림우라로 이주한 이후로 훈춘은 영고탑 부도통의 소속이 되었다. 청은 초기에 훈춘의 쿠르카 거주민들에게 정기적으로 공물을 진상하게 하다가 1713년(강희 52)부터 이들의 조공 의무를 해제했다. 대신 1714년(강희 53)에 '琿春庫雅喇地方協領'을 설치하여 쿠르카인 150명을 세 개의 니루로 편성하고 영고탑에서 40명의 팔기 만주병을 이주시켜 모두 190명의 병사와 협령 1인, 좌령 3인, 비터시 3인을 배치했다.[111] 당시 양황기(鑲黃旗)·정황기(正黃旗)·정백기(正白旗)의 상삼기(上三旗)를 설치하여 쿠르카의 가샨다 세 사람이 각각 세관좌령(世管佐領)을 맡았다. 쿠르카인들은 수달을 채렵하여 바치는 부족민에서 팔기병으로 재편되었고 이로써 훈춘의 쿠르카 만주[庫雅喇滿洲]가 등장하게 되었다.[112]

훈춘에 협령이 설치되고 기민이 이주하면서 경원개시를 중심으로 한 조선과의 교역도 더욱 활발해졌다. 강희초기까지 경원개시에서는 훈춘 개발의 초기 단계에서 수요가 많았던 소(牛)가 다수 거래되었다. 1670년대 회령과 경원개시의 교역품이 급감했던 것은 당시 삼번의 난으로 동북지역의 주방팔기가 내지로 대거 이주했던 상황과 관련이 있었다. 삼번의 난이 평정되고 네르친스크 조약이 체결되면서 훈춘을 포함한 동북지방의 개발이 본격화되면서 조선과의 개시도 점차 안정

111) "寧古塔將軍覺羅孟俄洛疏請, 將三姓及渾春之庫雅拉人等, 編爲六佐領, 添設協領二員, 佐領·防禦·驍騎校各六員管轄, 從之."『淸聖祖實錄』권257, 548上 (康熙 53/1/戊辰) ;『八旗通志初集』, 東北師範大學出版社, 1989, 권27,「奉天駐防甲兵」.

112) 增井寬也,「クルカKūrkaとクヤラKūyala」, 1989, 53쪽 ; 董萬侖, 앞의 논문, 1987, 101~102쪽 ; 張杰·張丹卉,『淸代東北邊疆的滿族』, 遼寧民族出版社, 2005, 59~63쪽 ;『琿春副都統衙門檔』, 中國邊疆史地硏究中心·中國第一歷史檔案館 合編, 廣西師範大學出版社, 2007, 제1권, 1~4쪽.

적으로 운영되었다. 1709년(강희 48) 길림·영고탑 지역을 측량하기 위해 훈춘에 들어간 프랑스 선교사들은 이 지역에서 농경이 활발하게 이루어지고 있음을 목격했다. 1712년(강희 51) 장백산 일대를 탐사한 묵덩(Mu-ke-deng, 穆克登) 일행 역시 귀로에 훈춘을 경유했다. 훈춘 일대의 거주민들이 대거 참여하는 경원개시는 1759년(건륭 24, 영조 35)에 이르러 다시 재정비되었다. 이때 제정된 「咸鏡道會源開市定例」는 경원개시의 모습을 다음과 같이 소개한다.

> 경원에서 下馬宴은 다음날 혹은 당일에 연다. 厚春 상인이 公市를 여는 것을 기다려 양측 관원이 外三門에 함께 앉는다. 쟁기[犁]·도끼[釜]·소[牛] 세 종류를 공급하고 값을 받는다. 소에는 낙인을 찍는다. 公市가 1-2일 끝난 후 差使員들은 먼저 돌아가고 私市를 연다. 厚春 상인들은 수레에 물건을 싣고 연이어 오니, 곧 三頭戶 및 厚春의 將帥와 (상인) 頭目은 차례로 동쪽 벽에 나란히 앉고 지방관은 서쪽 벽에 앉는다. 무역을 감독하고 3일이 되면 파한다. 이어 馬市를 허용하지만 1~2일을 넘기지 않고 파한다.[113]

경원개시는 매년 열리는 회령개시와 달리 2년에 한번씩 12월부터 이듬해 1월에 열렸다. 훈춘에 팔기주방이 설치되기 전까지는 청 예부의 통사와 "厚春의 淸人" 즉 쿠르카 수장들이 경원에 와서 교역했다. 1714년 훈춘협령이 설치된 후부터는 주방 팔기병이 예부의 통사와 함께 왔다. 1660년의 규정에 따라 경원에서는 예부 통사·훈춘 팔기병 및 그들의 가정(家丁)에게만 식량과 사료를 지급했고 당일로 돌아갈

113) 「咸鏡道會源開市定例」, 1990, "宴饗", 489쪽.

수 있는 훈춘의 상인들에게는 별도의 접대가 없었다. 훈춘좌령은 회례(回禮)로 사슴가죽[鹿皮]을 지불했다. 경원개시는 거래대상이 훈춘에만 한정되었기 때문에 회령개시에 비해 공시(公市)의 거래물품이 적었다. 공시에서 청은 조선의 물품 가치에 비해 낮은 가격을 지불했는데, 궈칭타오(郭慶濤)에 따르면 이러한 관행은 공시(公市)가 실제로 청에 대한 조선의 세폐로 여겨졌음을 보여준다. 반면 사시(私市)나 마시(馬市)는 비교적 자유로운 사무역이었으며 다양한 물건이 거래되었다.[114)]

1777년(정조 1) 경흥부사로 3년간 부임한 홍양호(洪良浩, 1724~1802)는 북관(北關)의 각지를 답사하고 『北塞記略』을 완성했다. 이 가운데 「江外記聞」은 특히 압록강과 두만강 북쪽 지역에 대해 상세히 소개하고 있다.

> 渾春 부락은 경원 강북 십여 리에 있다. 속칭으로 後春이라 한다. 室屋을 분별할 수는 없으나 멀리 炊煙을 보면 모두 煙筒을 만들었으니 (조선의) 六鎭의 풍습과 같다. 관부에서는 鄬城과 후춘은 한 고개 간격이라고 한다. 경원에서 70리에 協領·佐領·防禦 등의 관리가 있다. 鄬城과 후춘 등지는 땅이 넓고 비옥하여 사람과 물자가 모여든다. 목축하는 것은 소·말·개·돼지·검은말[驪]·노새·새끼양[羔]·양 등으로 요(양)·심(양) 지역과 같다. 수십 년 전에는 교역하며 왕래하는 수레가 천 대, 말이 400~500마리에 불과했으나 근래에는 수레가 4~5천대에 이르고 말 또한 이와 같다. 이것으로 人戶는 대략 5~6천으로 추측된다. (중략)

114) 「咸鏡道會源開市定例」에 대한 자세한 분석은 寺內威太郎, 앞의 논문, 1985, 10~11쪽 ; 장존무 지음, 김택중 외 옮김, 『근대한중무역사』, 교문사, 2000, 259~290쪽 ; 郭慶濤, 앞의 논문, 1997, 50~58쪽 ; 張杰, 앞의 논문, 2010, 64~67쪽 ; 고승희, 『조선후기 함경도 상업연구』, 국학자료원, 2003, 121~177쪽.

鄗城은 서쪽으로 5리에 두(만)강이 있고 동쪽으로 7리에 후춘강이 있고 북쪽으로 12리에 후춘 부락이 있다. 성은 흙으로 지었으며 안에는 우물이 여섯 개 있다. 奚關이라고도 한다.[115)]

홍양호와 비슷한 시기인 1783년(건륭 48, 정조 7) 함경도를 순시하고 경원개시를 직접 목격한 홍의영(洪儀泳, 1750~1815)은 청과 조선의 교역상황을 다음과 같이 설명한다.

厚春·鄗城 두 곳은 경원과 불과 10리에 있다. 교역할 때 모두 아침에 와서 저녁에 가며, 남자 여자 어린아이 오지 않는 사람이 없다. 거래되는 물품은 마필은 극히 적고 피물이 많으며 기타 잡물은 단지·바구니부터 개·돼지까지 모두 가지고 온다. 書冊이나 紙筆墨은 두 곳에서 모두 거래하지 않으니, 아마도 여러 변방의 오랑캐[邊胡]들은 文墨을 받들지 않기 때문일 것이다. 시장의 규모나 인물의 번다함은 회령에 비할 수 없다. 회령에서는 양측 사람들이 비록 자기 의견을 주장한다 해도 결코 소란이 일어나지 않는데, 경원에 이르면 매매하는 물품이 모두 번쇄한 것들이라 조금이라도 뜻에 맞지 않으면 서로 때리며 싸운다. 저들은 매번 구타를 당하여 중상을 입더라도 감히 우리나라의 관리들에게 호소하지 않으니 어떤 뜻인지 알 수 없다. 아마도 가까이 인접하여 익숙하기 때문에 서로 다투는 데 간섭하지 않기 때문일 것이다.[116)]

---

115) 洪良浩, 『北塞記略』「江外記聞」, 2004, 176쪽.

116) 洪儀泳, 「北關紀事」, 1808, "開市事宜", 서울대 규장각자료(奎4224), 60b-61a. 여기에서 홍의영이 말하는 鄗城은 두만강 바로 옆에 있는 마을로 훈춘보다 경원에 더 가까웠으며 주로 가난한 한인들이 모여 사는 곳이었다. 洪儀泳, 「北關紀事」, 1808, "開市事宜", 57b-58a.

5. 맺음말

본고에서 개괄한 훈춘의 역사는 여진-만주인이 만주를 배경으로 활동하고 성장하면서 인접한 조선과 다양한 방식으로 끊임없이 접촉했음을 보여준다. 훈춘을 둘러싸고 전개된 여진-만주인의 역사, 나아가 청과 조선의 역사는 기존의 단선적·영토중심적·일국사적인 시각으로는 충분히 설명되지 않는다. 변경은 근본적으로 유동적이고 가변적인 것이며 따라서 변경을 둘러싼 여러 주체들의 관계가 달라지면 변경의 의미도 함께 변화한다는 것을 고려할 때 비로소 명의 영락제, 조선의 세종, 후금의 누르하치, 청의 강희제에게 훈춘이라는 동일한 공간이 각각 다른 의미를 지니고 있었음을 이해할 수 있다. 중원과 한반도의 정치세력에게 변경이 지닌 정치적·역사적 의미는 시대에 따라 계속 변화했던 것이다.

훈춘은 14세기 말~15세기 초 오도리·우량하·우디거 등 여러 여진족이 거주한 곳이었고 조선이 판도에 넣기 위해 오랫동안 노력한 곳이었다. 이곳은 또한 16세기 말~17세기 초 누르하치와 홍타이지가 후금-청의 세력 확장과 병력 확보를 위해 지속적으로 공략한 곳이었다. 청과 조선의 관계가 조공질서를 중심으로 재편·안정되면서 양국의 경제교류 역시 정례화·조직화되어갔다. 1646년부터 경원개시가 시작되면서 훈춘 일대 거주민과 조선인과의 교역이 확대되고 1714년 훈춘에 팔기주방이 설치되면서 이 지역에 대한 관리도 발전해갔다. 오랫동안 민간인의 출입이 금지되었던 훈춘과 동북지역은 19세기 후반 러시아를 포함한 서양 열강의 압력으로 제국의 변경이 위태로워지자 비로소 민간인에게 개방되었다. 1880년대 훈춘이 개발되고 한인과 조선인 이주자들이 모여들게 된 것은 이러한 시대적 흐름이 청의 동북 변경 정책에 변화를 가져온 결과였다. 훈춘이라는 이 변경지역의 역사는 17세기 초 흥기하여 18세기 정점에 이르렀다가 20세기 초 멸망하기까지 청 제국의 등장과 발전을 한 지점에서 통시적으로 조망할 수 있게 해준다. 또한 청 제국의 특징과 성쇠를 조선과의 변경에서 구체적으로 파악할 수 있다는 점에서 훈춘의 역사는 한중관계사 연구에 새로운 가능성을 제시할 수 있을 것이다.

참고문헌

1. 사료

洪儀泳, 「北關紀事」, 서울대 규장각자료 : 奎4224, 1808.
『龍飛御天歌』, 한국고전총서간행위원회 편, 『原本韓國古典叢書』 제2권, 大提閣, 1973.
『同文彙考』, 국사편찬위원회, 1978.
「咸鏡道會源開市定例」, 『各司謄錄』 46권, 국사편찬위원회, 1990.
『국역 통문관지』, 세종대왕기념사업회, 1998.
洪良浩, 『北塞記略』, 고구려연구재단 편, 『조선시대 북방사 자료집』, 고구려연구재단, 2004.
고려대학교 민족문화연구원 만주실록역주회, 『滿洲實錄 譯註』, 소명출판, 2014.
이민환 지음·중세사료강독회 옮김, 『책중일록』, 서해문집, 2014.
『清實錄』, 中華書局, 1986.
『滿洲實錄』, 中華書局, 1986.
『八旗通志初集』, 東北師範大學出版社, 1989.
「琿春縣志」(1927), 李澍田 主編, 長白叢書 四集, 『琿春史志』, 吉林文史出版社, 1990.
『明太宗實錄』, 驪江出版社, 1997.
佟冬 主編, 『中國東北史』 1~7권, 吉林文史出版社, 1998.
『琿春副都統衙門檔』, 中國邊疆史地研究中心·中國第一歷史檔案館 合編, 廣西師範大學出版社, 2007.
『滿文老檔』, 滿文老檔譯註會, 東洋文庫, 1955~1963.
河內良弘, 『中國第一歷史檔案館藏 內國史院滿文檔案譯註 : 崇德二·三年分』, 松香堂書店, 2010.

2. 연구서

이인영, 『韓國滿洲關係史의 硏究』, 을유문화사, 1954.
方東仁, 『韓國의 國境劃定硏究』, 일조각, 1997.
김종원, 『근세 동아시아관계사 연구』, 혜안, 1999.
장춘우 지음, 김택중 외 옮김, 『근대한중무역사』, 교문사, 2000.
박원호, 『明初朝鮮關係史硏究』, 일조각, 2002.
고승희, 『조선후기 함경도 상업연구』, 국학자료원, 2003.
한성주, 『조선전기 수직여진인 연구』, 경인문화사, 2011.
리우샤오멍 지음, 이훈·김선민·이선애 옮김, 『여진부락에서 만주국가로』, 푸른역사, 2013.

河內良弘, 『明代女眞史の硏究』, 同朋舍出版, 1992.
張杰·張丹卉, 『清代東北邊疆的滿族』, 遼寧民族出版社, 2005.
蕭一山 編, 『清代通史』, 華東師範大學出版部, 2006.
松浦茂, 『清朝のアムル政策と少數民族』, 京都大學學術出版會, 2006.

3. 연구논문

김구진, 「吾音會의 斡朶里女眞에 對한 硏究」, 『史叢』 17·18합집, 1973.
김구진, 「初期 毛憐 兀良哈 硏究」, 『白山學報』 17, 1974.
김구진, 「조선 전기 여진족의 2대 종족 : 오랑캐(兀良哈)와 우디캐(兀狄哈)」, 『白山學報』 68호, 2004.
김선민, 「한중관계사에서 변경사로 : 여진-만주족과 조선의 관계」, 『만주연구』 15, 2013.
김선민, 「청 초기 팔기와 조선 무역」, 『史叢』 82, 2014.
장정수, 「선조대 말 여진 번호 로툰(老土)의 건주여진 귀부와 조선의 대응」, 『조선시대사학회』 78, 2016.
董萬侖, 「清代庫雅喇滿洲硏究」, 『民族硏究』 1987년 제4기, 1987.
郭慶濤, 「試論17世紀中葉至18世紀清朝與朝鮮的會源邊市貿易」, 『韓國學論文集』 6, 1997.
董萬侖, 「明末清初圖們江內外瓦爾喀硏究」, 『民族硏究』 2003년 제1기, 2003.

劉　爲, 「試論攝政王多爾袞的朝鮮政策」, 『中國邊疆史地研究』 15-3, 2005.
張　杰, 「淸前期吉林滿族與朝鮮邊境貿易論述」, 『中國邊疆史地研究』 20-4, 2010.
阿南惟敬, 「淸初の東海虎爾哈部について」, 『防衛大學校紀要』 7, 1963.
阿南惟敬, 「淸の太宗のウスリ一江征討について」, 『防衛大學校紀要』 20, 1970.
寺內威太郞, 「慶源開市と琿春」, 『東方學』 70, 1985.
增井寬也, 「クルカKūrkaとクヤラKūyala：淸代琿春地方の少數民族」, 『立命館文學』 514, 1989.
河內良弘, 「骨看兀狄哈管見」, 『神田信夫先生古稀記念論集：淸朝と東アジア』, 山川出版社, 1992.
增井寬也, 「明末のワルカ部女直とその集團構造について」, 『立命館文學』 562, 1999.
增井寬也, 「淸初ニル類別考」, 『立命館文學』 608, 2008.

1880년대 영국외교관의 조선 북부 지역 여행에 담긴 함의 – 영국의 경제적 확장과 관련하여 –*

한승훈

1. 머리말

1880년대 조선 북부 지역을 여행한 영국외교관들이 있었다. 그들의 이름은 칼스(W. R. Carles)와 캠벨(C. W. Campbell), 조선 주재 영국 부영사였다.[1] 칼스는 1884년 9월~11월에 제1로인 의주로(義州路)를

* 이 글은 「1880년대 영국외교관의 조선 북부 지역 여행에 담긴 함의」(『史叢』 90, 2017)를 수정 보완한 것이다.

1) ・칼스(W. R. Carles, 1848~1929) : 1867년에 주청 영국공사관 견습통역관으로 외교업무를 시작한 이래, 주청 영국공사관 서기관 대리, 상해 주재 영국부영사 등을 지냈다. 1884년 조선 주재 영국부영사로 부임해서 1885년까지 조선에서 근무했다. 그 후 칼스는 1901년까지 텐진 등에서 영사, 총영사 등을 역임하였다. 그는 조선에서 생활 및 중부, 북부 지역을 여행한 경험을 *Life in Corea*[Macmillan, 1888 ; 신복룡 역, 1999, 『조선풍물지』(한말 외국인 기록 16), 집문당]로 남겼다.

・캠벨(C. W. Campbell, 1861~1927) : 1884년에 주청 영국공사관 견습통역관으로 외교업무를 시작한 이래, 1887년에 조선에 부임하였다. 영국에서는 캠벨에게 한국어 통역 업무를 수행하도록 계획하였지만, 단기간에 한국어

통해서 개성, 평양, 의주에 도착하였다. 그리고 압록강 국경지역을 거쳐서 함흥, 원산을 여행하고 서울로 귀환하였다. 캠벨은 5년 뒤인 1889년 8~11월에 동해안을 따라서 원산, 함흥, 갑산, 북청을 거쳐서 백두산 천지에 이르렀다. 백두산을 내려와서는 영흥, 평양, 개성을 경유해서 서울로 돌아갔다. 서울로 돌아온 이후 그들은 자신들의 여정을 기록으로 남겼다.[2)]

습득이 어렵다는 이유로 철회되었다. 그 대신 1888년부터 1891년까지 제물포 주재 영국 부영사로 근무하였다. 그 후 캠벨은 1911년까지 청국에서 부영사, 영사, 서기관 등을 역임하였다.

2) 칼스와 캠벨의 보고서를 여행기 혹은 기행문으로 분류하지 않는 이유는 그들의 글이 여행기(travelogue)와 외교 보고서(Diplomatic Report)가 결합된 형태를 띠고 있기 때문이다(Jo Yoong-hee, "Joseon and Her People Shown in the Travel Report of Campbell in the Late 19th Century", *The Review of Korean Studies*, 11-1, March 2008, pp.50~53.) 이에 이 글에서는 그들의 보고서를 '여행보고서'로 명명하고자 한다.
칼스와 캠벨의 여행 보고서는 일반인에게 공개되지 않고 주조선 영국총영사를 통해서 조선 공사를 겸직하였던 주청 영국공사에게 보고되었으며, 주청 영국공사는 이를 런던의 외무부로 발송하였다. 여행 보고서의 원문 내지는 보고의 흔적들은 영국외교문서를 통해서 확인이 가능하다.
· 영국외교문서 수록 현황
(1) 칼스의 여행 보고서
– "*Preliminary Report by Mr. Carles on Journey in Corea,*" Aston to Parkes, Hanyang, November 12, 1884, No.43, FO 228/750, pp.11~14.
주조선 영국총영사 애스턴(W. G. Aston)은 칼스가 제출한 여행보고서의 요약본을 주청 영국공사 겸 주조선 공사 파크스(H. S. Parkes)에게 제출하였다. 다만 이 문건에는 여행 보고서 전문이 수록되어 있지 않지만, 파크스는 애스턴을 통해서 칼스의 여행보고서를 치하하였다(Parkes to Aston, Peking, January 16, 1885, No.6, FO 228/793). 이 사실을 보건데, 칼스의 여행 보고서 전문이 파크스에게 보고된 것은 확실해 보인다.
(2) 캠벨의 여행보고서
– "*Report on a Journey in North Corea by Mr.Campbell,*" Hillier to Walsham, Soul, December 23, 1890, No.45, FO 228/888, pp.240~387.
영국외무부는 캠벨의 보고서를 기밀문서로 분류해서 내부회람용으로 다시 제작하였다. 그 서지사항은 다음과 같다.
– FO 405/48 (Journey by Acting Vice-Consul Campbell in North Corea. Report.),

이 글은 칼스와 캠벨의 조선 북부 지역 여행을 분석하는데 목적이 있다. 지금까지 연구는 크게 두 가지 관점에서 진행되었다. 하나는 조선에서 상업적 이익을 확대하려는 영국의 의도가 여행에 투영되었다는 사실을 밝히는데 주력한 연구이다.[3] 다른 하나는 조선에 대한 서술에는 유럽 중심적 시각이 투영되어 있다는 점을 규명한 연구이다.[4] 전자의 경우는 칼스와 캠벨이 외교관이라는 신분에 주목한 경우라 할 수 있으며, 후자는 칼스가 오리엔탈리즘에 입각해서 동양을 관찰한 서양인이라는 측면을 고려하였다고 말할 수 있다.

선행 연구는 19세기 후반 서구의 지배 담론이 조선에 관철되는 과정을 역사적 관점에서 분석하였다. 텍스트 분석이 갖는 몰역사성을

1890.

· 여행보고서의 하원 의회 제출

한편 영국외무부는 세계 각지에서 주재하는 외교관의 보고서 중 일부(주재국 정세 보고서, 무역 현황 보고서, 여행 보고서 등)를 하원 의회 회람용으로 제출하였는데, 칼스와 캠벨의 여행 보고서가 의회 제출 문서에 포함되었다. 그 서지사항은 다음과 같다.

(1) 칼스의 조선 북부 여행 보고서 : *Corea. No. 2 (1885). Report of a journey by Carles in the north of Corea*, HARRISON AND SONS, April 1885, pp.1~32(이하 *Report of a journey by Carles in the north of Corea(1884)*로 표기).

(2) 캠벨의 조선 북부 여행 보고서 : *China. No. 2 (1891). Report by C. W. Campbell of a journey in North Corea in September and October 1889,* HARRISON AND SONS, May 1891, pp.1~39(이하 *Report by C. W. Campbell of a journey in North Corea(1889)*로 표기).

이 논문에서는 온라인(http://parlipapers.proquest.com/parlipapers)을 통한 원문 PDF를 확보할 수 있는 영국 하원 의회 제출용 보고서를 활용하였음을 밝혀둔다.

3) 李培鎔, 「舊韓末 英國의 金鑛利權 獲得에 대한 諸問題」 『역사학보』 96, 1982 ; Jo Yoong-hee, "Joseon and Her People Shown in the Travel Report of Campbell in the Late 19th Century", *The Review of Korean Studies,* 11-1, March 2008 ; 정희선, 이명희, 송현숙, 김희순, 「19세기 말 영국 외교관 칼스(W. R. Carles)가 수집한 한반도 지역정보의 분석」, 『문화역사지리』 28-2, 2016.

4) 이영석, 「19세기 말 영국 지식인과 동아시아－유럽중심적 시각의 층위－」, 『대구사학』 95, 2009.

극복하고자 했던 것이다. 그러나 이들 연구는 영국의 동아시아 정책이라는 거시적 관점에 주목함으로써, 영국이 조선에서 추구한 상업적 이익의 실체를 구체적으로 밝히지는 않았다. 그렇다면 칼스와 캠벨이 1884년과 1889년이라는 시점에서 굳이 조선의 변방인 평안도와 함경도로 출발한 이유는 무엇일까? 시간, 공간, 주체를 함께 아우른다면, 칼스와 캠벨이 여행을 떠난 목적과 더불어 여행이 갖는 역사적 함의를 분석할 수 있지 않을까?

이 글은 칼스와 캠벨의 조선 북부 지역 여행을 영국의 경제적 확장이라는 관점에서 고찰하고자 한다.[5] 영국이 1885년에 거문도 점령을 단행한 사례를 제외하고는, 1880년대 조선 진출이 두드러지지 않았기에 '확장'이라는 단어가 어색하게 들릴 수도 있다. 하지만 영국은 고립정책을 통해서 대외적 개입을 피했지만, 상업상 이익과 직결된 사항에 대해서는 간섭정책을 통해서 개입을 시도하였다.[6]

---

5) 메리 루이스 프렛은 비유럽 지역을 여행한 유럽인이 남긴 여행기를 본국의 유럽인들에게 제국적 질서를 만들고, 나아가 경제적 팽창과 제국의 열망을 합리화는 기제로 규정하였다. 그리고 여행기 분석을 통해서 그는 식민자(colonizer)와 피식민자(colonized) 사이의 만남 공간인 접촉지대(contact zone ; 그는 정복과 지배가 가져온 갈등 과정을 두고 접촉지대를 갈등지대－conflict zone－로 규정함)에서 양자 간 갈등과 더불어 피식민자의 조력 속에서 식민화가 이루어진 측면, 그리고 양자의 접촉 과정에서 식민주의를 전복할 수 있는 가능성을 밝히고 있다. 이 글에서는 메리 루이스 프렛이 유럽인들의 여행기를 유럽의 정치·경제적 확장이라는 관점에서 분석해야 한다는 주장에 주목하였다. 접촉지대 속에서 이루어지는 식민자와 피식민자의 만남과 그 과정에서 나타나는 갈등과 협력의 모습은 차후 연구에서 다루고자 한다. 메리 루이스 프렛, 김남혁 옮김, 『제국의 시선, 여행기와 문화횡단』, 현실문화, 2015(Mary Louise Pratt, *Imperial Eyes: Travel Writing and Transculturation*, 2nd Edition, Routledge, 2007).

6) 김현수, 「영국의 외교정책－위대한 고립책(Splendid Isolation Policy)」, 『西洋史論』 43-1, 1994 ; 김현수, 「19세기 영국 외교정책의 근원－캐닝 외상의 정치·경제·외교관(觀)을 통해 본 대안의 삶」, 『현상과 인식』 25-1, 2001 참조.

1884년과 1889년에 영국이 조선에서 고립과 간섭의 기로에 있었던 문제는 조청상민수륙무역장정(朝淸商民水陸貿易章程 ; 이하 조청장정)과 조로육로통상장정(朝露陸路通商章程 ; 이하 조러장정)의 균점, 그리고 조선의 광물 자원 개발이었다.

2. 북부 지역 시장 조사와 육로장정 균점 보류

1) 조선-청 의주 무역 침체 확인

1884년 9월 27일, 칼스는 서울을 출발하였다. 조선 북부 지역으로 여행을 시작한 것이다. 칼스의 여행을 지시한 이는 조선 주재 영국총영사 애스턴(W. G. Aston)이었다.[7] 애스턴은 칼스에게 조선의 제1로인 의주로를 따라서 송도, 평양을 경유, 의주로 향할 것을 지시하였다. 애스턴이 여행경로로 제1로를 지정한 이유는 바로 의주에서 시행중인 조선과 청의 국경 무역이 조선 국내 시장에 미치는 영향을 조사하기 위함이었다.

왜 애스턴은 의주의 무역 현황을 확인하고자 했는가? 그 시작은 제2차 조영수호통상조약[8] 체결 직전인 1883년 11월 24일로 거슬러 올라간다. 그 날은 조선과 영국이 조약 체결을 위한 협상을 마무리하

7) Aston to Parkes, Hanyang, October 2, 1884, No.34, FO 228/749.

8) 조선과 영국은 1882년 5월에 수호통상조약을 체결하였다. 하지만 영국의 비준거부로 1882년에 체결된 조약은 사실상 폐기되었으며, 이듬해인 1883년 11월에 조선과 영국은 새로운 조약을 체결하였다. 본문에서는 조선과 영국이 1882년과 1883년에 체결한 조약을 구별하기 위해서, 제1차 조영조약, 제2차 조영조약으로 각각 명명하기로 한다.

는 시점이었다. 그런데 조선 측 전권대신 민영목이 영국 측 전권대신 파크스(H. S. Parkes)에게 각서를 보냈다.[9] 조약 체결 다음날인 11월 27일 파크스는 민영목의 각서를 본국 정부에 보고하겠다고 회답하였다.[10] 조선과 영국의 전권대신이 조약 체결과는 별도의 약속을 맺은 것이다. 각서의 교환을 통해서 조선과 영국이 맺은 약속은 다음과 같다.

> 육로 국경 무역에서 부과되는 세율이 개항장 무역에 불리하게 적용될 경우, 조선 정부는 공평하고 균등하게 그것들을(제2차 조영조약 관세율 | 인용자)을 두기 위한 목적으로 그들의 관세율의 재조정을 기꺼이 고려할 것입니다.[11]

민영목과 파크스가 언급한 육로 국경 무역은 의주의 조청 무역을 의미하였다. 의주 국경 무역의 근거는 조청장정이었다. 조청장정에서는 의주 및 국경지역에서 적용되는 수입관세율을 5%로 규정하였다. 한편 제2차 조영조약 세칙에서는 개항장에서 적용되는 수입관세율을 품목별로 5, 7.5, 10, 20%로 차등 적용하였다. 개항장을 이용하는 영국 상인은 의주에서 무역하는 청국 상인보다 최소 2.5% 높은 관세율을 적용받았던 것이다.

사실 파크스는 관세율의 차이에도 불구하고 개항장 무역이 조청

9) (發) 督辦交涉通商事務 閔泳穆, (受) 駐中英欽差大臣 巴夏禮, (高宗) 20年 10月 25日 (양력 11월 24일), #.20, 『舊韓國外交文書』 13권, 英案 1, 1967, 11쪽 ; Parkes to Granville, Peking, December 7, 1883, No.14, FO 405/34.

10) (發) 駐中英欽差大臣 巴夏禮, (受) 督辦交涉通商事務 閔泳穆, (高宗) 20年 10月 28日 (양력 11월 27일), #.24, 『舊韓國外交文書』 13권, 英案 1, 1967, 12쪽 ; Parkes to Granville, Peking, December 7, 1883, No.14, FO 405/34.

11) 각주 9번 사료.

국경 무역보다 유리할 것으로 예상하고 있었다.[12] 그 근거는 육로 무역이 해상 무역보다 운송비용이 많이 든다는 사실에 있었다. 그럼에도 불구하고 파크스가 민영목으로부터 조청장정의 균점을 약속받은 이유는 관세율의 차이가 가져올 혹시 모를 손해를 차단하기 위함이었다. 즉, 영국은 현지 조사 결과 의주의 수입품이 개항장의 수입품보다 가격 경쟁력이 있다고 판단된다면, 영국인들에게 공평한 기회를 보장한다는 명분으로 조청장정 세칙을 균점하려고 했던 것이다.

칼스는 의주에서 영국산 셔츠와 독일산 염료를 가득 실은 조랑말과 수레가 의주로를 따라서 서울로 향하는 행렬을 목격하였다.[13] 하지만 그는 의주에서 수입한 상품들이 서울 시장에 큰 영향을 발휘한다고 보지 않았다. 그는 "평양 이남지역은 제물포가 주요한 수입품 공급지"라는 점을 지적하였다.[14] 평양과 그 이북지역을 의주 국경 무역의 영향권으로 본 것이다.

그런데 칼스가 평양에서 만난 무역 상인의 설명은 달랐다.[15] 그는 20명의 동업자와 함께 제물포에 지점을 개설한 사실을 거론하면서, "육로를 통한 청국과의 무역은 대체적으로 쇠퇴"하였다고 설명해 주었다. 그는 개항에 따른 제물포의 부상과 의주의 침체를 지적한 것이다. 물론 그의 주장은 제물포에 투자한 입장에서 나온 희망 섞인 발언일 수도 있다. 하지만 그는 의주가 아니라 제물포가 무역 관문으로 각광받는 이유를 구체적으로 설명해 주었다.

---

12) Granville to Count Munster, Foreign Office, March 8, 1884, No.70, FO 405/34.
13) *Report of a journey by Mr. Carles in the north of Corea(1884)*, p.13.
14) 위 사료, p.13, "……south of Phyong-yang, Chemulpo is the main source of supply."
15) 위 사료, pp.8~9.

> 그는 1년에 평양으로 들어오는 외국산 셔츠가 3,000장 정도 되는데, 그 중에 육로 무역을 통한 것은 단지 300장 정도라고 평가하였습니다. 제물포에서부터 오는 운송비는 비싸지 않습니다. ……[16]

평양의 무역상인은 운송비 차이가 제물포를 통한 해상 무역의 성장과 의주를 통한 육로 무역의 침체를 가져온 요인이 되었음을 지적하였다. 그들은 제물포가 개항 1년 만에 전통적인 조청 육로 무역을 잠식하고 있으며, 조선의 무역이 개항장 중심으로 재편될 것이라는 전망을 이야기했던 것이다. 이를 통해 칼스는 '평양 이남'이 아니라 평양도 개항장 제물포의 영향권 아래에 놓였음을 확인할 수 있었다.

의주의 상황도 평양과 유사하였다. 칼스는 수치화된 무역 현황을 확보할 수 없었지만, 현지 관리 및 상인과의 대화를 통해 다음 사실을 확인할 수 있었다.

> 의주의 무역은 개항장으로 인해서 심각한 악영향을 받았습니다. 그리고 무역 규모의 감소는 더욱 더 악화되고 있습니다. 관리들과 백성들은 이로 인해 손실을 보고 있다는 점에서 의견 일치를 보이고 있습니다. 그리고 자본력 있는 청국 상인들은 그들이 필요로 하는 상품의 공급이 적절할 지에 대한 의심으로 인해서 조선의 생산품을 사기 위해서 (의주로 | 인용자) 오는 것을 단념하였다는 점에서, (조선 | 인용자) 상인들은 국경에서 규제의 폐지가 또한 그들에게 불리하게 영향을 주었다고

16) 위 사료, p.9. "He estimated the import of shirtings into Phyong-yang for the year at 3,000 pieces, of which only 300 came overland. The cost of carriage from Chemulpo was not great, ……"

여기고 있습니다.17)

칼스가 목격한 의주는 조청장정의 5% 수입 관세율이 유리하게 작동하지 않은 공간이었다. 개항장과의 경쟁에서 육로무역의 단점인 운송비의 증가가 두드러지게 나타났을 뿐이었다. 무엇보다 자본력 있는 청국 상인들도 의주보다는 개항장을 선호하는 현상을 지적하면서, 칼스는 의주 국경 무역이 침체하고 있음을 확인하였다. 운송비의 차이로 개항장 무역이 육로 무역을 압도할 것이라는 파크스의 예상이 맞았던 것이다.

그런데 의주 무역은 제물포의 개항으로만 타격을 받은 것이 아니었다. 강계에 도착한 칼스는 다음 상황을 추가로 확인하였다.

> 강계는 1,000여 가구로 구성된 성벽도시입니다. …… 외국 상품의 공급은 남동쪽으로 800리 정도 떨어진 원산으로부터 외국 상품이 공급되는데, 많은 양의 셔츠, 한랭사, 그리고 손수건을 그 곳 상점에서 판매하고 있습니다. 해초, 소금 절인 생선, 그리고 소금은 또 다른 주요한 수입품입니다.18)

---

17) 위 사료, p.16. "The chief trade still continues to take place at the time of these fairs, though their importance lias greatly decreased. The trade of Wi-ju has been very much prejudiced by the opening of ports in Corea to foreign trade, and the diminution in its volume is becoming steadily aggravated. Officials and non-officials alike concurred in the loss suffered by Wi-ju owing to this cause, and the merchants held that the abolition of restrictions on the frontier had also told upon them detrimentally, in that Chinese merchants possessed of capital were deterred from coming to buy Corean products by the doubt as to whether the supply would be adequate for their requirements."

18) 위 사료, p.22. "Kang-ge is a walled town of over 1,000 houses, …… Its foreign supplies are drawn from Gensan, which is 800 li to the south-east, and a fair quantity of shirtings, lawns, and handkerchiefs was for sale in the shops. Seaweed, salt-fish,

강계에서는 원산보다 의주가 150리 정도 가까웠다. 그럼에도 불구하고 칼스가 목격한 강계의 시장은 원산에서 수입한 물품으로 채워져 있었다. 이를 두고 칼스는 의주 무역이 침체에 빠진 원인으로 원산 개항을 지적하지 않았지만, 강계에서 원산의 거리를 굳이 '800리'로 기술함으로써, 개항장 무역이 조선 내지로 빠르게 침투해 가고 있음을 밝혔던 것이다.

영국은 칼스의 북부 여행 이후로 조선 정부에 조청장정의 균점을 거론하지 않았다. 1883년 11월에 민영목으로부터 받은 각서를 유지하는 선에서 머무르기로 했다.[19] 그 각서를 통해서 언제든지 조청장정을 균점할 수 있을 것으로 생각했던 것이다. 하지만 영국은 민영목의 각서를 조청장정에만 적용하려고 하지 않았다. 그 범위를 조선과 러시아의 육로 장정에까지 확장하려고 했다.

2) 조선-러시아 경흥 무역 '변경'화 확인

조선과 러시아는 1884년 7월에 수호통상조약을 체결하였다. 사실 러시아는 조약 교섭 이전부터 수호통상조약과 더불어 육로 장정의 체결을 희망하였다.[20] 조선-러시아 국경 지역의 무역 증진과 조선에서 영향력을 확대하기 위함이었다. 하지만 러시아의 남하를 우려한 청국이 조러 간의 접경을 부정하였으며, 조선 정부가 이에 동조하였다. 결국 러시아는 수호통상조약만을 체결하였을 뿐, 육로 장정의

---

and salt were its chief other imports."

19) O'Conor to Granville, Peking, April 27, 1885, No.8, Draft, FO 228/78.

20) 조러육로통상장정의 체결 과정에 관해서는 다음 연구 참조. 한동훈, 「조러육로통상장정(1888) 체결을 둘러싼 조·청·러 삼국의 협상과정 연구」, 『역사와 현실』 85, 2012.

체결에는 실패하였다.

그런데 주청 영국공사로 주조선 공사를 겸직하였던 파크스는 조러 조약 체결 이전부터 조선과 러시아의 육로장정 체결을 예의주시하고 있었다.[21] 1884년 5월에 파크스는 외무부 장관 그렌빌(Earl Granville)로부터 서신을 받았다. 그 내용은 주영 독일대사가 영국의 조청장정 균점 여부를 묻는 내용이었다. 이에 파크스는 11월 24일 민영목과 교환한 조청장정 균점에 관한 각서를 설명한 후, 장차 러시아가 조청장정에 준해서 조선과 육로 장정을 체결할 수 있다고 그렌빌에게 보고하였다. 파크스는 영국이 향유하지 못한 특권을 러시아가 균점할 수 있다는 점을 밝히면서, 러시아를 견제해야 한다고 주장한 것이다.

파크스는 러시아의 조청장정 균점 가능성을 보고하는데 머무르지 않았다. 그는 애스턴에게 두 가지를 지시했다.[22] 하나는 조선과 러시아가 조청장정과 동일한 내용의 육로 장정을 체결할지 여부를 확인하는 것이었다. 다른 하나는 조선과 러시아가 조청장정과 동일한 내용의 장정을 체결할 경우, 조선 정부에게 제2차 조영조약의 세칙 개정을 위한 협상을 요구하라는 것이었다. 영국은 궁극적으로 조선과 러시아의 육로 장정을 균점함으로써, 러시아가 조선에서 특권을 향유하는 것을 원천적으로 봉쇄하고자 했던 것이다.

이에 애스턴은 1884년 6월에 통리교섭통상사무아문(統理交涉通商事務衙門 : 이하 외아문) 협판 묄렌도르프(P. G. Möllendorff)를 만났다.[23] 애스턴이 묄렌도르프와 면담을 추진한 이유는 그가 조선과

21) Parkes to Aston, Tientsin, May 18, 1884, No.8, FO 228/749.

22) 위 사료.

23) Aston to Parkes, Hanyang, June 13, 1884(Received July 2, 1884), No.5, Confidential, FO 228/749.

러시아의 조약 체결을 담당하고 있었기 때문이었다. 그 자리에서 묄렌도르프는 조선이 러시아와 관계 증진을 희망한다면 육로 장정을 반대해서는 안 된다고 말하였다. 조선과 러시아의 육로 장정 체결을 기정사실화한 것이다. 이에 애스턴은 묄렌도르프에게 러시아가 조청 장정에서 적용중인 관세율의 특권을 부여받는다면, 영국은 이를 균점할 것이라고 통보하였다.

영국은 거문도를 점령한 직후에도 육로장정에 대한 경계를 늦추지 않았다. 1885년 6월에 애스턴은 외아문 독판 서리 서상우에게 조선이 조청장정과 동일한 내용을 러시아에게 보장해 준다면, 민영목의 각서에 의거해서 제2차 조영조약의 세칙을 개정해야 한다고 주장하였다.[24] 애스턴은 그 해 7월 외아문 독판 김윤식에게 조청장정에 준해서 조러 육로 장정을 체결할 경우, 영국은 독일과 함께 조러 육로 장정의 균점을 추진하겠다고 통보하였다.[25] 영국과 독일의 공조를 언급함으로써, 애스턴은 조선 측에 조선과 러시아의 육로장정을 균점하겠다고 압박한 것이다.

이상과 같이 영국은 본격적인 협상에도 이르지 않는 조선과 러시아의 육로장정에 대한 입장을 확정지었다. 표면적으로는 제2차 조영조약의 세칙 개정이지만, 이를 통해 달성하고자 한 바는 조러 육로 장정의 균점이었다. 특히 영국은 "균등함(uniformity : 平等)"을 거론하면서 조선의 국경무역 정책을 간섭하였으며, 결코 조선에서 러시아의 특권을 보장할 수 없다는 입장을 취했던 것이다.

1888년 8월 서울에서 조러장정이 체결되었다. 영국총영사관은 외

---

24) (發) 英總領事 阿須頓, (受) 署理督辦交涉通商事務 徐相雨, (高宗) 22年 4月 30日(양력 1885년 6월 12일), #.232, 『舊韓國外交文書』 13권, 英案 1, 1967, 137~138쪽.

25) Aston to O'Conor, Hanyang, July 28, 1885, No.90, Confidential, FO 228/795.

아문으로부터 한문본 사본을 전달받았다.[26] 먼저 총영사관에서는 사본을 영어로 번역하는 작업에 착수하였다.[27] 번역은 부영사 캠벨이 맡았다. 캠벨의 번역이 끝나자, 총영사 포드(C. M. Ford)는 한문본 및 영어번역본 장정을 첨부한 보고서를 주청 영국공사겸 주조선 공사 월샴(John Walsham)에게 발송하였다. 그 보고서에서 포드는 장정의 핵심을 경흥의 개방과 수입관세율이 5%라는 점을 밝혔다. 5%의 관세율은 영국이 조선 정부에 요구한 조러장정의 균점 조건을 충족하는 세칙이었던 것이다.

포드는 1888년 조선무역보고서(Report on the Trade of Corea during the year 1888)에서 조러장정에서 부여된 5%의 관세율이 장차 조선에서 외국인들의 무역에 영향을 끼칠 것으로 예상하였다.[28] 아울러 그 파장을 정확하게 확인하기 위해서는 정확한 통계를 확보해야 한다는 의견을 제시했다. 이에 포드의 후임 힐리어(W. C. Hillier)는 조러장정의 번역을 맡았던 부영사 캠벨에게 조선 북부 지역 여행을 지시하였다.[29] 영국은 조선에 조러장정의 균점 내지는 조영 간의 세칙 개정 협상을 바로 요구하지 않는 대신에, 조러장정이 조선 북부 지역의 무역에 미친 여파를 확인하는 작업을 우선 실시하였다. 즉, 조청장정의 균점 여부를 판단하기 위해서 칼스를 파견했던 1884년과 동일한 방침을 세웠던 것이다.

1889년 8월 31일에 서울을 출발한 캠벨은 원산을 경유, 동해안

26) (發) 署理督辦交涉通商事務 李重七, (受) 英總領事署理 福格林, (高宗) 25年 8月 27日(양력 10월 2일), #.543, 『舊韓國外交文書』 13권, 英案 1, 1967, 296쪽.

27) Ford to Walsham, Soul, October 27, 1888(Received November 9, 1888), No.31, FO 228/868.

28) Ford to Walsham, Soul, April 15, 1889, No.4, FO 228/877.

29) Hiller to Walsham, Soul, December 23, 1890, No.45, Confidential, FO 228/888.

길을 따라서 함흥에 이르렀다. 그런데 함흥에서 그는 백두산으로 향하였다. 캠벨의 여행길에는 조선과 러시아의 육로무역으로 개방된 경흥이 빠진 것이다. 이는 캠벨이 경흥에 가서 러시아의 오해를 받는 것을 피하기 위함으로 볼 수 있다. 하지만 캠벨은 경흥에 가지 않더라도 충분히 조러장정 체결의 효과를 확인할 수 있었다.

> 원산에서 무역하는 물품 중에서 주종목은 맨체스터산 면화입니다. 해안가의 산은 그리 멀지 않은 북청에서 북동쪽으로 약 200마일까지 이어져 있는 경성까지 있으며 내지를 관통하는데, 압록강까지 항상 순식간에 양이 줄어듭니다. 운송의 비용에 의해서 발생하는 가격이 점차적으로 증가하는 것을 기록하는 것은 매우 흥미롭습니다. 원산에서 그레이 셔츠(grey shirtings)가 최저로 소매상에서 40에서 45전(2 1/2냥)에 해당하며, 함흥에서는 50전(3냥), 북청에서는 55에서 60전(3 1/2냥), 그리고 갑산에서는 70에서 75전(4 1/2냥)에 해당합니다. 경성 북쪽 지역에서는 외국 상품에 대한 수요가 조금 있는데 이는 블라디보스토크 시장에서 들여옵니다.[30]

캠벨은 원산에서 수입되는 주요 품목이 자국의 맨체스터 공업지대

30) *Report by Mr. C. W. Campbell of a journey in North Corea(1889)*, p.19. "The trade from Wön-san is chiefly in Manchester cottons. These mount the coast as far as, if not farther than, Kyöng-söng, which is nearly 200 miles north-east of Puk-ch'öng, and penetrate the interior, always in rapidly diminishing quantities, to the Yalu. It is interesting to note the progressive increase in prices occasioned by the cost of carriage: in Wön-san the Corean foot of grey shirting—the piece of 38 yards measures 62 or 63 Corean feet—is sold retail at 40 to 45 cash (2½d.), in Hamheung at 50 cash (3d.), in Puk-ch'öng at 55 to 60 cash (3½d.), and in Kapsan at 70 to 75 cash(4½d.). North of Kyöng-söng the small demand for foreign goods is supplied from the Wladiwostock[Wladiwostok의 오타 | 필자] market."

에서 생산되는 면화라는 점을 지적하였다. 아울러 면화의 소비시장이 북청을 거쳐서 함경도 북부 경성과 압록강 국경지대까지 광범위하게 형성되어 있다는 점을 밝히고 있다. 조선인들에게 영국산 면화가 인기가 있음을 보여주고 있는 것이라 할 수 있다.

그런데 캠벨은 그레이 셔츠가 육로 운송 과정에서 가격이 상승하고 있으며, 경성 이북지역에서는 블라디보스토크에서 들여오는 수입품이 원산에서 수입하는 품목을 대체하고 있다고 지적하였다. 캠벨이 북부 지역을 여행할 당시에는 조선과 러시아가 육로통상장정을 체결하고 경흥을 개방한 직후였다. 조러장정의 효과가 발생하고 있음을 보여준 것이다. 즉 영국의 우려가 현실화되는 듯한 보고일 수 있던 것이다.

하지만 캠벨은 원산의 현지 상인들로부터 경흥이 러시아 상인에게는 시장으로 가치가 매우 떨어진다는 의견을 확보하였다.[31] 그 결과 캠벨은 다음과 같은 결론에 도달하였다.

> 모든 설명을 종합해 보면, 육로를 통한 무역은 현재 상태 아래에서는 크게 중요함을 얻을 수 없다는 것이 명백하게 확실해졌습니다. 블라디보스토크에서 140마일 육로로 이동한 이후에 경흥에 도착한 상품들은 경흥에서 무역을 유리하게 하기 위해서 (개항장보다 | 인용자) 관세율을 낮추었음에도 불구하고 원산 부두에 하역한 동일한 종류의 상품과 거의 동일한 가격을 형성할 수 없어 보입니다. 그러므로 러시아 상업에 그 지역을 개방한 것은 두만강 유역 지역으로 제한됩니다. 그리고

31) 위 사료, p.1. "The information gathered at Wŏn-san with regard to the trade at Kyŏng-heung also confirms the general opinion respecting the worthlessness of this mart as an outlet for Russian commerce."

본인이 이미 서술하였지만, 그 지역에서 약 150마일 이남 지역은 조선인들이 평가하기에도 가난한 지역입니다. …… 그 곳의 상업상 중요성은 굉장히 미약합니다.[32)]

캠벨은 조선과 러시아의 국경 무역이 경흥 일대에 국한될 것이며, 경흥 일대는 경제적으로 발전이 더딘 지역이라는 점을 지적하였다. 아울러 원산 항구를 통해 수입되는 상품이 육로를 통해 경흥으로 들어오는 상품보다 관세가 높게 부과됨에도 불구하고 가격 경쟁력이 있다는 점을 부각시켰다. 즉 조선과 러시아의 육로 무역이 개항장에서 이루어지는 무역을 쇠퇴시키지 않으며, 그 영향은 경흥 일대의 변경 지역에 제한적으로 적용되고 있다는 점을 분명히 밝힌 것이다.[33)]

칼스와 캠벨은 조청·조러 국경 무역이 영국 상인들에게 손해를 끼치지 않는다고 확인하였다. 오히려 개항장 무역이 전통적인 조청 국경무역을 침체시키고 있으며, 조러장정의 영향력이 경흥을 중심으

32) 위 사료, p.20. "From all accounts, it is fairly certain that the trade by this overland route cannot attain much importance under present conditions. Goods deposited at Kyöng-heung, after a land journey of 140 miles from Wladiwostock[Wladiwostok의 오타 | 필자] are hardly likely to be on an equal footing with the same class of goods, discharged on the jetty at Won-san, notwithstanding the per cent, reduction of duty in favour of Kyöng-heung. The area open to Russian commerce is, therefore, confined to the basin of the Tumep and the country southward for some 150 miles, all of which, as I have already stated, is poor even in Corean estimation. …… Its commercial importance is of the slightest."

33) 캠벨의 여행 직후, 총영사 힐리어는 블라디보스토크에서 무역업에 종사하는 영국 상인으로부터 조러육로장정이 개항장 무역 침체를 가져올 위험이 없으며, 블라디보스토크 시장은 청국과 육로 무역이 차지하는 비중이 크다는 점을 확인하였다. Hillier to Walsham, Soul, January 23, 1890(Received February 19), No.2, Confidential, FO 228/88.

로 한 변경지역에 국한되었다는 점을 확인할 수 있었다. 영국은 청과 러시아를 자극하면서까지 외교적 간섭을 통해서 조청·조러장정을 균점해야 할 이유가 없었던 것이다. 그런 이유로 칼스와 캠벨의 조사 이후에 영국은 조선에 조청장정과 조러장정의 균점을 더 이상 요구하지 않았다.

그런데 칼스와 캠벨은 의주와 백두산에서 왔던 길을 되돌아가지 않았다. 칼스는 내륙 지역을 관통해서 함흥, 원산에 이르렀다. 캠벨은 백두산에서 원산까지는 갔던 길을 되돌아갔지만, 원산에서 그는 평양으로 방향을 돌렸다. 그들은 조선 북부 내륙 지역까지 여행을 이어갔던 것이다. 그들의 여정을 이끌었던 것은 무엇일까?

칼스는 조선 북부 지역을 천주교 선교사의 밀입국을 제외하고는 유럽인들이 거의 방문하지 않은 '매력적인(attractions)' 지역으로 설명하였다.[34] 캠벨은 북부 지역을 상업적 전망이 있는 '신개척지(terra incognita)'로 규정하였다.[35] 그들은 누가 조선 북부 지역을 매력적이며 상업적 전망이 있는 신개척지로 볼 것인가를 이야기한 적은 없다. 하지만 그들이 작성한 여행기의 독자를 보노라면 그 대상이 영국인이라는 점은 예상하기란 어렵지 않다. 조선에서 영국인의 상업적 이익을 고려한 전망이었던 것이다. 그렇다면 그 상업적 이익의 실체는 무엇이었는가? 바로 풍문으로만 전해오던 광물 자원, 그 중에서도 금광이었다.

---

34) W. R. Carles, Life in Korea, Macmillan, 1888, p.132. "Added to these attractions was the prospect of very varied shooting, and the certainty of exploring country which, through two-thirds of the route, had hitherto been unvisited by Europeans, except perhaps by a Roman Catholic priest in disguise."

35) *Report by Mr. C. W. Campbell of a journey in North Corea(1889)*, p.1.

3. 금광 개발의 '신개척지'로 부상

1) 북부 지역 금광 개발 실태 조사

19세기 후반 조선은 광물 자원이 많은 국가로 알려져 있었다. 영국도 조선에 광물 자원이 풍부하다는 소문을 접하였다.[36] 이에 제2차 조영조약 체결을 위해서 서울에 도착했던 영국 측 전권대신 파크스는 수행원이었던 칼스에게 광물 자원을 조사할 것을 명령하였다. 칼스는 조선 정부가 자딘메디슨사(Jardine, Matheson, and Co.; 怡和洋行)와 함께 진행하였던 광물 자원 조사에 참여하였다.[37] 그리고 칼스는 1884년 1월에 본국 외무부에 조사 보고서를 제출하였다.

칼스는 조사 보고서에 광물자원의 종류, 매장지역 등을 기록하였다. 뿐만 아니라 그는 조선의 광물 자원 개발의 필요성을 다음과 같이 설명하였다.

---

36) 영국외교관들이 조선의 광물 자원에 대해 접했던 정보는 아래와 같다. 먼저 1875년 11월에 주일 영국공사관 서기관 플런켓(F. R. Plunkett)은 조선과의 교섭을 담당했던 모리야마 시게루[森山茂]로부터 조선에 광물자원이 풍부하다는 정보를 입수하였다(Plunkett to Derby, Yedo, December 13, 1875, No.3. FO 410/15) 1881년 10월에 주미 영국대사 드러먼드(Drummond)는 미국과 러시아가 청과 일본의 중재로 조선과 조약 체결을 희망한다는 소문을 전하면서, 조선을 '막대한 광물 자원(enormous mineral wealth)'이 있을 것으로 추정되는 '신비에 싸인 국가(mysterious country)'로 묘사하였다(Drummond to Granville, Washington, October 22, 1881, No.53, FO 881/4593). 한편 1883년 4월에 파크스는 청국인 당경성(唐景星)과 함께 광산 조사를 수행한 조선 관리가 기록한 보고서를 입수하기도 하였다(Parkes to Granville, Tokio, April 7, 1883, No.82, FO 405/33).

37) 자딘메디슨사의 광산 진출에 관해서는 아래 논문 참조. 李培鎔, 앞의 논문, 185~186쪽.

> 지금과 같은 환경 아래에서 외국 상인들이 조선의 일부 생산품을 구매하지 않는다면 조선에 상품을 수입하는 것은 소용없는 일입니다. 왜냐하면 조선 밖에서는 조선의 화폐 다발이 크게 소용이 없을 것이기 때문입니다. 그러나 특별히 조선의 광물 자원이 상당하다면, 무역을 증진하기 위해서 효과적으로 조선의 수출은 몇 년 사이에 발전할 가능성이 꽤 있습니다.[38)]

칼스는 조선의 화폐와 상품 모두 가치가 없다는 점을 들었다. 조선과 통상조약을 체결해도 영국 상인이 조선에서 이익을 창출할 수 없다는 점을 밝힌 것이다. 하지만 칼스는 조선을 경제적 가치가 없는 지역으로만 두지 않았다. 영국이 조선에서 상업적 이익을 창출하기 위한 방안으로 광물 자원의 활용을 주장한 것이다.

그런데 칼스는 자신의 보고서가 자딘메디슨사의 이익을 대변하고 있음을 고백하였다. 나아가 본국 외무부에 조선을 다시 한 번 여행가고 싶다는 의향을 전달하였다.[39)] 칼스는 영국의 상업적 이익이라는 보편적인 관점에서 조선의 광물 자원을 조사해야 한다는 당위성을 밝혔던 것이다.[40)]

---

38) "*Report on the Mineral Resources of North Corea*", Consul Hughes to Earl Granville, Shanghae, January 30, 1884. No.73, FO 405/33, "Under these circumstances, it is of no use for foreign merchants to import goods, unless they wish to pay with them for some product of the country, for a cargo of cash would be of little use outside of Corea. It is quite possible, however, that the exports of the country may in a few years time develop sufficiently to make trade attractive, especially if its mineral wealth is considerable."

39) 위 사료, "As the disclosure of some of the facts therein reported might prove prejudicial to the interests of Messrs. Jardine, Matheson, and Co., to whom I am indebted for the opportunity of travelling in the country ……."

40) 이는 비단 칼스만의 견해가 아니었다. 제1차 조영조약 체결 당시 영국 전권대

영국 외무부 장관 그렌빌은 칼스의 건의를 수용하였다. 그렌빌은 파크스를 통해서 칼스에게 조선 북부 지역의 광물 현황을 조사할 것을 지시하였다.[41] 이상과 같이 칼스의 북부 지역 여행은 조약 체결 직후 영국의 상업적 이익을 조선으로 확장하려는 목적에서 추진되었던 것이다.

칼스는 1884년 9~10월에 조선 북부 지역을 여행하면서 본격적으로 광물 자원을 조사하였다. 그는 일차적으로 북부 지역의 광물 자원이 매장되어 있는 지역을 조사하였다. 광물 자원의 현황 파악을 시도한 것이다. 하지만 그는 자원의 분포 자체에만 조사하는데 그치지 않았다. 평양 인근의 철광석 광산의 경우 규모가 크며, 대동강을 통해서 서해안으로 나아가갈 수 있다고 서술하였다.[42] 평안도 개천의 철광석 광산과 관련해서는 강가에 인접해 있지만, 인근 지역에 석탄이 매장되어 있지 않다고 서술하였다.[43]

칼스는 함경도 장진에서 북쪽으로 30리 떨어진 지역에는 상당량의 은이 매장되어 있지만, 채굴 부진으로 현재는 주로 납을 채굴하고 있다고 소개하였다.[44] 평안도 강계에서는 조선 최고 품질을 자랑했던 구리가 더 이상 나오지 않지만, 강계 인근 지역의 구리세공은 여전히 전국에서 유명하다는 설명을 덧붙이기도 하였다.[45] 이러한 설명 방식

사였던 윌레스(G. O. Willes) 해군제독은 조선에 근무하는 유럽인 세관원과 면담하였다. 그 자리에서 세관원들은 조선에서 외국 상인의 무역 활동을 증진시킬 수 있는 유일한 대안으로 조선의 광물 자원 개발을 지적하였다. Willes to the Secretary to the Admiralty, "Audacious" at Poisette Bay, August 31, 1883, Inclosure in No.185, FO 405/33.

41) Parkes to Aston, Tientsin, May 18, 1884, No.9, FO 228/749.

42) *Report of a journey by Carles in the north of Corea(1884),* p.7.

43) 위 사료, p.9.

44) 위 사료, p.23.

을 통해서 칼스는 북부 지역에서 생산되는 광물 자원의 과거와 현재, 그리고 가공, 운송에 이르는 전 과정을 입체적으로 조사하였던 것이다.

칼스의 조사에서 빠질 수 없는 광물은 금이었다. 금은 무역의 결제 수단이자 조선의 주요 수출품 중 하나였기 때문이다. 영국 상인의 무역 증진을 위해서는 반드시 조사해야 할 광물 자원이었던 것이다. 이에 칼스는 조선 북부 지역에 산재해 있는 사금 채취 현황을 집중적으로 조사하였다. 그런데 칼스는 조선에서 사금 채취 과정을 다음과 같이 설명하였다.

> 금을 채취하는 시스템은 독특합니다. 국왕으로부터 먼저 허가를 받아야 하며, 때로는 상인에게 (허가권이 | 인용자) 팔리며, 때로는 관리들에게 그 권리가 주어집니다. 장진 부사는 개인의 손실액을 보존하거나 부임하기 얼마 전에 소실된 관아를 다시 짓기 위한 목적으로 그의 지역에서 약간의 금을 채굴하는 것을 허가받았습니다. 허가가 승인되면, 10명에서 30명 정도로 구성된 조(組)는 채굴에 관한 특권에 대한 대가로 일인당 한 달에 1온스를 지불하는데 약속합니다. 그러므로 그(부사, 상인 | 인용자)는 조에 소속된 사람 명수에 의해서 규정됩니다. 그리고 금이 계속해서 발견되는 한, 그(부사, 상인 | 인용자)는 매우 정기적으로 보수를 받게 됩니다. 그러나 그들의 이익이 노동의 가치에 미치지 못하게 되면, 그들은 몰래 떠나게 되고 확실하게 점유하였지만 소득이 없었던 사금 채취현장에는 특허를 받는 사람만 남게 됩니다.[46]

---

45) 위 사료, p.22.

46) 위 사료, p.28. "The system under which gold is worked is peculiar. Permission has first to be obtained from the King, and is sometimes sold to merchants, sometimes granted to officials : the magistrate of Chang-jin had recently applied for permission to work some gold mines in his district, in order to recoup himself or the expenditure

칼스는 조선의 사금 채취 과정을 독특하다고 보았다. 그런데 그는 독특한 이유를 논리적으로 설명하지 않았다. 그가 보고 들었던 사금 채취 허가부터 채굴에 이르는 과정을 기록해 두었을 뿐이다. 그렇다면 그가 이야기한 '독특'함은 어떠한 기준에서 나온 것인가? '독특'함은 칼스의 여행기를 읽는 독자인 영국인의 시선, 즉 영국의 광물자원 개발과의 비교에서 나온 것이었다.

먼저 칼스는 사금을 채취하려면 고종의 허가를 받아야 한다고 지적하였다. 당시 광산사무는 통리군국사무아문에서 주관했으며, 각 감영에서 광산 개발을 실시하였다.[47] 하지만 칼스는 광산 개발의 최종 결정권자가 고종이며, 고종이 상인들에게 금광 채굴 허가권을 판매한다는 점을 밝혔다. 지주나 탄광기업이 탄광의 소유자로 경영 및 임대를 주도하는 영국과는 달랐던 것이다.[48]

그런 관점에서 고종이 지방 관리에게 금광 채굴을 허가하는 제도는 영국인 칼스에게는 이해할 수 없었던 조치였다. 고종으로부터 사금 채취의 허가를 받은 지방 관리는 채취의 수익금을 관헌의 경비를 조달하거나, 본인의 개인 손실액을 만회하는데 사용하였기 때문이다. 더욱이 칼스는 서울에서 임명되는 지방 관헌의 책임자들이 부임지에 대해 아는 바가 없으며, 임기도 3년을 넘지 않는데다가 임기

---

entailed by rebuilding, his yamen, which had been burnt down a short time before his arrival at his post. When a permit has been granted gangs of men, numbering from ten to thirty, undertake to pay the licensee an ounce a-month per gang for the privilege of working. His income therefore is regulated by the number of gangs engaged, and, so long as gold continues to be found, he is paid very regularly ; but if their gains fall below the value of their labour the men decamp, and leave the licensee in undisturbed possession of his barren gold-bed."

47) 이배용, 앞의 논문, 74~76쪽.

48) 영국의 석탄산업에 관해서는 다음 저서 참조. 김종현, 『영국산업혁명의 재조명』, 서울대학교 출판부, 2006, 219~251쪽.

대부분을 가족이 생활하는 서울을 오가는데 소비한다고 혹평하였다. 나아가 자신의 부임지에 사는 백성들에 대한 이해가 부족하기에, 그들은 어떠한 개혁도 추진할 수 없는 걸림돌일 뿐이라고 단정하기도 하였다.[49] 즉, 칼스는 지방 관헌의 책임자들에게 부여되는 사금 채취의 허가증이 지방의 발전에 아무런 도움이 되지 않는 점을 은연중에 강조하였던 것이다.

다음으로 칼스가 주목한 바는 사금 경영이었다. 칼스는 고종이 상인에게 광산 개발을 허가해 주면, 상인은 10~30명의 광산 노동자로 구성된 조(組)에 금광 채굴에 관한 면허를 부여한다고 보았다. 칼스는 비록 덕대를 언급하지 않았지만, 그가 지칭한 상인은 사실상 물주였다. 칼스가 광산 노동자들로 구성된 '조'를 언급한 점에서 미루어 볼 때, 조를 대표하는 덕대의 존재 또한 추측이 가능하다. 나아가 칼스는 물주로부터 면허를 받은 광산노동자들은 매달 분철(分鐵)을 물주에게 납부한다고 밝히기도 하였다. 즉, 칼스는 조선의 덕대제를 서술하였던 것이다.

그렇다면 영국인 칼스의 시선에서 조선의 덕대제는 어떻게 비춰졌을까? 사실 이 문제는 조선의 광업 발전에 대한 평가와 연결되는 부분이기에 조심스러운 측면이 존재한다. 산업혁명을 달성한 영국을 기준으로 할 경우, 조선의 덕대제를 자본주의의 미성숙의 단계로

49) 앞의 사료, p.30. "It is true, however, that Corean officials are very ignorant of the places in which they hold posts. Their tenure of office is only for three years, and a large portion of that time is spent in frequent journeys to the capital, where as a rule their families reside, and in which alone they find any society among men of their own rank in life. …… This frequent change of office naturally entails a lack of interest in the people governed, and prevents the completion of any reforms which an active magistrate may desire to introduce." It is, however, only one among many defects.

치부할 우려가 있기 때문이다.

그런데 칼스가 조선의 금광 개발과 관련해서 다음의 내용을 주목해야 한다고 밝혔다.

> 금년 외국인들에 의해서 서울에서 120리 떨어진 만세교에서 사금채취를 위한 조사가 수행 중에 있으며, 그들이 (조사에 대한 | 필자) 보답으로 고종으로부터 언제든지 사금채취를 할 수 있도록 허가해 주겠다는 약속을 받았다는 점은 주목할 가치가 있습니다.[50]

만세교에서 사금 조사 및 채굴을 약속받은 회사는 자딘메디슨사였다. 사실 자딘메디슨사는 1883년 7월에 외아문 협판 묄렌도르프와 계약을 맺었었다. 고종으로부터 허가권을 받았다는 칼스의 설명과는 배치되는 설명이다. 그럼에도 불구하고 칼스는 최종 결정권자를 고종으로 파악하였다. 나아가 고종으로부터 허가권을 획득한다면, 외국 회사가 조선에서 사금 채취 사업에 진출할 수 있다고 보았다. 외국 자본에 의한 사금 채취 가능성을 열어 둔 것이다.

하지만 이후 갑신정변을 전후로 자딘메디슨사는 만세교 등에서 더 이상 사금 채취 사업을 전개해 가지 못하였다. 조선 정부와 자딘메시슨사 간에 배상 관련 논쟁만이 오고 갔을 뿐이었다. 그런데 서구에 의한 조선 북부 지역의 사금 개발을 다시금 거론한 이가 있었다. 바로 캠벨이었다.

---

50) 위 사료, p.29. "It is worthy of notice, however, that the gold-washings at Mansitari, 120 li from Soul, have been tested this year by foreigners, and promise to be remunerative whenever permission to work them is granted by the King."

2) 서구 주도의 금광 개발 필요성 제기

1889년 9월, 캠벨은 조선 북부 지역으로 출발하였다. 캠벨은 칼스의 경우처럼 본국에서 조선의 광물 자원을 조사하라는 명령을 받지는 않았다. 하지만 총영사 힐리어(W. C. Hillier)는 캠벨의 여행기가 갖는 의의로 광물 자원 조사를 들었다.[51] 영국은 여전히 조선 북부 지역의 광물 자원에 대한 관심이 가득하였던 것이다.

캠벨이 주목한 바는 정부의 역할이었다.[52] 캠벨은 정부 당국이 사금 현황 조사 및 채취 허가를 담당할 뿐 아니라, 채취과정을 엄격하게 관리한다고 지적하였다.[53] 사금 조사에서부터 채취까지의 전 과정이 정부의 통제 아래 이루어지고 있음을 밝힌 것이다. 그렇다면 캠벨은 정부의 역할을 어떻게 평가하였을까? 그는 조선 정부의 통제 정책에 비판적이었다.

> 정부의 금지가 틀림없이 민간 기업에게 영향을 끼쳤습니다. 그리고 관리의 후원 아래 시작하는 사금 채취는 대부분의 조선인들이 봐주기를 청하는 그들의 권력자들과의 상당한 교류에 달려있습니다.[54]

---

51) Hiller to Walsham, Soul, December 23, 1890, No.45, Confidential, FO 228/888.

52) 이배용, 『구한말 광산이권』, 6~18쪽 ; 이와 관련해서 칼스는 사금 채취를 허가해 주는 최종 결정권자를 고종으로 지목한 바가 있다. 그런데 캠벨이 여행을 다녔던 1889년은 통리군국사무아문의 광무국(鑛務局)에서 공식적으로 광산 업무 및 징세를 담당하였던 시기였다. 이에 캠벨도 고종보다는 '정부(government)'의 행위로 광산 정책을 서술하였다.

53) 앞의 사료, p.22.

54) 위 사료, p.24. "No doubt the Government prohibition has its effect on private enterprise, and a gold washing opened under official auspices entails an amount of intercourse with their Rulers that most Koreans would beg to be excused."

캠벨은 조선 정부가 사금 채취를 허가하는 기준이 권력자들과의 친밀도 유무에 달려 있다고 지적하였다. 지배층과 결탁한 물주들에게만 허가증이 나온다는 점을 지적한 것이다. 캠벨은 조선 정부의 엄격한 통제 정책이 오히려 권력 유착을 불러왔다고 보았다. 그리고 권력 유착의 결과로 대부분의 조선인들이 사금 개발에 대한 의욕도 없이 담배나 피면서 하루하루를 게으르게 사는 존재가 되었다고 지적하였던 것이다.

그렇다면 사금 채취의 허가 과정에서 발생하는 권력 유착의 가장 큰 피해자는 누구였을까? 캠벨은 광산 노동자의 현실에 주목하였다.

> (조선 정부는 | 인용자) 광산에서 일하는 광부 개인에게서 달마다 거두어들이는 무거운 수수료에서 국고 세입을 취하는데, 구식의 광산 허가권 제도는 산출량에서 너무나 많은 폐해를 야기시킵니다. 현 상황에서 허가권의 수수료는 지역마다 혹은 감독하는 관리의 변덕에 따라 다릅니다. 그리고 광산 노동자들 사이에서 쟁의가 종종 발생합니다. 이것들이 심각한 양상을 보일 경우, 정부 당국자들은 광산을 폐쇄하고(이를 통해서 인근 지역에 상당한 불이익을 끼치게 함) 가장 부당한 대우를 받은 사람들 몇몇을 처형하고, 그리고 봉기를 불러온 장본인에는 도망가게 허락하거나 가벼운 처벌을 내림으로써 동양의 정치기술이라는 신념을 즉시 보여줍니다.[55]

---

55) 위 사료, pp.22~23. "The public revenue is derived from a heavy fee paid monthly by each miner while at work, the old system of a royalty on the output being much too productive of disturbances. As it is, the licensing fees vary with the locality, or the caprice of the superintending officer, and revolts among the miners constantly occur. Whenever these assume a serious character, the authorities at once display an Oriental conception of the art of government, by closing the mines (thereby doing a cruel injustice to the neighbourhood), executing a few of the individuals who were

캠벨은 정부 당국이 광산 노동자 개개인에게 수수료 명목으로 막대한 세금을 거두어들이는 현상을 목격하였다. 물주로부터 허가권을 판매하는 것과는 별도의 수수료였던 것이다. 게다가 광산 노동자들이 수수료로 지불하는 금액 또한 천차만별이었다. 정부의 통제가 일관성이 없으며, 나아가 관리의 부정부패 가능성을 추론할 수 있는 대목이었다.

다음으로 캠벨은 정부 당국자가 노동자 쟁의를 해결하는 방식도 부정적으로 보았다. 캠벨의 눈에 비친 정부 당국자는 쟁의 발생의 근원을 바로 잡는 존재가 아니었다. 그들은 지역의 상황을 고려하지 않고 무조건 광산을 폐쇄하며, 쟁의를 일으킨 노동자를 처벌하는데 앞장서는 존재에 불과하였다.

캠벨의 눈에 비친 광산 노동자들의 삶은 열악하였다. 사금 채취현장에서 일하는 노동자들은 빈번한 도구조차 없는 상황에서 노동 강도는 셌으며, 노동 강도에 비해서 거두어들이는 사금 생산량은 기대에 미치지 못하였다. 뿐만 아니라 금 생산량과 상관없이 노동자들은 매달 관찰부와 관헌에 일정량의 세금과 수수료를 지불해야 했다. 게다가 광산 노동자들을 바라보는 사회적 시선은 차가웠다.

> 금을 채굴하는 사람(광산 노동자)은 사나운 부류의 모험가로서 경멸을 받는데, 그들은 힘든 일을 함에도 불구하고 언제나 가난합니다. "그는 금을 채굴합니다"라는 말은 "글쎄요. 왜 그는 부자가 아닙니까?"라는 경멸스러운 표현입니다.[56]

probably most deeply wronged, and permitting the prime authors to escape wholly or with slight punishment."

56) 위 사료, p.23. "Besides, the gold-digger is held in contempt as a turbulent sort

여기서 '광부'는 사금 채취 이외에는 대안이 없었던 이들의 굴곡진 인생에 대한 경멸의 표현이었다. 캠벨은 위 서술을 통해서 조선에서 광부가 천대를 받는 계층이라는 점을 부각시켰던 것이다. 결국 캠벨이 관찰한 조선 북부 지역의 사금 채취 현장은 동양의 오래된 통치체제가 관철되는 공간이었으며, 그 공간 안에서는 지배층, 지배층과 결탁한 물주, 그리고 착취와 천대를 받으면서 가난의 굴레를 벗어날 수 없는 광부들만 존재하였던 것이다.

이상과 같이 캠벨은 조선 북부 지역의 사금 개발을 부정적으로 평가하였다. 그렇다면 부정적인 평가 이면에는 정부의 금광 녹점권을 철폐해야 한다는 주장이 담겨있을까? 정부의 독점이 아니라 광산 소유자, 즉 지주나 회사들이 채굴을 주도하는 영국식 경영을 조선에서 실현해야 한다는 뜻이 있었을까?

캠벨은 이와 관련해서 뚜렷한 전망을 제시하지는 않았다. 다만 캠벨이 여행을 출발하기 직전 상황을 주목할 필요가 있다. 1889년 초, 조선 정부는 미국인 알렌의 추천을 받아서 5명의 광산 기술자와 분쇄기계를 도입하였다. 조선 정부는 외국의 기술력을 이용해서 광산을 개발하겠다는 의지를 보여준 것이었다. 조선의 사금 채취 도구가 서구에 비해서 현저히 떨어지고, 기술력의 저하가 생산량의 저하를 가져온다는 캠벨의 의견을 보노라면, 조선 정부의 이 같은 결정은 영국 측으로부터 높이 평가받을 만한 사항이었다.

그러나 힐리어는 조선 정부의 미국인 기술자 고용과 기계 도입을 부정적으로 보고하였다. 그 표면적 이유는 조선 정부가 고용한 외국인에게 임금을 재 때 지급하지 못하는 현실에 있었다.[57] 힐리어는

---

of adventurer, who, is always poor in spite of his hard work. "He digs gold", it is scornfully said ; "well, why isn't he rich?"

조선 정부가 재정적인 어려움으로 외국인 고용자에게 임금을 지급하지 못하는 현실을 지적한 것이다.

힐리어는 단순히 임금 체불의 문제만을 지적하지는 않았다. 그는 조선 정부가 광산 기술자의 고용에 관한 전문성도 없으며, 조선 정부가 고용한 미국인 광산 기술자는 조선의 현실에 적합한 전문가가 아니라고 주장하였다.[58] 조선 정부가 아무런 전문성 없이 기술자를 고용했기 때문에, 힐리어는 그들의 주도로 도입한 분쇄 기계 역시 쓸모가 없게 되었으며 그 손실액은 최소 5만 달러에 이른다고 비판하였던 것이다.

힐리어의 비판은 전문성 영역에만 그치지 않았다. 그는 조선 관리들이 사금 채취 사업을 자신들의 사리사욕을 채우는 기회로 활용할 것이라고 주장하였다.[59] 조선 정부는 평양 감사를 통해서 사금 채취 개발을 위한 사업비를 조달하려고 하지만, 평양 감사의 무능으로 이를 달성할 수 없을 것으로 단정짓기도 했다.[60] 즉, 힐리어는 조선 정부가 광산 개발에 대한 전문성, 재정적 뒷받침 없이 성급하게 사금 채취 개발을 추진하였다고 비판한 것이다.

힐리어는 사금 채취 사업이 수익을 창출하려면 적어도 5년은 지나야 한다고 강조하였다. 나아가 힐리어는 다음과 같은 충고를 잊지 않았다.

---

57) Hillier to Walsham, Soul, July 17, 1889(Received August 3, 1889), No.14, FO 228/877.

58) Hilier to Walsham, Soul, November 26, 1889(Received December 4, 1889), No.28, FO 228/877.

59) Hillier to Walsham, Soul, July 17, 1889(Received August 3, 1889), No.14, FO 228/877.

60) Hillier to Walsham, Soul, September 20, 1889(Received October 9, 1889), No.22, FO 228/877.

> 외국 회사에게 (광물 자원 개발) 허가증을 보장해 줄 때까지는 그 국가(조선 | 필자)의 풍부한 지하 광물은 결코 발전하지 않을 것이라는 점이 틀림없습니다. 지금까지 조선 당국자들은 꾸준히 외국인에게 (광물 자원 개발 허가증 | 필자)을 양도하는 것을 결사반대를 해 왔습니다. 그러나 모든 사업에서 실패가 주는 교훈은 돈을 절실히 필요로 하는 압박과 더해져서, 아마도 곧 외국인들에게 국가를 공개함으로써 그 국가(조선 | 필자) 조선을 위하여 비축한 것이 번창한 미래를 이끌 것입니다.[61]

이와 같이 힐리어는 조선 정부가 외국인에게 사금 채취 개발에 대한 전권을 위임해야 하며, 이것이 조선 정부의 번영에 이바지할 길이라고 밝혔다. 그런 취지에서 보노라면 칼스의 보고서는 조선 정부의 통제 속에서 허가권을 확보한 서구의 회사가 자본력과 기술력을 바탕으로 광물 자원 사업을 주도해야 한다는 점을 각인시켜 주었다. 애초에 지주나 회사가 주도하는 영국식 개발은 염두에 두지 않았던 것이다. 서구 회사나 자본가들은 조선 정부의 특혜 속에서 개발을 통한 이익을 창출할 수 있다는 뜻이었다. 캠벨이 말한 '신개척지'는 조선 정부의 비호를 받는 서구 회사가 금광 개발을 통한 이익을 실현할 수 있는 지역이었던 것이다.

---

61) Hilier to Walsham, Soul, November 26, 1889(Received December 4, 1889), No.28, FO. 228/877. "…… it is certain that the rich mineral resources of the country will never be developed until a charter is granted to a foreign company. So far, the Corean Authorities have steadily set their face against concessions to foreigners, but the lessons they have learnt in the signal failure of every enterprise they have undertaken, combined with the pressing need for money, will probably compel them, sooner or later, to entrust the opening up of the county to foreigners, in which case a prosperous future may be in store for His Government."

4. 맺음말을 대신해서

이 글은 칼스와 캠벨의 조선 북부 지역 여행기가 갖는 경제적 함의를 추적하였다. 그들의 여행기에는 조선인의 일상생활과 각 지역의 지리적 정보가 자세히 담겨져 있다. 이는 조선인들에게는 평범하고 일상으로 보이는 것들이 칼스와 캠벨에게는 새롭게 다가갔기 때문으로 보인다. 그런 이유로 칼스와 캠벨의 조선 북부 지역 여행기는 1880년대 조선 북부 지역에 살았던 사람들의 삶을 복원하고, 각 지역을 역사적으로 재구성하는데 중요한 자료가 될 수 있다.

하지만 칼스와 캠벨은 영국의 경제적 목적을 갖고 조선 북부 지역을 여행하였다. 구체적으로는 조청장정과 조러장정으로 대표되는 육로무역의 균점 여부를 판단하고, 조선의 광물 자원의 현황과 개발 여부를 확인하기 위함이었다. 칼스와 캠벨은 여행을 통해서 조청 육로무역의 침체와 조러 육로무역의 '변경화'를 목격하였다. 그들이 파악한 침체와 '변경화'의 원인은 개항장 무역의 발전에 있었다. 그런 이유로 영국은 더 이상 조선에 육로장정의 균점을 요구하지 않았던 것이다.

칼스와 캠벨은 현장 답사를 통해서 풍문으로 전해오던 광물 자원의 실체를 확인할 수 있었다. 하지만 그들이 여행을 통해서 내린 궁극적인 결론은 광물 자원이 풍부하다는 내용이 아니었다. 칼스와 캠벨의 보고서는 외국 자본에 의해서만 조선의 광물 자원을 개발할 수 있다는 당위성을 제시해 주었다. 광물 자원에 대한 외국의 이권 침탈을 정당화하는 논리를 개발하였던 것이다. 캠벨이 신분제 구조에서 광산 개발에 참여한 조선 백성을 안타깝게 보았던 측면 역시 외국 자본의 진출을 정당화하기 위한 근거에 불과하였던 것이다. 결론적으로,

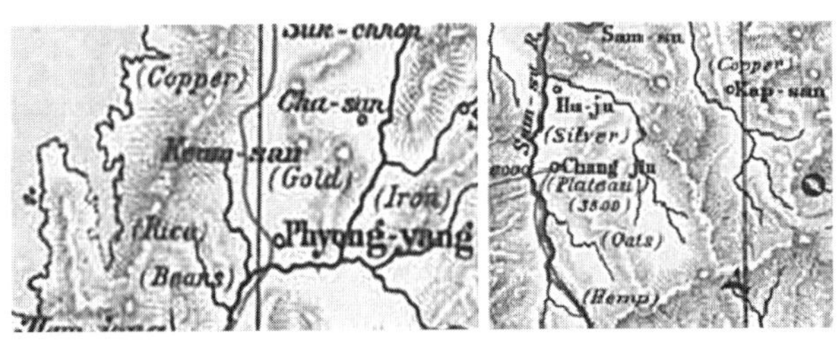

칼스가 제작한 지도의 일부, W. R. Carles, "Recent Journeys in Korea", Proceedings of the Royal Geographical Society and Monthly Record of Geography, Vol. 8, No. 5, May 1886.

칼스와 캠벨의 보고서는 영국의 경제적 확장을 목적으로 추진되었던 것이다.

그렇다면 확장의 결과는 무엇일까? 이와 관련해서는 추후 연구가 필요하기에, 여기서는 단편적인 사실을 언급하는 것으로 마치고자 한다. 칼스는 1886년 1월 25일에 런던의 영국왕립지리학회(Royal Geographical Society)에서 여행기를 발표하였다. 그는 조선의 역사를 간략하게 소개하였다. 조선에 대해 기초적인 지식이 없는 학회원들에게 조선에 대한 이해를 돕기 위함이었다. 조선의 역사를 이야기한 이후 칼스는 조선의 지리적 환경, 조선인들의 생활풍습, 그리고 각 지역의 특징을 설명하였다. 그리고 그는 발표문에 조선 지도를 첨부하였는데, 그 지도에는 조선의 광물자원, 농작물이 표기되어 있었다. 칼스의 발표문과 첨부한 지도에는 장차 조선에서 무역을 하려는 영국 상인들을 위한 기초적 정보가 담겨 있었던 것이다.

칼스가 발표한 지 정확히 5년 뒤인 1892년 1월 25일에는 캠벨이 왕립지리학회에서 발표를 하였다. 발표 주제는 조선 북부 지역 여행이었다. 그런데 캠벨의 발표 후에 이루어진 토론은 예사롭지 않았다. 첫 번째 토론자로 등장한 인물은 영허스번드(F. E. Younghusband)였다. 그는 1886~7년에 베이징에서 출발해 만주를 거쳐서 장백산을 다녀

온 현역 육군 대위였다. 그는 대부분을 자신의 장백산 여행을 설명하는데 할애하였다. 이를 통해 백두산을 온전하게 확인할 수 있는 장을 마련할 수 있었다.

두 번째 토론자는 바로 칼스였다. 그는 캠벨의 여행이 갖는 의의로 영국인이 한 번도 찾지 않은 곳을 두루 다녔다는데 캠벨의 여행이 갖는 의의를 부여하였다. 그런데 칼스는 캠벨이 설명하지 않은 부분을 언급하였다. 바로 바다였다. 칼스는 청, 일본과 비교하였을 때, 조선의 해상 무역은 거의 존재하지 않는다고 혹평하였다. 칼스는 그 원인 중 하나로 조수 간만의 차이가 심한 서해안을 예로 들었다. 동해의 경우는 원산을 제외하고는 항구가 거의 없다고 지적하기도 했다.

마지막 토론자는 베처(Becher)라는 인물이었다. 그는 외교관도 군인도 아니었다. 그의 직업은 광산 기술자였다. 그는 자딘메디슨사 소속으로 1883~1884년에 조선 정부와 함께 광물 자원 조사에 참여한 인물이었다. 그는 현지 조선인 광산업자들의 알력으로 외국계 상업자본의 조선 진출이 어렵다는 사실을 밝혔다.

이상과 같이 영국외교관의 조선 여행기는 제국적 이해를 실행하기 위한 목적으로 외교관 내부 회람용에 머무르지 않고 학계로 확산되었다. 이를 통해 영국은 청과 일본에 비해서 경제적, 전략적 관심도는 떨어졌다손 치더라도, 조선에 대한 정보를 지속적으로 대중에게 알리고 그 정보를 지식화하였다. 조선이 서구에 개항한 지 10년 뒤인 1892년 런던의 왕립지리학회의 발표장은 조선에서 상업적 이익을 확보하고 동아시아에서 헤게모니를 유지하려는 영국의 경제적·전략적 목적을 상징적으로 보여준 공간이었던 것이다.

그렇다 하더라도 칼스와 캠벨의 여행기가 갖는 허전함이 있다.

영국계 회사가 칼스와 캠벨의 여행보고서를 토대로 조선의 광물 자원을 개발하려는 시도를 찾아보기 어렵기 때문이다. 조선 정부가 광물 자원에 관한 이권을 열강에게 본격적으로 부여한 시점은 1896년 아관파천 이후이다. 그리고 영국이 은산 금광의 개발 이권을 획득한 연도는 1900년이다. 이러한 상황만을 놓고 본다면 칼스와 캠벨의 여행기는 '조사'의 차원에 머물렀다고 말할 수 있다.

그런데 잘 알려지지 않은 사실이 있다. 동학농민전쟁이 발발하기 전인 1894년 3월에 조선 정부는 영국의 로스차일드(Rothschild)사와 차관 및 광물 자원과 철도에 관한 계약을 체결하였다.

> 조선 정부는 국가재정이 부족해서 영국 정부의 소개로 영국회사 로스차일드[羅士齊公司]와 약정하여 필요에 따라 금년 3월 30일부터 6개월간 돈을 빌리는 것을 승낙 받고, 그 대신에 철도부설과 광산개발·채굴의 권리를 타국인에게 허락하지 않으며, 또한 타국인으로부터 은화 5만圓 이상의 차입을 허용치 않을 것을 약속하는 것과 아울러 약정기한이 끝나면 다시 6개월을 연장하도록 한다.[62]

이 계약서에 따르면 조선 정부는 로스차일드사로부터 차관을 제공

62) C. T. Gardner to N. R. O'Conor, Soul, August 8, 1894, No.60, FO 228/1042 ; 特命全權公使 大鳥圭介 → 外務大臣 陸奥宗光, 機密第一五五號 本八七, 別紙, 明治二十七年八月七日(1894년 8월 7일), 十. 諸方機密公信往 二, (15) 英韓兩國間ニ暫訂セル募債幷鐵道建造鑛山開採ニ關スル秘密公文發見ノ件, 『駐韓日本公使館記錄』 1권, "大朝鮮督辦交涉通商事務趙 爲發憑事照得前因本國用款支絀債款實繁曾向大英國總領事官嘉□□□商訂借款據答允代我政府向英商羅士齊公司商貸銀兩惟須聲明我政府自本年三月三十日起以六個月爲限除商借羅士齊銀兩外不得再許與他國人訂立建造鐵路及開採礦山之利權亦不得再向他國貸取銀兩在五萬以上者等因爲此發憑爲據須至發憑者."

받는 대신에 광물 개발 및 철도 부설에 대한 독점권을 부여하고 있다. 그리고 은화 5만원 이상의 차관에 대해서는 영국 이외의 타국가의 진출을 막고 있다. 사실상 조선 정부는 영국과 로스차일드에게 차관, 광물 자원 개발, 그리고 철도 부설에 관한 독점적 지위를 부여한 것이다.

조선 정부와 로스차일드사의 계약은 청일전쟁의 여파로 자동으로 폐기되었다. 철도 부설과 관련해서 이 계약을 대신한 것은 조선과 일본의 잠정합동조관이었다. 그렇기에 계약의 전후 과정을 확인하기란 쉽지 않다. 하지만 칼스와 캠벨의 여행기가 세상에 알려지는 과정과 연계해서 로스차일드의 계약을 추적한다면, 이들 여행기가 갖는 의미를 정치적인 측면까지 확대할 수 있을 것으로 기대한다.

참고문헌

1. 사료

『舊韓國外交文書』 13권, 英案 1, 고려대 아세아문제연구소, 1967.

FO : Records created and inherited by the Foreign Office in UK..

FO 228 : Foreign Office : Consulates and Legation, China : General Correspondence, Series I.

FO 405 : Foreign Office : China and Taiwan Confidential Print.

FO 881 : Foreign Office : Confidential Print (Numerical Series)

Corea. No.2 (1885). *Report of a journey by Carles in the north of Corea*, HARRISON AND SONS, April 1885.

China. No.2 (1891). *Report by C. W. Campbell of a journey in North Corea in September and October 1889*, HARRISON AND SONS, May 1891.

고려대 아세아문제연구소 편, 『舊韓國外交文書』 13권, 英案 1, 고려대 아세아문제연구소, 1967.

2. 논문과 저서

Campbell, Charles W, "A Journey Through North Korea to the Ch'ang-pai Shan", *Proceedings of the Royal Geographical Society and Monthly Record of Geography*, Vol.14, No.3, March 1892.

W. R. Carles, "Recent Journeys in Korea", *Proceedings of the Royal Geographical Society and Monthly Record of Geography,* Vol.8, No.5, May 1886.

김현수, 「영국의 외교정책－위대한 고립책(Splendid Isolation Policy)」, 『西洋史論』 43-1, 1994.

김현수, 「19세기 영국 외교정책의 근원－캐닝 외상의 정치·경제·외교관(觀)을 통해 본 대안의 삶」, 『현상과 인식』 25-1, 2001.

메리 루이스 프렛, 김남혁 옮김, 『제국의 시선, 여행기와 문화횡단』, 현실문화,

2015(Mary Louise Pratt, *Imperial Eyes: Travel Writing and Transculturation, 2nd Edition,* Routledge, 2007).

李培鎔, 「舊韓末 英國의 金鑛利權 獲得에 대한 諸問題」, 『역사학보』 96, 1982.

이영석, 「19세기 말 영국 지식인과 동아시아－유럽중심적 시각의 층위－」, 『대구사학』 95, 2009.

정희선, 이명희, 송현숙, 김희순, 「19세기 말 영국 외교관 칼스(W. R. Carles)가 수집한 한반도 지역정보의 분석」, 『문화역사지리』 28-2, 2016.

Jo Yoong-hee, "Joseon and Her People Shown in the Travel Report of Campbell in the Late 19th Century", *The Review of Korean Studies*, 11-1, March 2008.

한동훈, 「조러육로통상장정(1888) 체결을 둘러싼 조·청·러 삼국의 협상과정 연구」, 『역사와 현실』 85, 2012.

한승훈, 「조선의 불평등조약체체 편입에 관여한 영국외교관의 활동과 그 의의(1882~1884)」, 『한국근현대사연구』 52, 2010.

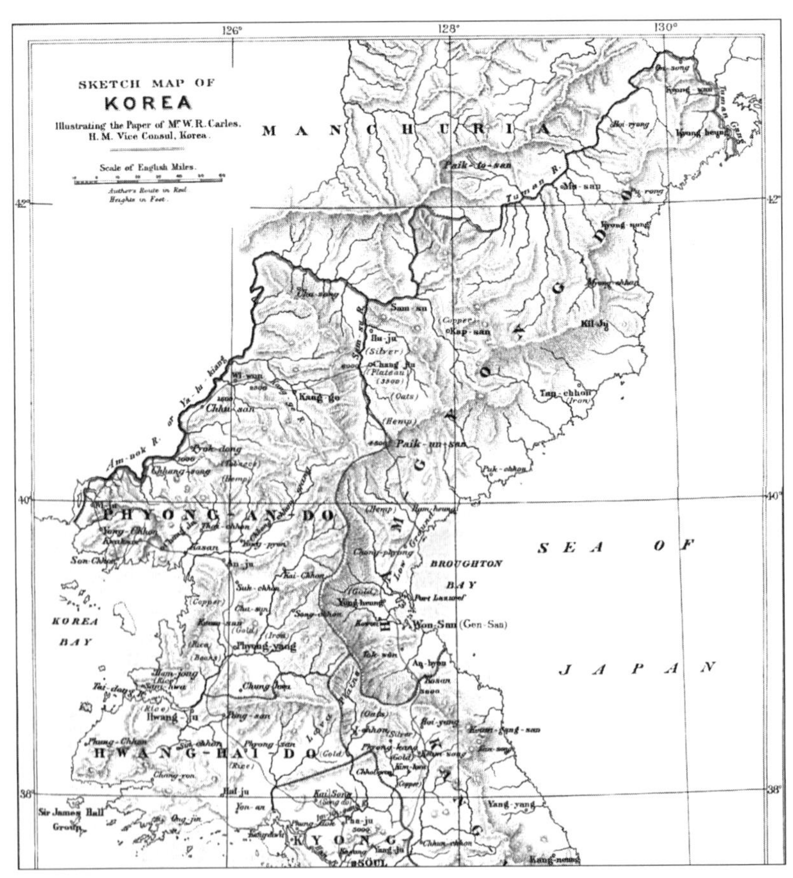

<부록 1> 칼스의 조선 북부 지역 여행 경로. W. R. Carles, "Recent Journeys in Korea", Proceedings of the Royal Geographical Society and Monthly Record of Geography, Vol.8, No.5, May 1886.

* 잡지에는 지도가 3장으로 나뉘어 게재되었다. 여기서는 독자의 편의를 위해서 1장으로 편집하였음을 밝혀두는 바이다.

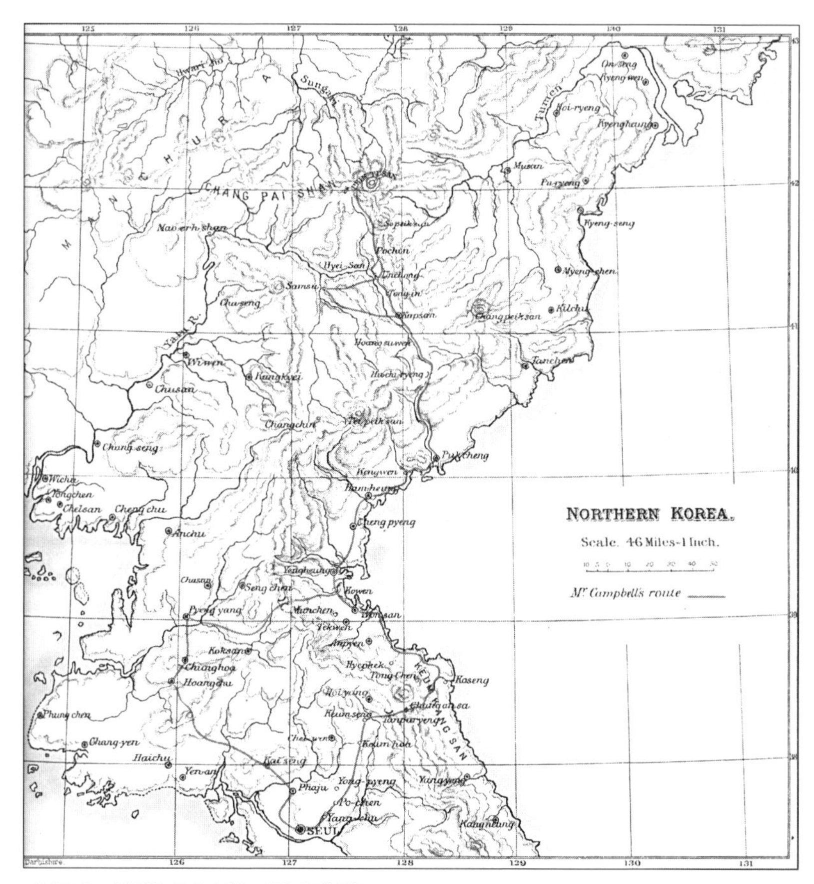

<부록 2> 캠벨의 조선 북부 지역 여행 경로. Campbell, Charles W, "A Journey Through North Korea to the Ch'ang-pai Shan", Proceedings of the Royal Geographical Society and Monthly Record of Geography, Vol.14, No.3, March 1892.

* 잡지에는 지도가 2장으로 나뉘어 게재되었다. 여기서는 독자의 편의를 위해서 1장으로 편집하였음을 밝혀두는 바이다.

3부

제국과 변경의 기억

‘대봉민국(大封民國)’과 ‘백국(白國)’*

남조(南詔)·대리(大理) 시기 ‘운남사(雲南史)’ 서술과 자기인식

정 면

1. 머리말

이 글에서는 남조국(南詔國)과 대리국(大理國) 시기 ‘운남’에 살았던 사람들이 서술한 ‘역사’ 속에서 스스로의 나라를 부른 ‘이름’들을 검토하고, 그 역사적 배경을 살펴보고자 한다. ‘대봉민국(大封民國)’과 ‘백국(白國)’은 『南詔圖傳』과 『紀古滇說集』 두 자료에서 운남성(雲南省) 대리(大理) 지역 사람들이 스스로를 지칭한 이름이다. 그리고 ‘전민(滇民)’은 『紀古滇說集』에서 그 저자 장도종(張道宗)이 스스로의 귀속을 밝힌 명칭이다. ‘전(滇)’은 『史記』 「西南夷列傳」에 등장하는 전국(滇國) 시기부터 현재의 곤명(昆明) 지역을 지칭하는 명칭으로 사용되었으며, 특히 명제국과 청제국 시기에는 운남성의 별칭으로 사용되기도

* 이 글은 「‘大封民國’과 ‘白國’ : 南詔·大理 시기 ‘雲南史’ 서술과 자기인식」(『서강인문논총』 45, 2016)을 수정 보완한 것이다.

하였다. 이들 이름과 그 개념 범주에 대한 추적은 운남 지역 고대사의 귀속 문제나 그 전개 과정을 이해하는 데 중요한 단서가 되리라 기대한다.

이 문제와 관련하여 여기에서 주로 다룰 자료는 남조 말기인 898년에 작성된 것으로 알려진 『南詔圖傳』과 대리국 멸망 직후인 1265년에 저술된 것으로 믿어지는 『紀古滇說集』이다. 둘 다 통상적 의미의 역사책이라고 말하기는 어렵다. 그러나 중국 측 기록만으로는 알 수 없는 내용들을 많이 포함하고 있다는 점에서 남조국과 대리국의 역사 이해에 많은 도움이 된다. 그리고 '운남인' 즉 남조국과 대리국 사람들에 의해 만들어졌다는 점에서, 또 명(明) 제국과 청(淸) 제국 시기 왕성해지는 '운남사' 서술에 대한 이해에 단초를 제공한다는 점에서 매우 귀중한 자료이기도 하다.

『南詔圖傳』은 「文字卷」과 「圖卷」으로 구성되어 있다. 「文字卷」은 말 그대로 사건들을 설명하는 문장으로 이루어져 있으며, 「圖卷」은 그림과 그에 대한 간단한 설명들로 채워져 있다. 그 내용은 아차야관음(阿嵯耶觀音)이 범승(梵僧)과 노인의 모습으로 변신하여, 몽씨(蒙氏)의 남조국 건국을 돕고 대리 이해(洱海) 지역을 교화하는 이야기들, 그리고 중요한 순간마다 남조국과 그 지배 집단을 보우하는 이야기들로 채워져 있다. 즉, 제1화 ＜서조(瑞兆)＞, 제2화 ＜범승이 나타나다＞, 제3화 ＜범승, 예언을 하다＞, 제4화 ＜범승, 궁석촌(窮石村)에 나타나다＞, 제5화 ＜범승이 왕락(王樂)을 항복시켜, 각지 수령의 예배를 받다＞, 제6화 ＜범승, 관음상을 남기다＞, 제7화 ＜마가라차(摩訶羅嵯)가 관음상을 얻다＞ 등의 일곱 부분으로 구성되어 있다.[1)]

---

1) 李霖燦, 『南詔大理國新資料的綜合研究(中央研究院民族研究院專刊之九)』, 臺北: 大陸雜誌社, 1967, 41~43쪽 ; 立石謙次, 『雲南大理白族の歷史ものがたり－南詔國の

아차야 관음의 현신인 범승이 이 이야기의 주인공으로, 역사책이라기보다는 신화 혹은 전설 모음집에 가깝다.

『紀古滇說集』은 남조국 시기의 내용만 담고 있는 『南詔圖傳』과 달리 투박하나마 통사적 구조를 가지고 있다. 이 문헌이 작성된 것으로 알려진 1265년은 대리국(大理國)이 쿠빌라이의 몽골군에게 항복한 1253년으로부터 불과 12년이 지난 시점이고, 주지하듯이 이후 대리국의 지배 집단은 몽골제국의 용인 하에 대리총관부(大理總管府)를 통해 전서(滇西) 지역에 대한 지배를 유지하였다. 저자인 장도종에 관한 정보는 전무하다시피 하지만, 스스로 '전민(滇民)'이라고 특정한 것으로 보아, 오늘날 곤명(昆明) 지역 쪽 사람이었던 것으로 추정된다. 그리고 제목이 이르는 바대로 이 책은 '전(滇)'을 중심으로 '운남' 지역에서 발생한 역사적 사건들을 나열하여 지은 책이다. 이 도서의 출간은 한참 뒤인 1549년에야 이루어졌다. 목영(沐英)의 8대손 목조필(沐朝弼)이 가문에서 대대로 소장하고 있던 이 책을 간행한 것이다. 목영은 명조의 운남 정벌에 큰 공을 세운 장군의 하나이며, 그 자손들은 대대로 운남에서 고위 관직을 역임하였다. 목조필은 이 책의 서문에서 이 책이 "당우(唐虞)로부터 시작하여 함순(咸淳) 연간(1265~1274)에 이르기까지, (전 지역의) 지리[방역(方域)]와 연대기[연운(年運)], 풍속 그리고 복속하고 이반한 것을 일일이 자세히 적었다."2)라고 하였다.

고대의 서남이 소국 '전국(滇國)'이나 역사공동체로서의 '전'은 그 역사적 존재 여부나 해석에 논쟁의 여지가 별로 없다. 그러나 남조

王權傳說の觀音說話－』, 東京: 雄山閣, 2010, 5~27쪽.

2) 沐朝弼, 「紀古滇說集序」, 方國瑜 主編, 徐文德 木芹 纂錄校訂, 『雲南史料叢刊』 第2卷, 昆明: 雲南大學出版社, 654쪽.

왕실의 자칭인 '대봉민국(大封民國)'과 '백인'의 '백자국(白子國)'은 논쟁 중에 있다. 특히 '백자국'은 운남 지역의 역사 서술 안에서 조금은 복잡한 맥락에 놓여 있으며, 여러 가지 차원에서 논쟁이 되고 있다. 우선, 명칭도 '백자국', '백씨국(白氏國)', '백국(白國)' 등으로 다양하게 불렸을 뿐 아니라, 해석하는 이의 입장에 따라 그 규정하는 바가 달라졌다. 백자국 연구는 적어도 세 가지 층위를 갖는다. 우선 중국 운남 지역사의 관점에서 남조국 등장 과정의 일면을 보여줄 뿐 아니라, 중국 동진(東晉) 시기 이래 기록이 비어있는 대리 지역 역사를 일부나마 메워줄 수 있는 존재로 여겨져 왔다. 둘째로, 백자국은 명과 청 제국 시기 대리 지역 '백인(白人)'들의 역사인 '백(국)사'를 구성하는 핵심적 요소로 해석되어 왔으며, 이 경우 백자국의 시간적 범주는 백국의 개국부터 명제국에 의한 멸망까지로 확대된다. 마지막으로 '백자국'은 현재 중화인민공화국의 '소수민족' 바이주[백족(白族)]의 역사를 구성하는 일부로서 연구 대상이 되고 있다. 한편 '대봉민국'은 '백국'과 같은 의미로 해석되기도 하고, 인도 바라문교의 '대범천(大梵天)'으로 해석되기도 한다.[3)]

이 글에서는 '백자국'과 '백인' 관련 논쟁을 줄기로 하여, 남조국과 대리국 시기 운남인들의 역사 인식을 추정해 보고자 한다. 백자국의 역사적 존재를 부정하거나 회의하는 연구도 적지 않고, 또 그 반대의 입장에 서 있는 연구도 적지 않다. 또 한편으로 '백자국'의 존재를 강력하게 부정하면서도 남조국과 대리국 이래 '백국'의 존재는 인정하는 연구도 있다.[4)] 이때의 '백국'은 명제국과 청제국 시기 대리

3) 溫玉成, 「『南詔圖傳』文字卷考釋－南詔國宗教史上的幾個問題」, 『世界宗教研究』 2001-1.

4) 侯冲, 『白族心史－『白古通記』研究』, 昆明: 雲南人民出版社, 2011.

지역 주민인 '백인' 혹은 '북인(僰人)'의 나라이고, 또 남조국과 대리국 이래 '백국'의 역사는 현재 운남성 대리백족자치주(大理白族自治州) 지역을 가장 큰 취거구로 삼고 있는 중화인민공화국의 소수민족 '백족'의 역사이다. 그러나 이러한 주장 또한 무조건적으로 받아들여지기는 어렵다. 명·청대 '백인'과 남조·대리국 시기 '백만' 사이의 역사적 계승관계를 증명하는 것이 간단한 일이 아니기 때문이다.[5] 더군다나 남조 왕실의 족원(族源) 문제도 20세기 초부터 논쟁이 되어 왔을 뿐 아니라, '고대민족 식별'에서도 그 주장이 갈리고 있다.[6] 이 지점에서 생각해보아야 할 것이 이러한 역사의 '귀속'과 '구성'이다. 즉 누구의 역사이고, 왜 그렇게 적었는지를 물어야 한다.

『백족심사(白族心史)－『백고통기(白古通記)』 연구』를 저술한 허우충(侯冲)은 명초(明初)에 만들어진 『白古通記』를 기준으로 그 이전과 이후의 '백(자)국'에 관한 기술이 달라진다고 주장한다. 즉 『白古通記』의 저술로 인해 비로소 '백국' 역사의 계보화가 이루어졌으며, 이것이 이후 문헌들에 영향을 미쳤다는 것이다.[7] 이는 시기마다 관련 문헌의 저자가 스스로의 정체성을 어떻게 구성하느냐에 따라 '백자국' 이야기가 서술되는 방식과 배치되는 맥락이 달라질 수 있다는 의미이다. 남조국 시기 그 지배층이 그린 백자국과, 대리국이 멸망한 직후 '전민'이 바라본 백자국, 그리고 명·청 제국 지배 하 대리의 지식인들이 구성한 '백자국'이 꼭 같을 수는 없을 것이다.

---

5) 鄭勉, 「白族과 '白蠻'－『白族簡史』의 백족 계보 구성 비판」, 『동북아문화연구』 제33집, 동북아문화학회, 2012, 31~44쪽.

6) 鄭勉, 「'爨蠻'의 출현과 구성－'西爨白蠻'과 '東爨烏蠻'의 구분 문제」, 『중국고중세사연구』 제23집, 중국고중세사학회, 2010, 247~248쪽. 남조 왕실의 족원에 관하여는, '태족설(傣族說)'과 '이족설(彝族說)', '백족설(白族說)'의 주장들이 경합하여 왔다.

7) 侯冲, 앞의 책, 123~124쪽.

이러한 관점에 따라 본문은 다음과 같이 구성하였다. 먼저 첫째 장에서는 『紀古滇說集』의 저자 장도종이 스스로를 규정한 '전민'이 지니는 역사적 의미를 '전국' 및 '백씨국'과 관련하여 살펴볼 것이다. 둘째 장에서는 장씨(張氏)로부터 몽씨(蒙氏)로의 권력 이동 즉 '장몽선양(張蒙禪讓)'과 '백자국'에 관한 논쟁을 간단하게 소개하고, '백국'의 계보화 혹은 역사화 과정에 관하여 소개할 것이다. 셋째 장에서는 '대봉민' 혹은 '대봉인' 개념이 의미하는 바와 남조국과의 관계에 관하여 살펴보도록 하겠다. 이들 과정을 통해 남조국과 대리국을 지배했던 집단의 역사적 귀속 의식이 드러나리라 기대한다.

2. 『紀古滇說集』 속의 '전(滇)'과 '전민(滇民)'

이 절에서는 대리국 멸망 직후 작성된 것으로 추정되는 『紀古滇說集』에서 쓰인 '전'과 '전민' 개념을 살펴보고자 한다. 그리고 그 과정에서 '전'과 대비되어 등장하는 '백국' 및 '대봉민국' 관련 기록들도 확인하고자 한다. 『紀古滇說集』의 책명을 글자 그대로 풀면 '옛 전(滇)의 이야기를 기록하여 모은 책' 정도가 된다. 아울러 저자 장도종은 스스로를 '전민'이라 칭하였으며, 『紀古滇說集』에는 '전'이 44차례 등장한다. 이에 비해 8세기 중후반에 새겨진 「南詔德化碑」나 남조 말기에 작성된 『南詔圖傳』의 「文字卷」 등 남조 측에서 만들어진 문서에는 '전'이 등장하지 않는다. 지리적 공간 개념을 포함하는 '전'은 광의와 협의의 개념으로 나눌 수 있다.

넓은 의미의 '전'은 대체로 각 시기 '운남' 전체를 지칭하였다. 명대의 목조필(沐朝弼)이 『紀古滇說集』의 서문에서 "운남은 옛날에 전국(滇國)이었으며”라고 한 바와 같이, 명대의 전은 ‘운남’을 지칭하는 것이었고, 운남의 별칭으로 자주 쓰였다. 장도종이 책의 첫머리에서 “옛 전은 당우(唐虞) 이전으로부터 시작하여”라고 하였을 때의 ‘전’ 또한 그 범주에 대한 설명과 문헌의 전체 내용을 보건대, 남조국과 대리국 전체 혹은 당시의 ‘운남’ 전체를 지칭하는 것이었다. 또 장도종이 한전(漢傳) 불교의 남전과 관련하여 “장화성이 말하기를, …… 마침내 불서(佛書)를 배워서 돌아와 **전 사람들**에게 전수하였다.”라고 적고 있는데, 이 기사의 ‘전 사람들’ 또한 당시 남조국 사람들 전체를 지칭하는 것이었을 것이다.

이에 비해 협의의 ‘전’은 호수 전지(滇池)[전하(滇河) 혹은 전수(滇水)], 옛 소국(小國) 전국과 그 범주, 전지 호수 주변의 평지 지역(오늘날의 쿤밍 지역), 한대 익주군(益州郡)의 범주, 귀성(龜城) 혹은 선선성(善禪城) 등 좁은 지역이나 일개 지점을 지칭하는 의미로 사용되었다. 『紀古滇說集』에 등장하는 ‘전’은 대부분 ‘운남’ 지역 전체보다는 그 일부 지역을 지칭하는 명칭으로 더 많이 사용되었다. 이 모두를 일일이 살펴볼 필요는 없을 것이다. 몇 가지 사례를 소개하면서, 이 문헌에서 ‘전’이 지니는 의미를 살펴보고자 한다.

『紀古滇說集』에는 중국 측 사서의 기록을 거의 그대로 옮겨 놓은 것이 적지 않다. 전국과 관련하여 “서남이 군장이 열 몇인데, 야랑(夜郎)이 가장 크다. 그 서쪽에 미막(靡莫)의 족속이 열 몇인데, 전(滇)이 가장 크다.”라고 한 것이 대표적이다. 『史記』 「西南夷列傳」 이래 누대에 걸쳐 재연되는 기록이다. 그런데 이 전국의 기원과 관련하여 『紀古滇說集』은 이전 중국 측 사서들이 전혀 전하지 않은 기록을 담고 있다. 조금 길지만 인용해 보겠다.

㉠ 멀리 서남쪽에 있는 신독국(身毒國) 소식이 전해졌다. 바로 천축국(天竺國)이다. …… 마야제(摩耶提)[의 왕은] 이름이 아육(阿育)이었고, 아들을 셋 낳았다. 맏이는 일러 복방(福邦)이라 하였는데, 그 이름이다. 둘째는 홍덕(弘德)이라 하였고, 막내는 지덕(至德)이라 하였다. 세 아들 모두 건장하고 용감하였다. 아비 아육왕에게 뛰어난 준마[신기(神驥)] 한 필이 있었는데, 키가 8척이고 홍색 말갈기에 적색 꼬리를 지녔으며, 털에는 금빛이 돌았다. 이로 인해 세 아들이 함께 [그 말을 가지려고] 다투었으나, 왕이 능히 결정하지 못하였다. 이에 말하기를, "세 아들 모두 한결같은데, 하나에게 주면 하나에게 치우치고 둘을 아끼지 않는 것이 된다."라고 하였다. 그리고 좌우에 명하여 다음과 같이 말하였다. "장차 나의 준마를 놓아주어 제멋대로 달려가게 할 것인데, 능히 쫓아가서 잡는 자가 그 주인이 되리라." 이에 한번 놓아주니 바로 달아나 동쪽을 향하여 갔다. 세 아들이 각기 부중(部衆)을 거느리고 서로 도우면서 추격하였다. 그 셋째 아들 지덕이 먼저 전(滇)의 동쪽 산[동산(東山)]에 이르러 그 준마를 포획하였으며, 바로 그 동쪽 산에 이름을 붙여 금마산(金馬山)이라 하였다. 맏아들 복방이 곧이어 전지의 서산(西山)에 이르렀다. 막내아들이 그 말을 사로잡았다는 소식을 듣고 서산의 기슭에서 쉬고 있는데, 갑자기 벽봉(碧鳳)이 나타나 상서로움을 드러내었다. 후대인들이 산을 잘못 일컬어 이르기를 벽계(碧雞)라 하였다. 둘째 아들 홍덕이 나중에 전의 북쪽 들판[북야(北野)]에 이르렀다. 각기 그곳의 주인이 되어 돌아가지 않았다. 왕이 걱정하고 그리워하였으며, 전의 무리가 많아서 돌아오지 못할까 두려워하였다. 이에 구씨(舅氏) 신명(神明)을 보내 군대를 통령하여 맞이하여 돕게[응원(應援)] 하였다. 장차 돌아오려고 할 때, 예기치 않게 애뢰이(哀牢夷)의 군주가 군대에 의지하여 길을 막으니, 다시 돌아올 수 없었다(밑줄은 필자,

이하 같음).

위 기사는 아마도 전 지역 주민의 기원을 인도의 아육왕 즉 아쇼카(Ashoka, B.C. 273~B.C .236)의 세 아들과 연결시키는 문헌들 중 가장 오래된 기록일 것이다. 이 이야기를 그대로 믿기는 어렵지만, 기존의 중국 측 사서들이 '전국'의 기원을 전국시대 초(楚)나라 장수 장교(莊蹻)의 '입전(入滇)' 고사로부터 찾는 것과 비교하면 새롭다. 장교의 무리보다 먼저 '전'에 들어온 아쇼카왕의 세 아들이 정착한 곳은 전지 주변이었다. 물론 이 이야기 자체를 역사적 사실로 인정하는 것은 불가능하다. 그러나 '전' 지역의 역사에 인도의 아쇼카 왕과 그 세 아들이 등장해야 하는 배경은 언젠가 반드시 설명되어야 할 것이다. 『紀古滇說集』은 인도 세력의 '입전'과 정착을 초나라 장수 장교의 입전 고사와 섞으면서, 계통을 달리하는 두 '전왕(滇王)'의 존재를 기록하고 있다. 다음의 기사를 보자.

ㄴ 앞서 애뢰왕의 군대가 그 길을 막은 까닭에 아육왕의 세 아들이 다시 돌아가지 못하였고, 마침내 전으로 되돌아와 각기 그 산의 주인이 되었다. 나중에 마침 초의 장왕(莊王)이 장수 장교를 보내어, 군대를 거느리고 강을 따라 올라와 파(巴)와 촉(蜀) 그리고 검중(黔中) 이서 지역을 경략하도록 하였다. 장교가 전에 이르렀다. 전지(滇池)의 넓이가 사방 300리에 곁의 평지가 비옥한 것이 수천 리나 되는 것을 보고, 병위(兵威)로써 평정하였으며, 전민들은 이에 복종하였다. [장교가] 돌아가 보고하고자 하였으나, 마침 진(秦)이 6국을 병합하면서 초의 파와 검중군을 공탈하니, 길이 막혀 통하지 않았다. 이 때문에 돌아와 그 무리를 거느리고 전에서 왕이 되었다. 그 아육왕의 세 아들과

신명 즉 세 조카와 외삼촌의 남겨진 무리는 장교의 군대 및 여러 만이들과 섞여 살았다[잡처(雜處)]. 장교가 전왕이 되었을 때, 이들은 불교를 숭신하여 차마 살생하지 못하는 까닭에, 백애(白崖), 학척(鶴拓), 낭궁(浪穹)으로 옮겨 살았다. 나중에 무리가 인과(仁果)라는 자를 추대하여 장성(張姓) 신군(新君)의 전왕으로 삼았고, 장교의 전세(傳世)는 끝났다. 인과가 백애에서 기틀을 잡았고, 일찍이 이곳에 창업의 상서로움이 있었기에, 마침내 땅의 호칭에 따라 국호를 백(白)이라 하였다. …… 연호는 옛날을 본받고 정삭(正朔)은 하(夏)를 좇았다. 제가(諸家)의 선한 것을 캐고 주워 모아 스스로 한 가지를 이루었으니, 이윽고 백씨국이 되었다.

장교가 전지 지역에 정착하여 전국의 왕이 되는 과정은 『史記』「西南夷列傳」 이래 중국 측 사서에서 반복적으로 재연되는 유명한 이야기이다. 이 기사에서는 이와 더불어 새로운 전왕의 존재를 상정하고 있다. 바로 장교 세력과의 마찰을 피해 백애, 학척, 낭궁 등지로 이주했던 인도계 선주민 무리가 결국 장인과를 추대하여 '전왕'으로 삼았다는 것이다. 학척은 이해(洱海) 서쪽 분지 지역을 지칭하고, 낭궁은 그 북쪽 분지 지역을, 또 백애는 이해 동남쪽의 분지를 지칭하니, 이들은 이해 주변 지역으로 이주한 셈이다. 이 이야기를 역사적 사실로 인정하느냐의 여부를 떠나서 우선 주목해야 할 부분이 두 가지 있다. 첫째는 백애, 학척, 낭궁 등의 지역이 '전'과 구분되고 있다는 점이다. 적어도 협의의 전 개념과는 명확하게 구분된다. 둘째는 '백(씨)국'의 등장이다. 전왕 장인과가 세력 기반으로 삼은 곳이 백애였고, 그 국은 '전국'이 아니라 '백국' 혹은 '백씨국'으로 불렸다.

이렇게 놓고 보면, 이 기사에 보이는 '전왕'은 이중적인 의미를 지닌다. 장교의 '전왕'은 협의의 '전' 개념과 광의의 '전' 개념이 겹쳐져 있고, 장인과의 전왕은 광의의 전 개념만 지니고 있는 것으로 해석된다. 다시 말해서 장교의 '전왕'은 '전국'의 왕이자, '전' 지역의 왕이었다. 그런데 장교의 '전세'가 끝난 뒤 새롭게 추대된 장인과의 '전왕'은 '전 지역 혹은 전인의 왕'일 뿐, '전국'의 왕은 아니었던 셈이다. 장인과는 '전'의 왕이면서, '백국'의 왕이었다. 주민의 이주 혹은 전국의 세력권 확대로 인하여 이해 주변 지역이 '전'의 일부로 포함되었지만, 전의 핵심 지역은 여전히 전지와 그 주변이었고, 이해 주변 지역은 여전히 전지 지역과 구분되었다.

『紀古滇說集』의 남조국 시기를 다룬 기록에서도 이러한 현상은 지속된 것으로 보인다. 앞서 언급하였듯이 "마침내 불서를 배워서 돌아와 전 사람들에게 전수하였다."고 한 것과 같이 광의의 의미로도 여전히 사용되었지만, '전인'은 다음 두 기사에서와 같이 전지 지역 사람을 지칭하는 좁은 의미로도 사용되었다.

> ㉢ 그 후에 위성왕(威成王) 성락(誠樂)[성라피(盛邏皮)]이 섰는데, 제3대이다. 왕이 병위로 여러 나라를 복속시켰으며, 불교를 높여 믿었다. 때에 점(點)[전(滇)]인(人) 양도청(楊道淸)이라는 자가 자신의 몸을 잊고 도를 구하여, 날마다 경전을 공부하니, 관음대사가 감응하여 (그의 앞에) 나타났다. 원근이 모두 그의 풍모를 흠모하였다. …… 몽씨(蒙氏) 위성왕이 들어 알고, 아울러 전에 친히 이르러 도청을 현밀융통대의법사(顯密融通大義法師)로 삼았다.

> ㉣ [효환왕(孝桓王)은] 조(詔)를 내려 전성(滇城)에 선선(善禪)이라는 이름을 내렸으며, 농동절도사(弄棟節度使) 왕차전(王嵯巓)을 보내 선선에

이르러 각조(覺照)와 혜광(慧光) 두 사찰을 창건하게 하였다. 그리고 대장(大匠) 위지공(尉遲公)에게 명령하여 벽돌을 구워 공급하게 했는데, 모두 그 장인의 이름을 새기게 하였으며, 처음으로 쌍탑(雙塔)을 세워 선선의 부도(浮屠)로 삼았다. 그리고 묘응강사(妙應講寺)와 사찰 뒤의 작은 탑 하나를 창건하였는데, 전인이 숭상하여 좋게 여겼다. 얼마 지나지 않아 효환왕이 죽었는데, 당 원화 3년(808)이다. 당은 조칙을 내려 태상경(太常卿) 무소의(武少儀)에게 절을 가지고 조문하고 제사하게 하였다.

남조국의 왕이 친히 '전'에 가서 만난 '전인' 양도청은 적어도 남조국의 도읍과는 구분되는 지역인 '전'에 거주하는 인물이었다. 그리고 전의 성 선선에 세워진 사찰과 탑을 숭상하여 좋게 여긴 '전인'들 또한 남조국의 전체 거주민을 지칭한다고 보기는 어려울 것이다. 또 아래의 두 기사는 남조 말기 새롭게 만들어진 국호인 대봉민국이 지칭하는 범주가 협의의 전 개념과 서로 구분되는 내용을 담고 있다. 전국이 주로 전지 지역을 지칭하였듯이, 대봉민국의 핵심 지역은 이해 지역이었던 것이다.

ⓜ 건극(建極) 19년(878) 봄 이월에 경장(景莊) 황제가 죽고, 아들 융순(隆舜)이 섰는데, 선무제(宣武帝)라 칭하였다. 즉위한 지 얼마 되지 않아, 국호를 고쳐서 대봉민국(大封民國)이라 하였고, 연호를 세워 정명(貞明)이라 하였다. 3년(881)에 (황제가) 선천성(善闡城)에 갔는데, 이어서 동경(東京)으로 삼고, 아육왕(阿育王)의 아들 금마(金馬)·벽계이산경제(碧雞二山景帝) 및 신명천자(神明天子)의 각 사당에 제사하였다. (선무제가 선천에) 도읍을 세우고 옮겨왔다. (그리고) 선천 동경성 밖의 산천단(山川壇)과

사직단(社稷壇) 두 단에서 교사(校祀)를 지냈다. 산천단 서남쪽에 또 성 하나를 쌓았는데, 그 아들 순화(舜化)와 함께 거주한 곳이었고, 이름을 중성(中城)이라고 하였다. (선무제가) 동경에서 죽자, 대봉명국(大封名國)으로 돌아가 장사지냈다.

ⓑ 순화는 당 소종(昭宗) 건녕(乾寧) 4년(897) 겨울 십이월에 사자를 보내 당에 상서하였다. 효애제(孝哀帝)는 경거(輕車)로 대봉민국(大封民國)으로 돌아갔는데, 태화성궁(太和城宮)으로 들어갔다가, 정매사(鄭買嗣)에게 시해되었다. (902년) 매사가 마침내 그 위를 찬탈하였으며, 국호를 천장(天長)이라 하였으며, 개원하여 안국(安國)이라 하였다.

마땅히 남조국의 국호를 대신한 대봉민국은 남조의 전 영역을 포괄할 것이다. 그러나 위의 두 기사는 대봉민국이 남조의 수도가 두어진 대리 지역만을 지칭하기도 한다는 점을 보여준다. 남조국의 황제가 동경으로 삼은 선천성과 대봉민국을 구분하고 있다. 앞서 '전국'의 '전왕'과 '백국'의 '전왕'이 구분되었듯이, 이는 남조국과 대봉민국의 중심지가 이해(洱海) 지역에 두어졌고, 당시 사람들의 인식 속에서 동쪽의 '전'과는 서로 구분되는 지역이었음을 잘 보여준다.

이상 간단하게나마 『紀古滇說集』에 등장하는 '전' 개념이 지닌 광의와 협의의 의미를 확인하였다. 협의의 전 개념은 대체로 옛 전국의 범주를 넘어서지 않았고, 광의의 전 개념은 각 시기 운남 지역에 출현한 국가나 정치제의 공간적 범주에 따라 확대된 것으로 보인다. 그러나 그 범주를 명확히 규정하기에는 사례가 적었다. '전민' 혹은 '전인' 개념도 '전' 개념에 연동되었다. 그리고 이 과정에서 확인된 사실 하나는 『紀古滇說集』 안에서 이해 지역과 전지 지역의 구분이 살아있다는 점이다. '전왕'의 예에서 보았듯이, '전' 개념은 '전국'과 '백국'을 모두 포함하였지만, '백국'과 협의의 '전' 개념은 서로 구분되었다. 그리고 대리 지역에 중심을 둔 대봉민국의 경우도 동경이 두어진 '전'과 구분되고 있다. 또 한 가지 기억해야 할 사실은 옛 '전국'이 멸망하여 소멸된 지 오래되었음에도 불구하고 '전'이 지역 이름으로서 혹은 역사공동체 이름으로서 오래도록 살아남았다는 점이다.

3. '백인(白人)'과 '백국(白國)'의 역사화

이 절에서는 '백자국' 논쟁을 줄기로 하여 이른바 '백인'들에 의한 '백국'의 역사화 과정을 살펴보고자 한다. 『南詔圖傳』과 『紀古滇說集』 그리고 『白國因由』의 관련 기사들에 대한 해석이 중심이 될 것이다.

앞서 언급하였듯이 백자국은 그 역사적 실재 여부가 오래 전부터 논쟁이 되어 왔다. 그 이유는 백자국의 존재를 기록한 문헌들이 모두 후대에 만들어졌을 뿐만 아니라, 그 내용 중에 신화적이고 전설적인 요소들이 많이 포함되어 있기 때문이다. 게다가 그 이야기를 다룬 문헌마다 내용이 조금씩 차이가 있고, 일반적으로 보다 신빙성이 있는 문헌으로 받아들여지는 중국 정사에는 그 내용이 전혀 등장하지 않는다. 또 그 이야기를 뒷받침할 만한 고고학적 발견도 아직은 보고된 바가 없다. 백자국 관련 기록에서 기존 연구의 이목을 가장 많이 끈 요소는 장씨(張氏)로부터 몽씨(蒙氏)로의 선양을 다룬 부분이었다. 이 '장몽선양(張蒙禪讓)'을 가장 먼저 언급한 문헌은 『紀古滇說集』이다.

하지만 '장몽선양' 고사의 핵심 내용인 '철주 제사(鐵柱祭祀)' 장면이 남조 말기의 자료인 『南詔圖傳』에도 등장하기 때문에, 많은 학자들이 이 선양을 모종의 역사적 사실을 반영하는 것으로 인정하여 왔다. 그리고 이 선양의 한쪽 당사자인 '백자국'의 존재를 쉽게 무시하지 못하게 되었다.

'장몽선양'과 백자국의 역사적 실재 문제에 대한 기존 연구의 주장과 관련 사료들에 관하여는 다른 곳에서 이미 간략하게나마 소개한 적이 있지만,[8] 이해와 논지 전개의 편의를 위해 다시 요약 재구성하여 소개하고자 한다.

우선, 백(자)국의 실재를 부정하는 입장의[9] 결론을 모아보면, 백자국은 '백문(白文)[북문(僰文)]'을 사용하는 후대 사람들에 의해 처음 만들어졌으며, 남조국 이후에야 비로소 날조된 것이다. 특히 '장몽선양'에 관해 허우충(侯冲)은 『南詔圖傳』에 등장하는 '철주 제사' 이야기에 '선양'이 등장하지 않는 점을 들어 후대에 날조된 것이라 주장한다. 회의적 혹은 유보적 태도를 보이는 연구들도 있다.[10] 이들의 결론은 이 이야기가 전설에 불과하다 해도 그 전설이 반영하는 역사상에 대하여는 다른 증거가 나타날 때까지 판단을 유보하겠다는 것이다.

---

8) 정면, 『남조국(南詔國)의 세계와 사람들: 8~9세기 동아시아의 서남 변방』, 선인, 2015, 56~61쪽.

9) 向達, 「南詔史略論」(1933), 『唐代長安與西域文明』, 河北教育出版社, 2001版, 196쪽 ; 包鷺賓, 「民家非白國后裔考」, 『西南邊疆問題研究報告』, 華中大學中國文學系研究室編, 1942年 第1期(『包鷺賓學術論著選』, 華中師范大學出版社, 2005) ; 祁慶富, 「南詔王室族屬考辨」, 『西南民族研究 彝族專集』, 中國西南民族研究學會編, 雲南人民出版社, 1987, 140쪽 ; 侯冲, 『白族心史－＜白古通記＞研究』, 北京大學 博士學位論文, 2002, 164쪽.

10) 立石謙次, 「清初雲南大理地方における白人の歴史認識について－『白國因由』の研究」, 『史學雜誌』 Vol.115, No.6, 2006, 1079~1104쪽 ; 楊愛民, 「白子國散議」, 『西南學刊』 2012-1.

마지막으로 백자국의 존재를 긍정하는 연구들은[11] 허구로 보이는 신화와 전설 속에 숨겨진 역사적 진실을 복원해야 한다는 입장이다. 특히 이 연구들은 『南詔圖傳』의 '철주 제사' 이야기와 제기(題記)에 등장하는 '국사(國史)' 및 '장씨국사(張氏國史)'에 주목한다.

다음이 『南詔圖傳』의 '철주제사' 고사이다. 898년에 작성된 것으로 알려진 『南詔圖傳』「文字卷」은 『鐵柱記』를 빌어, 다음과 같은 내용을 첫머리에 적고 있다.

> ㊇ 『鐵柱記』에서 (다음과 같이) 말하였다 : 처음에 삼탐백대수령(三賧白大首領) 장군 장락진구(張樂盡求)가 흥종왕(興宗王) 등 아홉 사람과 더불어 철주 곁에서 하늘에 제사를 지냈다. 주조(主鳥)가 철주 위로부터 날아와 흥종왕의 팔뚝 위에서 쉬었다. 장락진구는 이 일 이후 더욱 놀라서 의아하게 여겼다. 흥종왕이 이에 기억하기를, 이것은 '우리 집의 주조이다'라고 하면서, 비로소 스스로 기뻐하였다(『南詔圖傳』「文字卷」).[12]

위 기사는 남조의 건국과 관련된 '철주제사' 이야기로는 문헌상 가장 오래된 기록이다. 『紀古滇說集』의 '철주 제사' 이야기는 아마도 이를 원형으로 만들어졌을 것이다. 한편 『鐵柱記』에서 인용하는 형식

---

11) 方國瑜, 「有關南詔史史料的幾個問題」, 方國瑜 著, 林超民 編, 『方國瑜文集』 第2輯, 雲南教育出版社, 2001, 367쪽(原載 『北京師範大學學報』 1962年 第3期) ; 林超民, 「白子國考」, 『南詔文化論』, 雲南人民出版社, 1991, 104~116쪽 ; 段鼎周, 『白子國探源』, 雲南人民出版社, 1998 ; 楊政業, 「白子國國王張樂進求及其家世評述」, 『云南民族學院學報(哲學社會科學版)』 2001-5 ; 趙懷仁 主編, 「"白子國"再辨」, 『大理民族文化研究論叢』 第1集, 民族出版社, 2004.

12) 李霖燦, 『南詔大理國新資料的綜合研究』(中央研究院民族研究院專刊之九), 臺北: 大陸雜誌社, 1967, plate XLIII.

은, 이것이 『南詔圖傳』이 만들어지기 전부터 이미 문헌에 기록되었음을 보여준다. 그리고 『南詔圖傳』 「圖卷」에서 철주와 9인 사이의 공간에 표시된 문자 표주(文字標註)에는, "살피건대, 『張氏國史』에서 이르기를, 운남대장군(雲南大將軍) 장락진구(張樂盡求), 서이하우장군(西洱河右將軍) 양농동(楊農揀), 좌장군(左將軍) 장의모동(張矣牟揀), 외주자사(巍峯刺史) 몽라성(蒙羅盛), 훈공대부락주(勳公大部落主) 단우동(段宇揀), 그리고 조람우(趙覽宇), 시동망(施揀望), 이사정(李史頂), 왕청세막(王靑細莫) 등 아홉 사람이 함께 철주에 제사지낼 때"라고 하여, 아홉 사람의 명단을 밝히고 있다. 또 아홉 명의 사람들 왼편에 "도지운남국조(都知雲南國詔) 서이하후(西洱河侯) 전배대수령(前拜大首領) 장군(將軍) 장락진구(張樂盡求)"라고 적어 장락진구가 '운남국조'였음을 밝혀놓았는데, 다음의 『紀古滇說集』 기사에서 장락진구가 '건녕'에서 '운남'으로 바꾸었으며, 당(唐)이 그를 운남왕에 책봉하였다는 것과 조응한다.

『紀古滇說集』에서는 '장몽선양' 장면을 다음과 같이 기록하였다.

◎ 당대(唐代)에 장인과(張仁果)의 33대손 장락진구가 건녕(建寧)을 고쳐 운남(雲南)으로 하였으며, 당은 낙진구를 책립하여 수령 대장군 운남왕으로 삼았다. 낙진구가 철주에 제사지내다가, 금으로 주조한 봉황이 습농락(習農樂)의 왼쪽 어깨에 내려앉는 것을 보았다. 낙진구 등이 놀라서 특이하게 여겼다. 이로 인해 마침내 그 애뢰왕(哀牢王)의 자손에게 왕위를 양보하였다. 왕이 '몽(蒙)'을 국호로 삼았고, 왕을 일러 '기가(奇嘉)'라 불렀다. 사직이 이곳에서 비롯한 까닭에 몽사(蒙社)라고 칭하였다. 당 고종(高宗) 영휘(永徽) 4년(653)의 일이며, 바로 몽 13왕의 비조이다.[13]

위 기사가 '장몽선양'에 관한 가장 오래된 기록이다. 선양의 대상자가 된 '습농락'은 바로 『蠻書』와 『新唐書』 등에 등장하는 남조의 개창자 세노라(細奴邏)이다. 장인과는 앞서 언급하였듯이 백애(白崖)에서 창업의 기틀을 닦고 '백국[백씨국]'을 세운 이로, 한 무제 시기에는 장교(莊蹻)의 후손을 대신하여 '전주(滇主)', '전왕(滇王)'으로 책봉되었으며, 그 뒤로도 여전히 '백씨국'에 머물렀다. 또 『紀古滇說集』은 장인과의 17대손 장용우(張龍佑)에 관하여도 언급하고 있다. "(제갈량이) 군대를 돌려 백애에 이르렀고, 철주를 세워 남정을 기념하게 하였으며, 익주군(益州郡)을 고쳐 건녕이라 하고, 인과의 17세손 장용우로 하여금 거느리게 하였다."[14] 『紀古滇說集』은 '백(씨)국'을 개창한 장인과와 17세손 장용우, 그리고 653년에 세노라에게 선양하는 33대손 장락진구의 이야기를 점점이 배치하여, 백애 지역을 중심으로 '백(씨)국'이 오랫동안 존속하였음을 시사하고 있다.

살펴본 바와 같이 『紀古滇說集』과 『南詔圖傳』의 '철주 제사' 기록은 서로 크게 다르지 않다. 이는 『紀古滇說集』이 『南詔圖傳』에 실린 이야기와 같은 종류의 기록을 참조했음을 시사한다. 물론 두 기록이 완전히 일치하는 것은 아니다. 우선, 『紀古滇說集』이 제사에 참여한 인사를 '습농악(習農樂)[세노라(細奴邏)]'이라고 한 데 비하여 「文字卷」의 『鐵柱記』는 '홍종왕'이라고 적고 있고, 『南詔圖傳』 「圖卷」은 나성(羅盛)이라 적고 있다. 홍종왕과 나성은 동일 인물로, 세노라의 아들 나성을 지칭하는 것이다. 무슨 이유에서인지 알 수 없지만, 『紀古滇說集』은 철주제사에 참여한 몽씨의 수령을 나성에서 세노라로 바꾸어 놓았다. 그리고 허우충의 지적대로 이 『鐵柱記』의 '철주 제사' 이야기에는

13) 方國瑜 主編, 『雲南史料叢刊(第2卷)』, 昆明: 雲南大學出版社, 1998, 658쪽.
14) 方國瑜 主編, 앞의 책(第2卷), 657쪽.

선양에 관한 직접적인 언급이 없고,『南詔圖傳』전체로 보아도 '백국'에 관한 직접적인 언급은 존재하지 않는다.

또 철주 제사와 백국에 관한 이야기를 담고 있는 것으로 청초(清初)인 1706년 성원사(聖元寺)의 주지 적유(寂裕)가 간행한 것으로 알려진『白國因由』의 기사가 있다. <파세배유주이거몽사관음수기(波細背幼主移居蒙舍觀音授記) 제9>에는 세노라에 대한 관음의 예언과 '철주제사' 이야기, 그리고 남조국의 건국을 언급하고 있다.

ㅈ 관음이 예언하여 이르기를, 너는 대리국토(大理國土)의 주인이 되어, 자손 대대로 인민을 안락하게 할 것이라고 하였다. 말을 마치자 떠났다. 때에 장락진구가 운남조(雲南詔)의 추장이 되었다. 구정(九鼎)에 희생을 갖추고, 세노라를 청하여 철주묘(鐵柱廟)에 나아가 하늘에 제사지내고 길상을 점치고자 하였다. 갑자기 금각조(金觳鳥)가 나타났는데, 일명 금한왕(金漢王)이라 한다. 세노라의 오른쪽 어깨로 날아와, 천명(天命)이 노라에게 있다고 연이어 세 차례 울었다. 무리가 모두 마음에 새겨 복종하였다. 세노라가 마침내 위에 올라 기왕(奇王)을 칭하였으며, 마침내 당에 조공하였다. 자손이 뒤에 대대로 왕에 봉해졌는데, 순화진(舜化眞)에 이르기까지 모두 13대를 전하였으며, 모두 237년이었다.[15)]

그런데『白國因由』의 서문에는 다음과 같은 내용도 있다.

ㅊ (아육왕이 백국에 봉한 둘째 아들) 표신저(驃信苴)는 호(號)를 신명천자(神明天子)라 하였는데, 곧 5백 신(神)의 왕이다. 위(位)를 전하여 17대

15) 方國瑜 主編,『雲南史料叢刊(第11卷)』, 昆明: 雲南大學出版社, 1998, 164쪽.

손 인과(仁果)에 이르렀는데, 한(漢)의 제갈량이 전에 들어와 장성(張姓)을 사여하였다. 36대손 장락진구(張樂敬求)가 조근(朝覲)하니, 상(上)이 운남진수장군[雲(南)鎭守將軍]에 봉하였다. 당 정관(貞觀) 2년(628)에 천사(天師)가 별을 보고 상주하여 말하기를, 서남에 왕자(王者)가 일어날 것이라 하였다. 상이 명하여 찾아보게 하니, 세노라가 태어났고, 마침내 백국왕이 되었다.[16]

『白國因由』의 '철주 제사' 이야기에서는 『紀古滇說集』과 마찬가지로 세노라가 등장하고 예언의 대상도 그였지만, 그에 대한 직접적인 선양은 언급되지 않는다. 그러나 세노라가 "마침내 백국왕이 되었"다고 하여, 같은 백국의 연속선상에서 세력 교체가 있었음을 분명히 하고 있다. 그리고 서문에서는 새로운 내용들을 밝히고 있는데, 인도 아쇼카왕의 둘째 아들 표신저(驃信苴)가 백국(白國)의 왕으로 등장한다. 아울러 장인과와 장락경(진)구는 모두 이 표신저의 후손으로 편입되었으며, 제갈량이 표신저의 17대손 장인과에게 '장성(張姓)'을 수여한 것으로 덧붙여졌다. 백(자)국의 시조가 장인과에서 인도 아쇼카왕의 아들 표신저로 변경되고, 장씨 계보는 인도 아쇼카왕의 혈통으로 변신한 것이다. 세노라의 남조 건국 또한 백국의 연속으로 그려지고 있다. 『白國因由』에서 장씨 가계와 백자국은 남조 대리국과 더불어 자연스럽게 백국의 역사를 구성하는 요소가 되었다.

이상 '백자국'에 관한 기존 연구의 주장들을 간단히 소개하였다. 그리고 현전하는 문헌 중 장씨와 몽씨 사이의 선양과 백자국의 존재를 처음으로 기록한 『紀古滇說集』, 그리고 『白古通記』 계통의 문헌

16) 方國瑜 主編, 앞의 책(第11卷), 161쪽.

중 거의 마지막으로 '백국'의 역사를 기록한 것으로 평가되는 『白國因由』의 관련 기록, 또 『南詔圖傳』의 '철주 제사' 관련 기록을 살펴보았다. 비슷한 내용들을 담고 있었지만, 구체적 서술이나 그 맥락은 조금씩 달랐다. 가장 오래된 문헌인 『南詔圖傳』은 '철주 제사'의 고사와 장락진구의 존재 그리고 세노라의 아들 흥종왕 나성의 이야기를 담고 있지만, 장씨와 몽씨 사이의 '선양' 및 '백국'의 존재는 직접적으로 언급하지 않았다. 『紀古滇說集』은 『南詔圖傳』의 '철주 제사'와 비슷한 내용을 전하면서, '선양'을 직접 언급하였을 뿐만 아니라, 장락진구의 조상으로 개국 비조 장인과와 그의 17대손 장용우를 언급하고, 백애(白崖) 지역에 중심을 둔 백(씨)국의 존재를 명시하였다. 『白國因由』에서는 '철주 제사나 세력 교체에 관하여 보다 직접적이고 구체적으로 언급하였다. 그리고 무엇보다도 아쇼카왕의 둘째 아들을 백국의 시조로 제시하였고, 장씨 계보를 그 혈통에 편입시켰으며, 세노라의 남조국 또한 백국으로 규정하였다.

이제 '백자국'에 관한 기록이 처한 맥락과 '백자국'이 '역사화'되는 과정을 소개하고자 한다. 다만 지면상의 이유로, 백자국을 처음 언급하고 있는 『紀古滇說集』, '철주 제사' 고사의 내용이 처음 나타나는 『南詔圖傳』, 그리고 청제국 초기에 만들어진 『白國因由』에서 그리는 백자국의 모습만 살펴보고자 한다. 여기에서 주목해야 할 사실은 각각의 내용상의 차이뿐만 아니라, 그 내용들이 처한 맥락들은 더 차이가 컸다는 점이다.

『紀古滇說集』의 내용 구성상의 가장 큰 특징은 중국 측 자료를 인용한 내용을 근간으로 하지만, 현지 자료에 의한 정보가 적지 않다는 것이다. 특히 남조 국왕과 황제의 연대기를 기록한 문헌 중에는 가장 오래된 것이다. 그리고 반드시 지적해야 할 것은 기본적으로 편년체의 체제를 갖추고 있는데, 각종 전설과 연대기를 나열하였을 뿐, 그 이야기들을 '계보화' 하지는 않았다는 점이다.[17) 『紀古滇說集』에도 아쇼카왕의 세 아들에 관한 전설이 실려 있지만, 이들이 백자국의 장인과(張仁果)와 직접적으로 연결되지는 않는다. 남조의 황제들이 그 아들들을 추봉하고, 제사를 지냈다는 기록을 전할 뿐이었다. 『紀古滇說集』 안에서 '백자국'은 滇 지역의 일부 지역을 일정 시간 동안 점유한 '國'의 하나로 서술되었을 뿐이다.

다테이시 겐지(立石謙次)의 정리에 따르면, 『白國因由』는 서문과 발문(跋文)을 제외하고 18개의 이야기로 구성되어 있으며, 이는 다시 8개의 덩어리로 묶을 수 있다. '관음이 불력으로 나찰(羅刹)을 조복(調伏)시키다(제1~제6)', '남조국 시조의 출생 전설(제7, 제8)', '관음(觀音)의 예언과 약속[授記](제9)', '관음이 남긴 상(像)(제10)', '관음이 방광경(方廣經)을 전하다(제11)', '관음의 교화(제12~제15)', '관음이 대대로 대리(大理)를 구하다(제16)', '대리국의 건국(제17, 제18)' 등이 그것이다.[18)]

『白國因由』의 서문 부분에서는 '석가(釋迦)가 제자 가섭(迦葉)에게 가사를 전해준' 전설과 '아육왕이 대리를 방문한 전설'이 소개되고, 앞서 잠시 언급하였던 아육왕의 둘째 아들로부터 대리국 단씨로

17) 『사기』를 비롯한 역대 중국 정사의 서남이에 관한 기술들, 애뢰국(哀牢國) 전설, '장교입전(莊蹻入滇) 설화, 천축(天竺)으로부터 온 범승(梵僧)의 세노라에 대한 예언, '장몽선양'설화, 남조국의 건국과 연대기, '천보전쟁(天寶戰爭)', '불교숭상', 대리국에 관한 약술, 대리총관부에 관한 기술 등이 시간 순서에 따라 나열될 뿐이다. 그야말로 '전민(滇民)' 장도종이 편년체로 구성한 '전' 지역의 역사 이야기일 뿐이다. 그 저술 목적도 따로 전해지지 않아 알 수 없다.

18) 立石謙次, 「淸初雲南大理地方における白人の歷史認識について: 『白國因由』の硏究」, 『史學雜誌』 Vol.115, No.6, 2006. 06. 20, 41쪽(1081).

이어지는 계보의 정리가 이루어진다. 『南詔圖傳』이 그러하였듯이, 관음이 대리 지역을 교화하는 활약이 본문의 주된 내용이 되었다. 그런데 여기에는 남조뿐만 아니라 대리국의 건국과 이에 대한 관음의 보우 내용이 포함되고, 또 남조의 시조 세노라(細奴邏)의 출생 신화가 애뢰이(哀牢夷)의 시조 설화에 가탁하여 설명되었다. 그리고 관음의 대리 지역 교화 활동의 가장 많은 부분을 차지한 것은 본문의 앞부분에 배치된 나찰(羅刹)을 굴복시켜 대리 지역의 민을 구하는 일이었다. 나찰은 사람의 눈알을 뽑아 먹는 것을 좋아하는 잔혹한 지배자였다. 이 나찰의 정체에 대하여 토착종교로 보고, 설화는 관음신앙과 토착종교의 갈등으로 해석하는 연구도 있지만,[19] 다테이시 겐지(立石謙次)는 대리 지역의 홍수해로 보았고, 이 설화는 관음의 힘을 빌어 이 지역의 치수가 이루어진 것을 반영한 것이라 설명하였다.[20]

『紀古滇說集』과 비교하여 『白國因由』의 가장 큰 특징은 그 서술의 중심을 전지 지역으로부터 대리 지역으로 옮겨오고, 또 그 모든 이야기들을 '계보화'하였다는 것이다. 『紀古滇說集』에서는 아육왕의 세 아들 중 첫째와 막내가 전지의 서산과 동산을 선점하였고, 둘째 아들 홍덕(弘德)이 전지의 북쪽 지역에 정주하였다고 적었다. 그런데 『白國因由』는 둘째 아들의 이름도 표신저로 바꾸고, 그가 처음부터 '창산(蒼山)과 이해(洱海) 사이[창이지간(蒼洱之間)]' 즉 대리 분지에 자리 잡은 것으로 묘사하고 있다. 즉 이야기의 중심이 전지 지역에서 이해 서쪽의 대리 지역으로 옮겨 온 것이다. 표신저와 직접적인 관련이 있는지 확인할 수는 없지만, 표신(驃信)이 남조시기 군주의 칭호로 사용되었다는 점을 기억할 필요가 있다. 다테이시에 따르면, 아쇼카 왕의

19) 徐嘉瑞, 『大理古代文化史稿』, 中國圖書刊行社, 1985, 306쪽.
20) 立石謙次, 앞의 글(2006), 53쪽.

제2자가 백국의 왕이 되는 이야기는 만력(萬曆)『雲南通志』권16「白國始末」이 문헌상 가장 오래된 것이라고 한다.[21)]

앞서 언급한 바와 같이,『白國因由』는 아육왕으로부터 대리국 단씨까지 '백국'의 역사 안에 '계보화' 하였다. 허우충의 연구에 따르면, 이는『白古通記』출현 이후『白古通記』계 문헌들에서 고루 보이는 현상이라고 한다. 허우충이 그린 <백자국 계보도>를 통해 이를 살펴보자.

<백자국 계보도>를 보면 인도의 아육왕이 제일 위에 있다. 백국의 시조인 셈이다. 제2열의 표신저는 아육왕의 둘째 아들이며,[22)] 앞서 살펴보았듯이 백국의 왕이다. 표신저와 흠몽우 사이에서 저모저가 나고, 저모저와 사일 사이에서 9명의 아들이 태어난다. 사일은 바로 애뢰이 시조전설[구륭(九隆) 전설)]에 등장하는 시조의 어머니이다. 애뢰이의 구륭 전설로부터 바로 세노라로 연결시키는 문헌들도 있지만, 조금 더 세련되어진 문헌들은 세노라 때까지의 시간 차이를 고려하여 비슷한 전설을 한 번 더 거친다. 또 여기에서 재미있는 점은 이 아홉 아들이 몽씨와 장씨뿐 아니라, 16국으로부터 토번, (전 즉 운남에 거주하는)한인, 동만, 사자국, 교지, 백이 등을 모두 하나의 핏줄로 묶고 있다는 사실이다. 저 16국은 다음 절에 설명하겠지만,『紀古滇說集』과 장승온 화권에 등장하는 서남이 16국으로 추정된다. 보이는 바와 같이 제8자의 후손인 백애의 장씨는 장락진구 세대에 이르러 '선양'을 통해 그 세력이 제5자의 자손인 세노라에게로 옮겨진다. 흥미로운 점은 제2의 구륭 전설을 통해 세노라가 출현하며, 이 혈통이 대리국의 단씨에게까지 이어진다는 점이다. 그야말로

21) 立石謙次, 앞의 글(2006), 52쪽.

22) 侯冲은 표에서 제3자라고 적었는데, 실수로 여겨져서 바로 잡았다.

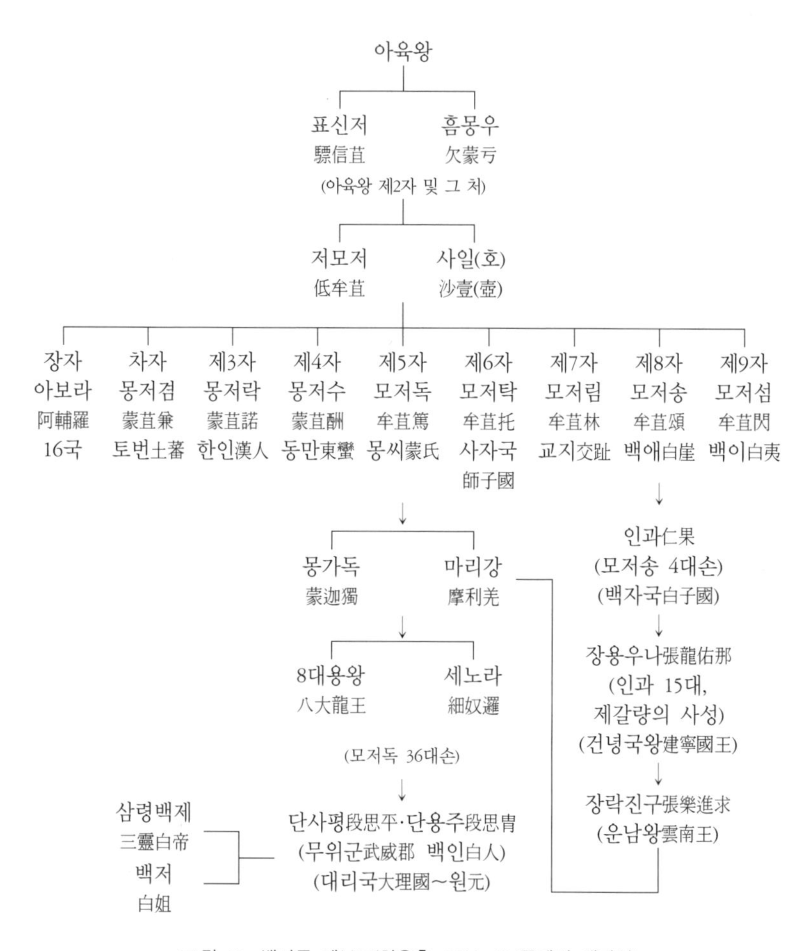

<그림 1> 백자국 계보도(허우충, 2011, 124쪽에서 재작성)

'백인'과 '백국' 중심의 세계사라 할 수 있다.

허우충에 따르면, 대리 지역이 명제국의 직접 지배하에 들어가면서, 한문화와의 전면적인 접촉이 이루어졌고, 이후 이 지역 백인(白人)[북인(僰人)]과 한인(漢人) 지식인들에 의해 '백[북]문' 자료의 한문(漢文)으로의 대대적인 번역이 이루어졌다.[23] 이 과정에서 『白古通記』의 저술과 번역이 이루어졌으며, 『白古通記』의 영향을 받은 운남 지역사지(史志)의 출판과 유행이 명청 시기 백인[북인]들의 민족의식을 강화하였고, 오늘날 대리(大理)지역을 백족(白族)의 최대 취거지로 만들었다는 것이 허우충의 주장이다.[24] 그리고 남조 대리국 시기 전설적 존재들과 가계의 기원을 연결시키는 묘비명과 족보 등을 중요한 증거로 제시하고 있다. 그러나 묘비명과 족보 또한 명대 이후 늘어나는 점을 보면, 이 또한 새로운 문화 기제를 통해 자신들의 세계를 드러내는 것이었을 수 있다. 따라서 여기에서 민족의식 운운하는 것은 신중할 필요가 있어 보인다. 그리고 명·청제국 시기 대리 지역 묘비명이나 족보에는 자신들의 기원을 중원으로부터 이주한 한인(漢人) 가계에 두는 경우도 적지 않았다.

앞서 허우충은 『南詔圖傳』의 기록에서 '장몽선양'과 '백국'에 관한 기록이 없다고 하였는데, 꼭 틀렸다고 말할 수는 없지만, 다른 해석의 여지는 존재한다. 우선 주목해야 할 것이 『鐵柱記』의 '철주 제사' 관련 이야기에서 장락진구를 지칭했던 '삼탐 백대수령(三賧白大首領)'의 존재이다. '삼탐' 즉 세 개 '평원'의 '백(白)'을 대표하는 대수령이라는 의미가 된다.[25] 그리고 이 세 개 평원의 위치에 대해 단서가 되는 것이 「圖卷」에 등장하는 "운남대장군(雲南大將軍) 장락진구(張樂盡求), 서이하우장군(西洱河右將軍) 양농동(楊農揀), 좌장군(左將軍) 장의모동(張矣牟揀), 외봉자사(巍峯刺史) 몽라성(蒙羅盛), 훈공대부락주(勳公大部落主) 단우동(段宇揀), 그리고 조람우(趙覽宇), 시동망(施揀望), 이사정(李

---

23) 侯冲, 앞의 글(2011), 11쪽.

24) 侯冲, 앞의 글(2011), 355~356쪽.

25) 藤澤義美, 『西南中國民族史の研究－南詔國の史的研究』, 大安, 1969, 37~38쪽. 검천현(劍川縣) 석종산(石鐘山) 석굴(石窟) 제12굴(第十二窟)의 조상기(造像記)에 따르면, 남조국 시기에 현재의 검천 부근에 삼탐전(三賧甸)이라는 지명이 있었던 것으로 보이지만, 위의 삼탐과 직접 관련짓기에는 무리가 있어 보인다(溫玉成, 『世界宗教研究』 2001年01期, 1~10쪽).

史頂), 왕청세막(王靑細莫) 등” 제사 참여자 9명의 명단과 “도지운남국조(都知雲南國詔) 서이하후(西洱河侯) 전배대수령(前拜大首領) 장군(將軍)”라고 한 장락진구의 직함이다.

신성시 되는 철주 곁에서 행해진 제천 의식의 주관자는 당연 명단에 가장 처음에 등장하고 ‘운남국조’의 지위를 지닌 장락진구였을 것이다. 그리고 이 제천 의식에 참여한 나머지 8인은 당연히 장락진구의 운남국에 복속한 세력의 수령들이었을 것이다. 따라서 세 탐은 우선 여기에 등장하는 지명들로부터 유추할 수 있을 것이다. 제천 의식에 참여한 9인의 직함에 보이는 지명으로는 운남(雲南), 서이하(西洱河), 외봉(巍峯)이 있으며, 부락명으로 훈공대부락(勳公大部落)이 보인다. 그리고 장락진구의 직함을 보면 ‘운남’과 ‘서이하’가 그의 관할하에 있었거나 영향 아래 있었음을 추측할 수 있다. ‘운남’은 두말할 나위 없고, ‘서이하’의 경우 장락진구가 겸대한 서이하후라는 작위와 서이하 좌장군 장의모동의 존재가 당시 이 지역이 장씨 세력의 영향력 하에 있었음을 방증한다. 외봉은 세노라와 나성이 거주하였던 몽사탐(蒙舍賧)[현재의 외산패(巍山壩)[26)]]일 것이다. 운남은 전통적으로 운남군의 치소와 운남현의 치소가 두어졌던 운남탐(雲南賧)[현재의 상운패(祥雲壩)[27)]] 지역이나 백애탐[현재의 미도패(彌渡壩)[28)]]

26) 운남성 대리주 외산현(巍山縣) 문화진(文華鎭)에 위치하며, 대형 단함분지(斷陷盆地)로 북부가 넓고, 지면이 비교적 평탄하며, 남부는 좁은 지형이다. 넓이는 167.66㎢, 해발은 1,715m이다(童紹玉 陳永森 著, 『雲南壩子研究』, 雲南大學出版社, 2007, 215쪽).

27) 운남성 대리주 상운현(祥雲縣) 상성진(祥城鎭)에 위치한다. 고원면(高原面)이 상승하면서 상대적으로 가라앉은 대형 와지(窪地)로, 호수가 점차적으로 퇴출하면서 형성되었다. 따라서 현재 패내(壩內)에 여전히 작은 호박(湖泊) 및 수당(水塘)들이 존재한다. 넓이는 338.75㎢이며, 해발은 1,965m이다(童紹玉 陳永森 著, 『雲南壩子研究』, 雲南大學出版社, 2007, 205쪽).

28) 운남성 미도현(彌渡縣) 미성진(彌城鎭)에 위치한다. 단함분지이다. 넓이는

지역 혹은 둘 다를 지칭할 것이고, 서이하는 물론 하탐(河賧)[현재의 대리패(大理壩)[29)]을 지칭한다.

이렇게 놓고 보면, 세 탐은 백애탐, 운남탐 그리고 하탐, 혹은 백애탐과 하탐 그리고 몽사탐으로 추정하는 것이 가능하다. 즉 장락진구와 그의 세력은 당시 당제국의 기미부주 지배 체제하에서 운남에 속하는 상운(祥雲) 지역이나 미도(彌渡) 지역에 근거를 두고, 대리(大理) 지역과 외산(巍山) 지역에 대해 영향력을 행사하고 있었던 것으로 추정할 수 있다. 그리고 그 영향력에 힘입어 당 제국으로부터 삼탐의 대수령으로 인정받았으며, 운남국조와 서이하후의 봉작을 획득한 것으로 해석된다. 따라서 철주 제사가 행해지던 당시 이 지역에 장락진구를 중심으로 하는 일정한 세력이 존재하였음을 상정하는 것은 어려운 일이 아니다. 그리고 「圖卷」에 등장하는 『張氏國史』의 성격이나 정체를 추단할 근거는 없지만, 장씨 세력이 일정한 기간 동안 존속했으며, 실제로 이들에 대한 기록이 존재했을 가능성을 배제하기 어렵게 한다. 또 몽씨의 남조가 결국 서이하 지역을 통일하고, 남중 지역 전역을 장악하는 고대국가로 성장하는 결과를 놓고 보면, 이들 장씨 세력을 복속시키는 과정은 필연적이었을 것이다.

그런데 정작 『南詔圖傳』에서 하고자 하는 이야기는 '장씨국'에 관한 것이 아니었다. 『南詔圖傳』은 아차야관음(阿嵯耶觀音)이 범승(梵僧)과 노인의 모습으로 변신하여, 몽씨의 남조 건국을 돕고 대리 이해지역

142.06㎢이며, 해발은 1,679m이다(童紹玉 陳永森 著, 『雲南壩子研究』, 雲南大學出版社, 2007, 208쪽).

29) 운남성 대리주 대리시 하관진(下關鎭)에 위치한다. 단함호분이다. 고원의 단함으로 형성된 호분이다. 옛날에는 이해의 면적이 광대했는데, 나중에 호박의 면적이 축소되면서 호수가의 작은 평원이 형성되었다. 넓이는 601㎢이고, 해발은 1,965m이다(童紹玉 陳永森 著, 『雲南壩子研究』, 雲南大學出版社, 2007, 204쪽).

을 교화하는 이야기들, 그리고 중요한 순간마다 남조 왕조를 보우하는 내용을 7개의 부분으로 나누어 서술하고 있다. 즉 아차야관음의 현신인 범승이 이 이야기의 주연이었다. 7개 중 첫 번째 이야기에서는, 관음의 화신인 범승이 출현하여 예언하기 전에 세노라와 나성의 집에서 나타났던 여러 가지 상서로운 조짐들을 소개하고 있는데, 용견(龍犬)이라 불리는 머리는 하얗고 몸은 검은 개의 탄생, 등화(橙花)라고 불리는 진귀한 꽃이 피는 나무 두 그루가 자라나 사시사철 꽃을 피운 일, 두 마리의 새가 이 나무에 깃들여 산 일, 황색 매의 방문 등이 그것이다.

'철주 제사' 이야기는 이러한 맥락에서 상서로운 징조의 하나인 황색 매의 출현을 설명하기 위해 배치된 장치였을 뿐이다. 앞서 살펴본 『철주기』 인용 기사 다음에는 바로 다음과 같은 문장이 이어진다. "이 새는 흥종왕(興宗王) 집에서 머무르다가, 11개월이 지난 뒤에야 모습을 바꾸었다." 이는 『鐵柱記』의 "흥종왕이 이에 기억하기를, 이것은 우리 집의 주조(主鳥)이다."라고 한 부분과 호응한다. 다시 말하면, 철주 제사 시에 철주 위에 있다가 나성의 팔에 내려앉은 주조는 이미 11개월 전부터 나성의 집에 살던 새였던 것이다. 그리고 『南詔圖傳』은 그 새가 아차야관음의 화신인 범승이 나타나기 3일 전에 세노라의 집에 들어왔다고 덧붙였다. 그리고 앞서 언급하였듯이, 「文字卷」은 이 관음의 화신이 행한 활약상, 그리고 관음이 남긴 관음상과 관음상의 발견 등의 내용으로 채워졌다.

이러한 맥락 안에서 장락진구를 지칭했던 '삼탐(三賧) 백대수령(白大首領) 장군(將軍)'과 '도지운남국조(都知雲南國詔) 서이하후(西洱河侯) 전배대수령(前拜大首領) 장군(將軍)'도 다시 살펴볼 필요가 있다. 둘은 같은 그림에 등장하는 동일 인물을 지칭하는 표현임에도 차이가 있다. 그것은 각기 인용한 자료가 다르기 때문일 것이다. 전자는 『鐵柱記』의 것이고, 후자는 『張氏國史』의 것이다. 나성의 경우도 『철주기』에서는 '홍종왕'이라 하였고, 『張氏國史』에서는 '외봉자사(巍峯刺史)'라고 하였다. 『張氏國史』 쪽이 『鐵柱記』 보다는 당제국과의 관계를 더 많이 표현한 것으로 보이며, 시간적으로도 후대의 직함을 소개한 것으로 판단된다. 장락진구를 지칭하는 두 직함을 비교하면, 우선 '삼탐'은 '운남과 서이하'에 조응하고, '장군'은 '장군'과 맞아 떨어진다. 그리고 '백대수령'은 '도지운남국조, 후, 전배대수령'과 짝을 이룬다고 할 수 있다. 또 배대수령 앞에 '전'자가 붙은 것은 장락진구가 '도지운남국조'의 직위를 얻은 뒤에 '대수령'은 다른 이에게 양보하거나 하여, 더 이상 맡고 있지 않다는 뜻일 것이다.

문제가 되는 것은 '배(拜)'의 해석이다. '이전에 제수된'이라고 해석하기에는 그러한 용법도 발견하기 어렵고, '대수령'이라는 직함이 '제수'라는 표현과는 어울리지 않는다. 그렇다면 '배'를 '백(白)'에 짝하는 표현으로 볼 가능성은 없을까. '백대수령(白大首領)'과 '배대수령(拜大首領)'을 같은 의미로 파악하면, 모든 해석이 순조로워진다. 대봉민국의 '봉(封)' 혹은 '봉민(封民)'이 음차인 것처럼, '백(白)'과 '배(拜)'도 음차로 해석할 수 있을 것이다. 즉, 철주에 대한 제사가 이루어질 때, 스스로를 '백(白)' 및 '배(拜)'와 비슷한 음의 명칭으로 부르는 세력이 있었고, 그를 대표하는 수령이 장락진구였으며, 외봉자사(巍峯刺史) 몽라성(蒙羅盛) 또한 그 세력의 구성원이었다고 볼 수도 있다. 물론 이는 아직 가설에 불과하다.

남조국 성립 이전에 백애 지역에 '백자국'이 존재하였는지, 남조국 시기에 이에 관한 인식이 있었는지의 여부는 여전히 확정할 수 없는 문제로 남아 있다. 이와 관련하여 주목되는 것이 『張氏國史』 혹은

『國史』의 존재이다. 백자국의 실재를 믿는 연구들이 강력하게 제시하는 증거 중의 하나이다. 문제는 두 가지이다. 하나는 『國史』와 『張氏國史』가 같은 문헌인지 여부인데, 판단할 자료가 없다. 그리고 다른 하나는 『張氏國史』의 경우 '장씨'의 의미를 해석하는 일이다. 즉 '장씨국의 역사'인가 '장씨의 국사'인지가 밝혀져야 할 것이다. 후자일 경우, 장씨가 편찬한 『國史』로 해석될 수도 있을 것이다. 이 또한 판단할 근거가 부족하다. 다만 상기해야 할 것이 있는데, 『南詔圖傳』의 편찬 목적과 다루는 시간 범주이다. 즉 아차야관음 신앙의 전파 내력을 밝힐 목적으로 건국을 즈음한 '철주 제사'를 전후한 시기로부터 남조의 마지막 황제 시기까지의 사건들을 다루는 서책이 참고해야 할 역사는 누구의 『國史』이어야 하는지의 문제이다.

『南詔圖傳』 안에는 적지 않은 장씨(張氏)들이 등장한다. 우선 앞서 보았듯이 「圖卷」의 편찬 책임자로 보이는 이의 이름이 장순(張順)이다. 그리고 『國史』와 『張氏國史』 모두 「圖卷」에만 등장한다. 또 『南詔圖傳』에는 장락진구의 후손들도 보이는데, 제7폭의 그림에서 '문무황제'를 시종하는 무사의 옆에는 "상으로 용머리 장식 칼을 찬[賞着裝龍頭刀] 신(臣) 보행(保行)은 곧 백애(白崖) 락진구(樂盡求) 장화성(張化成) 절내인(節內人)이다."라는 주기(注記)가 붙어 있다. 장보신이라는 무사가 백애의 장락진구와 장화성의 후손임을 밝히는 내용으로 보인다. 또 나성(羅盛) 때에 범승(梵僧)이 개남(開南)의 차부산(嵯浮山) 정상에 나타난 정황을 그린 제5폭에는 개남 보저락저대수령(普苴諾苴大首領) 장영건(張寧健)이 등장하는데, 「文字卷」 <5화>에서는, 범승을 만난 보저락저의 대수령 장영건이 장건성(張建成)의 아비이고, 장건성은 곧 장화성이라고 밝히고 있다. 『紀古滇說集』에 따르면, 이 장화성[장건성]은 남조 3대왕 성라피(盛邏皮) 시기에 당에 조공사자로 갔다가,

성도(成都)에서 불법(佛法)을 가지고 들어온 사람이다. 비록 직접적인 '선양'의 언급은 없지만, 남조국 성립 이후 장락진구의 후손 중 적어도 일부는 남조 정권에 호의적이었던 것으로 보인다.

『南詔圖傳』의 기록을 믿을 수 있다면, 분명한 것은 남조가 외산(巍山)에서 세력을 키우기 시작할 무렵, '철주 제사' 이야기가 보여주는 바와 같은 정치 질서가 존재하였다는 것이다. 즉, 당 제국의 기미부주 체제 아래서 이 지역에서 주도권을 장악하였던 백대수령 장락진구가 건재하였고, 이주민 집단인 세노라와 나성 부자도 여기에 복속했던 것으로 보인다. 그러나 그렇다고 해서 남조국의 왕족들이 스스로를 '백(국)인'으로 인식하였는지는 좀 더 살펴보아야 할 문제이다. 『南詔圖傳』의 서술 맥락과 저술 목적은 다른 곳을 가리키고 있는 것으로 보이기 때문이다.

이상 세 문헌을 살펴보았는데, 후대로 갈수록 '백(자)국'의 모습이 명현해지고, 천축으로부터의 영향이 분명해진다. 그러나 이것이 이들 문헌이 일관된 방향성을 갖추고 발전해갔다는 의미는 아니다. 오히려 각 문헌마다 이야기하고 강조하고자 하는 맥락은 모두 달랐다. 후대의 문헌들이 각자의 입장에 따라 선대 문헌의 내용을 취사선택하여 재구성했을 뿐이다. 백자국을 '백국' 혹은 '백인'의 역사 안에 위치지우고 '백국사'를 계보화 하고 역사로 만드는 것은 『백국인유』에서만 찾을 수 있는 현상이었다.

4. '대봉인(大封人)'과 '대봉민국(大封民國)' 그리고 남조국

『南詔圖傳』의 작성 목적은 「文字卷」의 일곱 번째 부분에 실려 있는 남조국의 13대 황제 순화정(舜化貞)의 칙서(勅書)에 잘 드러나며, 말미의 후기와 「圖卷」 제6폭의 주기에 잘 요약되어 있다. 칙서는 관음상이 발견된 다음 해에 내려졌다.

㉠ 대봉민국(大封民國)에는 성스러운 (관음의) 가르침이 성행하니, 혹은 호범(胡梵)[버마와 인도?]으로부터 이른 것이 있고, 혹은 토번(吐蕃)과 한(漢)으로부터 온 것이 있다. 대대로 그것을 서로 전하여, 공경하고 우러르는 것이 여전히 다름이 없다. 이로 인하여 병마가 강성하고, 왕업(王業)이 지극히 창성하며, 만성(萬姓)이 일찍 죽는 재앙이 없고, 오곡(五穀)은 풍성하게 그득한 상서로움이 있다. 그러나 짐(朕)이 아직 어리기 때문에, 고금(古今)에 널리 알지 못하고, 비록 전교(典敎)가 나라에 들어왔다고는 하나, 어느 성인(聖人)이 시작하였는지 아직 알지 못한다. 삼가 마음을 더하여 (관음의) 도상(圖像)을 공양하고 (이를) 널리 유행하게 하여, 금세로부터 후대에 이르기까지 재앙을 없애고 복이 이르게 하고자 한다. 따라서 유자(儒者)와 승려[釋] 그리고 기로(耆老)의 무리로 고금에 통달한 자들에게 묻노니, 알거나 들은 것을 숨기지 말고 조속히 진봉(進奉)하도록 하라. 이 칙(勅)은 자상(慈爽)에 부쳐 하에 포고하니, 모두가 알게 하라. 중흥(中興) 2년(898년) 이월 십팔일. (『南詔圖傳』 「文字卷」 <7화(化)>)

㉡ 중흥황제(中興皇帝)에 이르러, 유자와 승려[釋] 기로의 무리로 고금에 통달한 자들에게 물으셨다. (그리고 관음이) 나라에 들어온 유래를 그린 그림을 받들어, 나라를 안정시키고 이속(異俗)을 교화하는 데 이르렀다. 찬술을 맡은 신(臣) 왕봉종(王奉宗), 신박사(信博士)·내상시(內常侍)·추망(酋望)·인상(忍爽) 장순(張順) 등이 삼가 『巍山起因』, 『鐵柱

(記)』,『西耳河記』 등을 살펴서 외산(巍山) 이래의 훌륭한 사적[勝事]을 약술하였다. 때는 중흥 2년(898년) 무오세(戊午歲) 3월 십사일에 삼가 기록하다.(『南詔圖傳』「文字卷」 <7화(化)>)

ⓗ 신박사·내장시(內掌侍)·추망·인상 신 장순과 외산주장내서금권(巍山主掌內書金券)·찬위리창(贊衛理昌)·인상(忍爽) 신 왕봉종 등이 진술하였습니다. 삼가 『巍山起因』,『鐵柱』,『西耳河』 등의 기록과 아울러 국사를 살펴서 개재된 그림[圖]와 글[書]를 올립니다. 성교(聖敎)가 처음 방국(邦國)에 들어온 기원은 삼가 그 모양을 그림으로 그리고, 아울러 들은 바를 게재하여, 모두 왼쪽과 같이 나열하였습니다. (『南詔圖傳』「圖卷」 <제6폭(幅)>)

남조말기 불교, 특히 관음신앙이 중요한 지배 이념으로 작용하고 있었음을 확인할 수 있다.『南詔圖傳』은, 남조왕국의 마지막 황제인 중흥황제가 대리 지역에 퍼져 있는 아차야관음 신앙이 처음 들어온 내력, 특히 자신이 즉위하기 전 해에 발견된 관음상의 내력에 관한 조사를 명하는 조칙을 내렸고, 이에 장순과 왕봉종 등이『巍山起因』,『鐵柱記』,『西耳河記』,『(張氏)國史』 등의 기록을 모아 정리한 그림과 글이다.「文字卷」에는 왕봉종(王奉宗)의 이름이,「圖卷」에는 장순의 이름이 앞에 나오는 것으로 보아, 둘이 그림과 글로 책임을 나누었는지도 모르겠다.『南詔圖傳』은 결국 아차야관음의 도움으로 건국되고, 그 보우 아래 존속한 남조국의 역사를 강조한 그림책이었고, '철주제사'는 이를 강조하기 위한 하나의 에피소드였을 뿐이다. 그리고 이 이야기는 남조 말기 관음상의 발견과 관음의 보우를 강조하기 위해 다소 과장이 있었을지도 모르지만, 남조국이 설 무렵부터 '범승'

들에 의한 포교 활동이 적지 않게 있었으리라는 추정을 가능하게 한다.

그런데 위 기사들에서 주목되는 바들이 있다. '대봉민국'이라는 국호의 자칭과 버마와 인도를 지칭하는 것으로 보이는 '호범(胡梵)'이다.[30] 여러 연구들이 지적하는 바에 따르면, 봉(封)은 곧 '백(白)'과 음이 통하고, '대봉민국(大封民國)'은 결국 '대백민국(大白民國)'이라고 한다.[31] 남조가 스스로 '대봉인(大封人)'이라 칭했다고 하는 이야기는 『新唐書』 「南蠻傳」에도 전한다.[32] 이것이 사실이라면, 남조의 지배계층이 스스로 '백민(白民)'으로서의 인식을 가졌다는 의미가 된다. 이렇게 되면, '삼탐백대수령(三賧白大首領)'의 '백(白)'도 '백부(白部)' 정도로 해석할 가능성이 생긴다. 그리고 이때의 '백부' 혹은 '백인'은 수당대의 '백만(白蠻)'과는 달리[33] 특정 종족 집단 혹은 정치공동체의 명칭이 될 것이다. 그러나 이 글에서는 이 주장을 확실하게 지지하기

---

30) 立石謙次(『雲南大理白族の歷史ものがたり－南詔國の王權傳說の觀音說話－』, 東京: 雄山閣, 2010)는 서역(西域)과 인도로 해석하였다(22쪽).

31) 王忠, 『新唐書南詔傳箋證』, 中華書局, 1963, 114쪽.

32) 『新唐書』 卷222中 「南蠻」中 <南詔 下>, 6290~6291쪽. 서운건(徐雲虔)의 『南詔錄』에서도 "남조의 별명을 학척이라고 하는데, 그 후 또 대봉인이라고도 자칭하였다."라고 적었다(王叔武, 『雲南古佚書鈔』, 昆明: 雲南人民出版社, 1981, 37쪽). '봉민(封民)'이 아니라 '봉인(封人)'으로 적은 이유가 이세민(李世民)을 피휘(避諱)하기 위해서라고 설명하는 연구도 있다.

33) 수당대의 '백만' 개념은 '오만'과 상대되는 개념으로 혈통적 구분이라기보다는 문화적 구분에 가깝다. '백만'과 '오만'은 중국인의 입장에서 만이 집단을 타자화시키면서 문화적 친근성을 기준으로 대별할 때 사용되는 개념이다. 따라서 남조를 비롯한 6조에 대하여 '오만'으로 규정하는 것은 당시 이들이 '백만'에 속한 다른 집단들보다 중국인들과 문화적 거리가 멀었기 때문이었다. 남조의 시조 세노라가 '애뢰이' 출신이라는 점은 당시 '운남' 지역집단들과 구분되겠지만, 이미 그 모집단으로부터 이탈하여 '巍山'으로 이주한 뒤, '백'에 속하는 집단들과 섞여 그 질서에 순응하였다면, '백대수령'이 통령하는 '백' 집단의 구성원이 되지 못할 이유는 없었을 것이다. 물론, 이에 대한 결정적 증거는 없다.

가 어렵다. 이에 관하여는 뒤에 바로 설명할 것이다.

'호범(胡梵)'을 정확하게 해석할 방법은 아직 찾지 못하였다. 남조국을 가운데 두고 볼 때, 한(漢)과 토번(吐蕃)을 제외하고 남는 방향은 베트남 라오스 쪽과 버마 인도 쪽이다. 그리고 '범(梵)'은 흔히 '불교' 인도의 문자를 의미하고, '호(胡)'는 번작(樊綽)의 『蠻書』에 현재의 버마에 해당하는 표국(驃國)에서 잡아온 승려를 '호승(胡僧)'으로 부른 사례가[34] 있어서, 일단은 버마와 인도 방향으로 풀어보았다. 흔히 운남 지방에 처음 들어온 불교는 한전불교(漢傳佛教)로 설명된다. 그런데 위 기사에서 관음 신앙이 혹은 중원 지역과 티베트 지역에서 혹은 '호범(胡梵)'에서 왔다고 한 것은 적어도 이 시기에 이르면, 인도 쪽으로부터 직접 불교가 수입되고 있었음을 의미한다. 사실 '촉신독도(蜀身毒道)'가 일찍부터 열려있었음을 감안하면, 그리 이상한 일도 아니다. 아니 오히려 애초에 중국 쪽으로부터 불교가 전해졌다는 것이 더 이상해 보인다.

『南詔圖傳』에는 '백자국'과 관련하여 해명되어야 할 문제들이 몇 가지 있다. 우선은 대봉민국의 '봉'과 '백'의 관계이고, 이와 관련된 『(張氏)國史』의 해석 문제이다. 또 『南詔圖傳』의 편찬은 분명 '대봉민국' 탄생의 연장선상에 있었다. 그리고 이 '대봉민국'의 호칭과 『南詔圖傳』의 편찬은 후대의 '백자국사(白子國史)' 구성에 많은 영향을 미쳤다. 따라서 '대봉민국'의 탄생 시점이 보여주는 맥락적 의미도 이해가 필요하다. 이 절에서는 이 문제들을 차례대로 살펴보겠다.

우선 '대봉민국'이라는 국호에 대하여 다시 한 번 살펴보면, 『南詔圖傳』에서는 '대봉민국'이 두 번 더 언급된다. 다음의 기사가 그것이다.

---

34) 『雲南志補注』, 雲南人民出版社, 1995, 129쪽.

ⓐ [남조국 10대 황제 풍우(豊祐)] 보화(保和) 2년(825년) 을사(乙巳)해에 서역(西域)의 화상(和尙) 보립타가(菩立陁訶)가 와서 우리 경도(京都)에 이르러 말하기를, "우리 서역 연화부(蓮花部)의 어른이신 아차야(阿嵯耶) 관음(觀音)께서 번국(蕃國)[토번]으로부터 교화를 행하면서 너희 <u>대봉민국(大封民國)</u>에 이르렀는데, 지금 어디에 계신가?"라고 하였다. 말을 마치고, 7일이 지나자, 끝내 본디의 불사(佛寺)로 돌아가 버렸다. 우리 <u>대봉민국(大封民國)</u>은 비로소 아차야(阿嵯耶)가 와서 이곳에 이른 것을 알았다.(제7화)

이 기사에 따르면, 825년 서역에서 온 승려가 아차야관음의 행방을 물으며, 남조국을 지칭하여 '대봉민국'이라 하였고, 또 기사의 화자도 스스로를 '대봉민국'이라 칭하였다. 825년 당시 남조의 황제를 비롯하여 지배층이 스스로를 대봉민국이라 칭하였는지 확인할 수 없지만, 『新唐書』「南蠻傳」은 남조왕(南詔王) 추룡(酋龍)이 죽고 그 아들 법(法)이 즉위한 878년에 "스스로 대봉인(大封人)이라 칭하였다"고 적고 있다.[35] 추룡은 곧 경장황제(景莊皇帝) 세륭(世隆)이고, 법은 선무제(宣武帝) 융순(隆舜)이다. 이러한 남조국의 국호 변경 시점에 관하여는 『紀古滇說集』도 확인하고 있는데, 재미있는 내용을 포함하고 있다. 앞서 제2절에서 본 바 있는 ⓜ과 ⓗ 기사가 그것이다.

앞서 살핀 바와 같이, 『紀古滇說集』의 '대봉민국'은, 선천성(善闡城)이 있는 곤명 분지 지역과는 구분되는 곳이었고, 당시의 서경(西京)이 있었던 대리 분지를 지칭하는 것이었다. 사실 '국(國)'이 왕성 내지 수도의 의미를 지니고 있으니, 크게 이상한 일도 아니고, 국호를

35) 酋龍恚, 發疽死, 僞謚景莊皇帝. 子法6291 嗣, 改元貞明(878~), 承智, 大同, 自號大封人.(『新唐書』 卷222中 「南蠻」中 <南詔 下>, 6290~6291쪽.)

정하면서 군주와 지배집단의 거주 지역이 지닌 특징을 내세우는 것은 어쩌면 당연한 일일 것이다. 878년에 공포된 대봉민국의 국호는 『新唐書』도 지적하였듯이 분명한 '자칭(自稱)'이다. 『紀古滇說集』의 기록을 믿을 수 있다면, 이 칭호는 공식적으로는 남조가 멸망할 때까지 약 20여 년간 사용된 것으로 보인다. 그리고 왕조국가 시기에 '민국(民國)'이라는 한자어 그대로의 국호는 다소 어색해 보인다. 그렇다면, 결국 '봉민(封民)'이 남조(南詔) 황실을 비롯한 지배집단이 스스로의 정체성을 부여한 자칭이었을 가능성이 커 보인다.

'봉민(封民)'은 『신당서』에서는 '봉인(封人)', 그리고 『紀古滇說集』에서는 위 첫 기사에 보이듯이 '봉명(封名)'으로도 표기된다. 그리고 『南詔圖傳』에 나오는 '봉씨(封氏)'[36]도 '봉민(封民)'의 이기(異記)로 추정된다. '봉명(封名)'이라는 표기는 봉민의 '민(民)'이 뜻을 나타내기보다는 음차일 가능성을 높여주며, '봉인(封人)'과 '봉씨'는 음차한 글자 '민'이 '씨'나 '인'의 의미로 해석될 가능성을 보여준다. 즉 '봉(封)'이라 불리는 인간 집단[가계]의 의미일 것이다. 많은 연구자들이 '봉(封)'과 '백(白)[북(僰)]'을 음성학적으로 분석하여 서로 통하는 것으로 보고, '대봉민(인)국'을 '대백민(인)국'으로, 즉 봉(封)이 곧 백(白)이라고 하여, 백자국의 역사적 실재를 긍정하는 논리를 따르지만, 이 또한 하나의 가설에 불과하다. 확증할 증거가 없기 때문이다. 이 글에서는 결론을 유보하고자 한다. 특히 남조 지배집단의 경우, 이 가설이 설혹 사실이라 하더라도, 본디 애뢰이(哀牢夷) 지역으로부터 외산(巍山)으로 이주해왔다는 이들이 '백(白)[배(拜)]'이라는 명칭에 얼마나 애착을 가졌을지는 미지수이다. 오히려 '봉민'이 등장하는 환경은

36) "次出一士, 號曰羅傍, 着錦衣. 此二士共佐興宗王統治國政. 其羅傍遇梵僧以乞書教, 卽封氏之書也." 立石謙次(2010)의 경우는 '봉민(封民)'으로 읽었다.

매우 불교적이었다. '대봉민국'이 등장하는 『南詔圖傳』의 문맥이 그렇고, '대봉민국'을 선포한 남조 황제의 성향이 그러하였다. '봉씨지서(封氏之書)' 또한 나성의 문신(文臣) 나방(羅傍)이 범승(梵僧)을 만나 가르침을 구하여 얻은 물건이었다. 특히 남조 건국 시 등장하는 '건국관음(建國觀音)'을 바라문교도 및 대승불교도로 또 '대봉민'을 힌두교 '대범천(大梵天)'의 이역으로 해석하는 연구 또한 일정 정도의 설득력을 지니고 있다.[37]

앞서 언급하였듯이, '대봉민국'을 국호로 공표한 시점은 877년이고, 12대 남조국 황제 융순(隆舜)이 즉위하자마자 취한 조치였다. 그리고 『南詔圖傳』이 편찬된 것은 그가 죽고 1년 뒤인 898년의 일이었다. 그리고 902년에 마지막 황제 순화정(舜化貞)이 정매사(鄭買嗣)에게 시해되면서, 남조국은 주인이 바뀌었다. 결국, '대봉민국'은 거의 융순과 운명을 같이했다고 해도 크게 벗어나지 않을 것이다. 융순이 왜 '대봉민국'으로 국호를 변경하였는지는 알려져 있지 않다. 다만 융순이 즉위할 당시, 그의 부친인 세륭대(世隆代)로부터 '칭제(稱帝)'하였을 뿐 아니라, 당제국과의 책봉조공관계에서도 벗어나, 양자의 적대적 관계가 이어지고 있었다. 그리고 융순은 두 개의 호칭을 더 가지고 있었다. 『남조도전』에 따르면, 그는 '효선황제 마가라차(武宣皇帝摩訶羅嵯)' 그리고 '표신(驃信) 몽륭호(蒙隆昊)'로도 불렸다.

현재까지 '마가라차'에 대한 가장 일반적인 해석은 범문(梵文)의 "마하라자(Maharaja)"의 대음(對音)으로 '대왕(大王)'의 의미이다.[38] 그

37) 溫玉成, 앞의 논문, 2001. 이 연구는 『남조도전』「도전」의 그림을 분석하여, 범승 및 관음을 바라문교도와 대승불교도로 해석하고, '대봉민' 또한 힌두교의 대범천이라고 주장한다.

38) 李霖燦, 「南詔的隆舜皇帝與 "摩訶羅嵯" 名號考」, 『慶祝李濟先生七十歲論文集』上冊, 臺北, 1965. 그런데 이와 달리, 중국어의 "대흑천신(大黑天神)"이며, 백어(白

리고 이는 808년 심각권(尋閣勸)이 즉위하면서, "스스로 칭하기를 표신(驃信)이라 하였다. 만이의 말로 군(君)이다."[39]라고 한 것과 상통한다. 표신은 '표(驃)의 군주'로 해석되어왔다. 심각권이 자칭하여 '표신'이라고 한 것은 남조와 표국의 정치적 관계가 상당히 긴밀했음을 보여줄 뿐만 아니라,[40] 이 지역에서 남조를 중심으로 하는 국제질서가 만들어졌을 가능성을 시사한다.[41] 808년 남조의 왕 심각권이 즉위하면서 스스로 표신이라 칭한 것은 바로 도시국가들의 연합인 표국을 중심으로 한 이 지역 국제질서의 최정점에 위치하게 되었다는 의미이다. 『舊唐書』와 『新唐書』의 표국에 관한 기술은[42] 누층적으로 구성된 표국의 내부 구조와 국제관계를 간단하지만 분명하게 보여준다. 이에 따르면, 290개 내지 298개의 부락이 존재하고, 이들은 9개의 권역으로 나누어져 표왕에 역속되는 9개 진성에 의해 통할된다. 그리고 바깥에 표왕에 신속하는 18~20개의 속국이 존재한다. 그리고 이 세계의 가운데 표왕과 그의 성읍이 존재하는 것이다. 결국 표국을 기제(羈制)하게 된 남조왕은 표왕으로 대표되는 '세계'의 '최고 군주'임을 선언한 것이다. 즉 남조는 이 지역에서 자신을 중심으로 하는 국제질서 혹은 세계질서를 수립한 것이다. 아마도 9세기 후반 이후 당에 대한 원정과 '적국' 례의 요구, 그리고 대외적 칭제는 이러한 배경과 무관하지 않을 것이다.

語)의 의미로는 "몽가호씨족(蒙家虎氏族)"이라는 주장도 있다(徐琳, 「南詔, 大理國 "驃信", "摩訶羅嵯" 名号探源」. 『民族語文』 1996年 05期).

39) 『新唐書』 卷222中 「南蠻中」 <南詔 下>, 6281쪽.

40) 谷躍娟, 「南詔對尋傳及銀生地區的經營及利益趨向」, 『雲南民族大學學報』 2007-5, 93쪽.

41) 정면, 앞의 책(2015), 331~332, 346~353쪽.

42) 『舊唐書』 卷197 「南蠻 西南蠻」 <驃國>, 5285쪽 ; 『新唐書』 卷222下 「南蠻」下 <驃>, 6307쪽.

앞서 제3절의 <백자국 계보도>에서 16국을 언급한 바 있는데, 『紀古滇說集』에도 16국이 등장한다. "856년[대중(大中) 10년]에 (남조)왕 권풍우(勸豐佑)가 오화루를 세워, 서남이 16국의 대군장들을 모았다." 이 16국이 구체적으로 어디인지는 알 수 없지만, 대리국 시기에 만들어진 『張勝溫畫卷』을 통해 추정해 볼 수는 있다. 『張勝溫畫卷』 131도(圖)에서 134도까지의 그림인데, 제목은 "십육대국주중(十六大國主衆)"[43]이다. 16명의 국왕이 대리국에 이르러 조공하는 정경을 그리고 있다. 공교롭게도 여기서도 16명이다. 형상으로부터 분석해 보면, 분명 남아시아와 동남시아에 속하는 무리들이 있다.[44] 열여섯 대국의 국왕(혹은 그의 사자들)을 이끌고 어디론가 향하는 대리국 군주의 모습을 담은 위 그림이, 사실을 반영한 것인지, 아니면 단지 대리국 사람들의 이상적 꿈을 표현한 것인지는 알 수 없다. 다만 856년 서남이 16국의 대군장을 불러 모았다고 한 『紀古滇說集』의 기록이 사실이라면, 아마도 위 그림과 그 모습이 비슷하였을 것이다. 이를 통해 9세기 중반 남조국이 자신을 중심으로 하는 '세계'를 건설했음을 추단할 수 있다. 이미 당제국과의 책봉조공관계로부터 벗어난 남조는 동아시아세계와 동남아시아세계에 걸쳐 자신을 중심으로 한 세계를 만들어 낸 것이다.

'무선황제 마가라차' 그리고 '표신'의 칭호와 '대봉민국'의 자칭은 남조국 후반기 '남조의 서진'으로 인해 만들어진 이러한 역사상을 표현하고 있다고 생각된다. 즉, 8세기 중반 '운남' 지역을 통일하고 당과 토번 사이의 관계를 이용하여 세력을 확대해 나가던 남조국은

43) 李霖燦(1967), 『南詔大理國新資料的綜合研究』(中央研究院民族學研究所專刊之九), 臺北: 中央研究院民族學研究所, 圖版37.

44) 谷躍娟(2007), p.93.

동남아 대륙부로도 영향력을 크게 확대하였고, 이 힘을 바탕으로 10세기에는 당 및 토번과 필적하는 '제국'으로 성장하였다. 그리고 힌두교 및 불교의 전래와 그 신앙의 확장과 더불어, 그 세계관에 기초한 '대봉민국'의 선포가 이루어진 것은 아닌지 추정해 본다. 그리고 이러한 역사가 훗날 후대 '백국' 혹은 '백자국'의 역사를 구성하는 데 영향을 미쳤던 것일지도 모른다. 특히 아쇼카왕[아육왕]으로부터 시작되는 계보를 만드는 데 중요한 상상력의 기초가 되었을 것으로 생각된다.

5. 결론

이상 백자국 논쟁 및 이와 관련된 자료들을 줄기로 하여 '백국' 혹은 '백자국'의 계보화 혹은 역사화 문제를 살펴보았다. 『南詔圖傳』, 『紀古滇說集』, 『白國因由』 등 작성 시기가 다른 세 개의 문헌에 등장하는 '백자국' 관련 기술들을 통해, '백(자)국'의 역사를 설명하는 맥락이 세 문헌 모두 각기 달랐으며, '대봉민국' 또한 남조국 시기의 특수한 역사적 환경에서 출현하였음을 확인하였다. 결국 '역사 서술'이란 각 시기 서술자에 따라 그 맥락이 달라지며, 이에 따른 자기 인식 혹은 '정체성'의 형성도 각기 달라질 수밖에 없음을 이 사례를 통해서도 확인하였다.

『紀古滇說集』의 '백국'은 '전'의 역사 이야기 중 특정 시기를 대표할 뿐이었다. 이에 비해 『白國因由』는 『紀古滇說集』이 전하는 단편적 이야기들을 '백인'의 시각에서 '백국'의 역사로 계보화 하였다. 그러나 백자국의 역사적 존부 논쟁에서 가장 중요한 열쇠인 '장몽선양' 주장에 핵심적 근거를 제공해야 할 『南詔圖傳』의 '백(국)'은 남조 건국시기 '철주제사'의 그림이 상징하는 장락진구의 '백' 수령을 중심으로 하는 소국들 사이의 정치적 질서가 존재했음을 시사할 뿐, 백자국의 존재나 그 역사를 증명해 주지는 못하였다.

『南詔圖傳』과 『紀古滇說集』의 '대봉민국'은 남조국 후반기의 역사적 현실과 남조국 지배 집단 특히 왕실의 '정체성' 형성을 반영할 뿐이었다. '무선황제 마가라차' 및 '표신'의 칭호와 '대봉민국'의 자칭은 동아시아세계와 동남아시아 세계에 걸친 '제국'을 형성한 남조국의 정치적 자신감과 '불교적 혹은 힌두적 세계관'을 반영할 뿐, 자신의 역사적 정체성을 아육왕에 가탁하거나 장인과나 장락진구의 '백국'과 연결시키지는 않았다. 따라서 '봉민(封民)' 혹은 '봉(封)'을 장락진구의 '백(白)'과 동일시하려는 시도는 개연성이 그다지 커 보이지는 않는다. 그것이 등장하는 맥락이 전혀 달랐기 때문이다.

어쨌든 관음상 구득을 계기로 한 『南詔圖傳』의 편찬과 '마가라차'의 칭호로 대변되는 불교에 대한 신앙에 더하여, 남조시기 서쪽 방면과 남쪽 방면으로의 군사적 경제적 진출은, 후대의 사서들이 백국의 기원을 아육왕에서 구하게 되는 상상력의 기초가 되었으리라 생각된다. 특히 8세기 후반기 이후 남조는 '심전(尋傳)' 지역 경영에 성공하였고, 이를 바탕으로 촉으로부터 인도로 이어지는 교통로를 장악하였으며, 동남아시아 지역에 대한 군사적 외교적 영향력을 확대하였다. 그리고 결국은 '표신'의 칭호가 대변하는 바와 같이, 동남아시아 대륙부 국제질서의 패자에 등극한 것으로 판단된다. 그리고 이것이 '칭제'와 당제국과의 갈등, 그리고 '대봉민국'의 선포 등을 초래한 하나의 원인이 되었을 것이다.

참고문헌

1. 연구서

정　면, 『남조국(南詔國)의 세계와 사람들 : 8~9세기 동아시아의 서남 변방』, 선인, 2015.

王　忠, 『新唐書南詔傳箋證』, 中華書局, 1963.

李霖燦, 『南詔大理國新資料的綜合研究(中央研究院民族研究院專刊之九)』, 大陸雜誌社, 1967.

徐嘉瑞, 『大理古代文化史稿』, 中國圖書刊行社, 1985.

樊　綽, 『雲南志補注』, 雲南人民出版社, 1995.

段鼎周, 『白子國探源』, 雲南人民出版社, 1998.

方國瑜 主編, 徐文德 木芹 纂錄校訂, 『雲南史料叢刊』 第2卷, 雲南大學出版社, 1998.

方國瑜 主編, 徐文德 木芹 纂錄校訂, 『雲南史料叢刊』 第11卷, 雲南大學出版社, 1998.

侯　冲, 『白族心史－＜白古通記＞研究』, 北京大學 博士學位論文, 2002.

童紹玉 陳永森 著, 『雲南壩子研究』, 雲南大學出版社, 2007.

侯　冲, 『白族心史－『白古通記』研究』, 雲南人民出版社, 2011.

藤澤義美, 『西南中國民族史の研究－南詔國の史的研究』, 大安, 1969.

立石謙次,『雲南大理白族の歷史ものがたり－南詔國の王權傳說の觀音說話－』, 雄山閣, 2010.

2. 연구논문

鄭　勉, 「‘爨蠻’의 출현과 구성－‘西爨白蠻’과 ‘東爨烏蠻’의 구분 문제」, 『중국고중세사연구』 제23집, 중국고중세사학회, 2010.

鄭　勉, 「白族과 ‘白蠻’－『白族簡史』의 백족 계보 구성 비판」, 『동북아문화연구』 제33집, 동북아문화학회, 2012.

李霖燦, 「南詔的隆舜皇帝與 "摩訶羅嵯" 名號考」, 李濟, 『慶祝李濟先生七十歲論文集』上冊, 清華學報社, 1965.
祁慶富, 「南詔王室族屬考辨」, 中國西南民族研究學會編, 『西南民族研究 彝族專集』, 雲南人民出版社, 1987.
林超民, 「白子國考」, 楊仲錄 等, 『南詔文化論』, 雲南人民出版社, 1991.
徐　琳, 「南詔, 大理國 "驃信", "摩訶羅嵯" 名號探源」, 『民族語文』 5期, 中國社會科學院民族學與人類學研究所, 1996.
方國瑜, 「有關南詔史史料的幾個問題」, 方國瑜 著, 林超民 編, 『方國瑜文集』 第2輯, 雲南教育出版社, 2001.
楊政業, 「白子國國王張樂進求及其家世評述」, 『雲南民族學院學報(哲學社會科學版)』 2001-5, 雲南民族大學學報編輯部, 2001.
溫玉成, 「『南詔圖傳』文字卷考釋 - 南詔國宗教史上的幾個問題」, 『世界宗教研究』 2001-1, 中國社會科學院世界宗教研究所, 2001.
段鼎周, 「"白子國"再辨」, 趙懷仁 主編, 『大理民族文化研究論叢』 第1集, 民族出版社, 2004.
包鷺賓, 「民家非白國後裔考」, 『包鷺賓學術論著選』, 華中師範大學出版社, 2005
谷躍娟, 「南詔對尋傳及銀生地區的經營及利益趨向」, 『雲南民族大學學報』 2007-5, 雲南民族大學學報編輯部, 2007.
向　達, 「南詔史略論」, 『唐代長安與西域文明』, 河北教育出版社, 2007.
楊愛民, 「白子國散議」, 『西南學刊』 2012-1, 昆明學院人文學院, 2012.
立石謙次, 「清初雲南大理地方における白人の歴史認識について－『白國因由』 の研究」, 『史學雜誌』 Vol.115, No.6, 史學會, 2006.

‘동이’는 ‘오랑캐의 땅’을 어떻게 바라보았는가?*

가마쿠라막부의 오슈 인식

이세연

1. 머리말

오슈(奧州), 즉 태평양과 쓰가루(津輕) 해협으로 둘러싸인 일본열도의 동북지역은 8세기 이후 점진적으로 일본국의 판도에 편입된 변경[1)]

* 이 글은 「가마쿠라막부의 오슈 인식」(『일본역사연구』 42, 2015)을 수정 보완한 것이다.

1) 일본사에서 사료 용어로서의 ‘辺境’은 8세기부터 등장한다. 그 의미는 대략 ‘나라의 경계가 되는 변두리 지역’으로, 현대의 개념과 크게 다르지 않다. 초기의 용례를 들면, 다음과 같다. “북도(北道)의 오랑캐(蝦狄)가 길이 멀고 험한 것에 의지하고 실로 그릇된 마음을 제멋대로 하여 종종 변경을 놀래고 있습니다.”(『續日本紀』 712년 9월 23일조, 이하 인용사료의 연월일 표기는 ‘서력(연)+음력(월일)’의 형식으로 한다.), “오랑캐(蝦夷) 수천이 변경을 침구하였다. 천황이 여러 신하에게 명하여 정토에 관해 논의토록 하였다.”(『聖德太子伝暦』 上, 敏達天皇 10년조). 한편, 1180년대에 오슈가 변경으로 명시된 예로는 다음을 참조. “요시쓰네(義経) 등은 여전히 흉악한 무리의 잔당과 결탁하여 분명 무쓰의 변경에 있다고 한다.”(『吾妻鏡』 1188년 12월 11일조), “무쓰국 주민 야스히라(泰衡) 등은 사나운 마음을 타고나 변경에서 기세를

이었다. 행정구역상으로는 무쓰국(陸奧國)이라 불린 오슈의 범위는 이민족인 에미시·에조(蝦夷), 그리고 이들 가운데 천황의 덕에 '감화'된 부수(俘囚)와 일본 조정의 갈등, 교섭, 타협 여하에 따라 유동적이었지만, 대략 가마쿠라시대(1185~1333)를 거치면서 홋카이도(北海道)의 대안까지 확대되었다고 일컬어진다.

1180년대에 이르러 가마쿠라에 막부가 성립했을 때, 이 지역을 장악하고 있었던 것은 오슈 후지와라씨(藤原氏)였다. 오슈 후지와라씨는 당대 최고의 귀족 가문이었던 후지와라씨의 방계 혈통과 부수 계열의 호족인 아베씨(安倍氏), 기요하라씨(清原氏)의 혈통을 이어받은 경계선상의 호족이었다. 이들은 '귀종(貴種)'으로서의 문화적 감각과 '동이(東夷)의 원추(遠酋)', '부수의 상두(上頭)'로서의 자각을 아울러 지니고 있었다.[2)]

오슈 후지와라씨의 경제력과 군사력을 시종일관 경계했던 가마쿠라막부는 1189년 오슈전투를 일으켜 이 가문을 멸망시켰다. 오슈전투 이후 오슈의 경계성, 변경으로서의 성격은 상당 부분 희석되었던 것으로 보인다. 가마쿠라시대 중·후기의 각종 문서와 설화, 역사소설에 쓰가루, 소토가하마(外浜) 등 혼슈(本州)의 최북단 지역이 일본국의 경계로 등장하는 것도 결코 우연은 아니다.[3)]

떨쳤다."(『吾妻鏡』 1189년 9월 9일조).

2) 오슈 후지와라씨에 대한 전반적인 내용에 대해서는 다음 논고를 참조. 高橋富雄, 『奥州藤原氏四代』, 吉川弘文館, 2011(신장판 7쇄, 초판 1쇄는 1958) ; 入間田宣夫·豊見山和行, 『北の平泉, 南の琉球』, 中央公論新社, 2002, 第1部 ; 齊藤利男, 『平泉－北方王國の夢－』, 講談社, 2014. 한편 '동이(東夷)의 원추(遠酋)', '부수의 상두(上頭)'라는 표현은 1126년의 주손사(中尊寺) 공양 법회에서 봉독된 기요히라(清衡)의 원문(願文)에 등장한다. 『平安遺文』 5-2059호를 참조.

3) 11세기까지는 막연히 '무쓰', '부수의 땅'이 경계로 표기되었다. 고대·중세 일본의 경계에 대해서는 무라이(村井章介)가 기존의 연구를 토대로 일목요연하게 정리한 바 있다. 『日本中世境界史論』, 岩波書店, 2013, 50~51쪽의 표를

이처럼 가마쿠라시대에 이르러 일본국의 경계가 '길의 안쪽(みちのく)' 끝까지 '동진'한 것은 분명한 사실이지만, 그렇다고 하여 경계 안쪽의 오슈가 곧바로 한 덩어리의 지역으로서 균질화되었던 것은 아니다. 일찍이 오이시(大石直正), 야나기하라(柳原敏昭) 등이 규명한 바와 같이,[4] 중세의 오슈는 전진과 후퇴를 반복한 고대의 흔적을 고스란히 계승했던 바, 정치적으로든 경제적으로든 여러 개의 블록으로 구분될 수 있는 지역이었다. 북위 상으로는 39도와 40도가 대략의 기준선이 되었다.

'여러 개의 오슈'와 관련하여 또 하나 주의해야 할 점은 앞서 언급한 경계의 성격이다. 가마쿠라시대에는 쓰가루 해협 건너편의 에조가시마(夷が島, 오늘날의 홋카이도) 역시 쓰가루 등과 함께 종종 일본국의 동쪽 경계로 병기되었다.[5] 즉, 에조가시마와 쓰가루 등은 동질적인 공간으로도 인지되었던 것이다. 고고학적 발굴 성과 역시 쓰가루 해협 양안의 지역이 애초에 하나의 문화권이었음을 증명해 준다.[6] 말하자면 쓰가루 해협은 두 지역을 분단하는 장벽이 아니라 교통로로

참조.

4) 大石直正, 「陸奥國の荘園と公領」, 『東北學院大學東北文化研究所紀要』 22, 1990 ; 柳原敏昭, 「中世陸奥國の地域區分」, 『鎌倉·室町時代の奥州』, 高志書院, 2002. 다음 논고도 아울러 참조할 것. 荷見守義, 「北緯四〇度の歷史學－東アジア世界における北方日本－」, 『北方社會史の視座 第3巻 歷史·文化·生活』, 淸文堂出版, 2008 ; 入間田宣夫, 「東北史の枠組を捉え直す」, 『講座 東北の歴史 第一巻 争いと人の移動』, 淸文堂出版, 2012.

5) 『慈光寺本承久記』 巻上, 『妙本寺本曾我物語』 巻5를 참조.

6) 중세에 이르기까지 이른바 찰문(擦文) 문화가 홋카이도 남단에서 아오모리현에 걸쳐 분포했다는 점은 저명한 사실이다. 최근에는 주거형태의 구체적인 양상도 추적되어, 예컨대 10~12세기에 걸쳐 요시노가리(吉野ヶ里) 유적을 방불케 하는 방어형 환호(環濠) 집락이 형성된 사실도 확인되었다. 入間田宣夫·小林眞人·齊藤利男編, 『北の内海世界－北奥羽·蝦夷ヶ島と地域諸集団』, 山川出版社, 1999 ; 大石直正·高良倉吉·高橋公明, 『周縁から見た中世日本』, 講談社, 2009, 52~64쪽 참조.

기능했던 것이며, 그 바닷길을 따라 사람과 물자가 종횡으로 얽히며 다양한 관계가 형성되어갔다. 쓰가루 해협의 양안 지역은 '와진(和人)'과 에조가 공존하는 잡거지대였다. 근대적 시각에서 바라보자면 경계는 배타적으로 닫힌 공간 혹은 선이라 할 테지만, 중세 일본사회의 경계는 이처럼 느슨하게 열린 공간이었다.

위에서 개관한 바와 같이, 가마쿠라시대의 오슈는 일괄적으로 설명하기 어려운 지역이었다. 그 실태에 대한 연구는 1980년대 이후 본격적으로 이루어졌다. 문헌사학과 고고학의 공동 작업도 적극적으로 추진되어 지금까지 방대한 연구 성과가 축적되어왔는데, 그 근간에는 주변부의 시각에서 중심을 조망한다는 문제의식이 깔려 있었다.[7]

---

7) 문헌사학에서 큰 전기가 된 것은 小林清治·大石直正編, 『中世奥羽の世界』, 東京大學出版會, 1978이었다. 이 논저를 통해 주변부의 시각에서 일본중세사회를 조망한다는 연구 방향이 명확하게 제시되었다. 이러한 흐름으로부터 북방의 해역세계, 동아시아의 틀을 염두에 둔 연구도 본격화하였다(北海道·東北史研究會, 『北からの日本史』, 三省堂, 1988·1990 등). 같은 시기에 동북지방에 대한 고고학적 연구도 진척되는데, 그 성과는 1980~90년대에 걸쳐 문헌사학의 성과와 접목되기 시작했다. 특히 오슈 후지와라씨의 거점인 히라이즈미(平泉)에 대한 발굴조사, 호조씨(北條氏)의 심복 안도씨(安藤氏)의 거점인 도사미나토(十三湊)에 대한 발굴조사는 획기를 이루었다(平泉文化研究會編, 『奥州藤原氏と柳之御所跡』, 吉川弘文館, 1992 ; 同編, 『日本史の中の柳之御所跡』, 吉川弘文館, 1993 ; 國立歷史民俗博物館編, 『中世都市十三湊と安藤氏』, 新人物往來社, 1994 등을 참조). 이상과 같은 연구동향은 통사 시리즈의 편성에도 반영되었다. 예컨대, 『日本の歴史』(講談社, 2000~2003)에는 『周縁から見た中世日本』(大石直正·高良倉吉·高橋公明)이 편성되었으며, 비슷한 시기 출간된 『日本の中世』(中央公論新社, 2002~2003) 시리즈에는 『北の平泉, 南の琉球』(入間田宣夫·豊見山和行), 『日本の時代史』(吉川弘文館, 2002~2004) 시리즈에는 『蝦夷島と北方世界』(菊池勇夫編)가 각각 편성되었다. 최근에 간행된 『岩波講座 日本歴史』(2013~2015)에도 시대사와는 별도의 권으로 『地域論』이 편성되었다. 끝으로 최근의 연구동향을 덧붙이자면, 외부적으로는 동북지방을 동아시아 세계의 변경으로 바라보는 시각, 내부적으로는 동북지방을 제각각의 특색을 지닌 여러 지역으로 구분하여 바라보는 시각, 나아가 이를 바탕으로 일본지역문화론을 재구성하고자 하는 시각이 주류를 이루고 있다고 할 수 있다(『講座 東北の歴史』, 清文堂出版, 2012~2014를 참조).

이와 같은 연구 동향은 일본중세사뿐만 아니라, 역사학 연구 전반에 시사하는 바가 크다고 생각한다.

다만, 주변부의 시각을 중시하는 연구의 내실은 역설적이지만, 중심의 시각을 부단히 의식함으로써 보다 공고히 다져질 수 있을 것이다. 예컨대, 한 연구자가 주변부의 자기인식이라는 문제를 규명하고자 한다면, 그는 필연적으로 중심에 대한 주변부의 타자인식, 그리고 주변부에 대한 중심의 타자인식을 아울러 검토하지 않을 수 없는 것이다. 그런데 중세의 오슈에 관한 연구 동향을 일별해 보면, 주변부의 시각을 강조한 연구가 비약적인 발전을 보이고 있는 것에 비해 중심의 시각을 검토한 연구는 정체되어 있다는 인상을 받는다.

본 논문에서는 이러한 문제의식을 바탕으로, 가마쿠라막부의 오슈 인식을 검토해 보고자 한다. 오슈와의 관계에서 보자면, 중심은 교토의 조정으로도 설정될 수 있을 테지만, 정치적으로든 경제적으로든 현실적으로 체감되는 중심은 역시 가마쿠라막부였기 때문이다.

더군다나 가마쿠라막부는, 조정의 시각에서는 변경의 정치권력으로 규정되기도 하였다. 정치적 갈등의 국면에서 조정 측이 가마쿠라막부를 '동이(東夷)'라 지칭하곤 했다는 사실은 이 점을 여실히 보여준다.[8] 보다 흥미로운 점은 가마쿠라막부가 '동이'로서의 자기인식을 지니고 있었던 것으로 보인다는 사실이다.[9] 말하자면, 가마쿠라시대

---

8) 『民経記』 1242년 1월 11일조, 『鎌倉遺文』 41-31996호 등을 참조.

9) 예컨대, 호조 요시토키(北條義時)는 막부군이 조정의 관군에 맞선 1221년의 조큐(承久)의 난을 '華夷闘亂'으로 표현했으며(『吾妻鏡』 1221년 8월 10일조), 호조 야스토키(北條泰時)는 1232년 막부의 독자적인 법률 제정과 관련하여 "교토에는 필시 물정 모르는 오랑캐들(ゑびすども)이 써 모은 것이라고 비웃는 분도 계실 터라" 운운의 편지를 호조 시게토키(北條重時)에게 보냈다(『鎌倉遺文』 6-4357호).

에는 관념 상 중심과 주변부, 변경이 착종되는 상황이 벌어지곤 했던 것이다. 현재 필자가 갖추고 있는 역량으로는 그 역동성의 전모를 드러내기 어렵다. 그래서 본 논문에서는 우선 가마쿠라막부의 오슈 인식을 살펴봄으로써, 중세일본의 중심과 변경, 주변부의 자기인식과 상호인식이라는 보다 거시적인 문제에 접근하기 위한 발판을 마련하고자 한다.

본 논문에서는 가마쿠라막부의 정사라 할 수 있는『吾妻鏡』를 주요 분석대상으로 삼고자 한다. 1180~1266년의 시기를 다루는 이 사료는 1300년 무렵에 편찬된 연대기이다. 따라서 그 활용에는 일정한 제약이 따르지만, 원 사료는 막부 행정 관료들의 일기와 각 무사가문의 문서 등으로 알려져 있다.[10] 즉, 적절한 사료비판을 거친다면 당대의 시대상황을 반영한 사료로서 충분히 취급할 수 있는 것이다. 본 논문에서는 이러한 시각에서『吾妻鏡』를 적극적으로 활용하고자 한다.

본 논문에서는 중심, 주변부, 변경, 경계, 이역(異域)이라는 표현을 자주 사용하는데, 이는 기본적으로 공권력의 침투도를 염두에 둔 표현이다. 물론 이 표현이 필자의 독창적인 아이디어는 아니다. 필자가 특히 참조한 것은 깨끗함(淨)과 더러움(穢)을 기준으로 <중심-주변-경계-이역>이라는 동심원적 공간모델을 제시한 무라이(村井章介)의 논고임을 밝혀둔다.[11]

10) 『吾妻鏡』의 서지사항 등에 대해서는 다음 논고를 참조. 五味文彦,『增補 吾妻鏡の方法』, 吉川弘文館, 2000(증보판, 초판은 1990) ; 五味文彦·井上聰,「吾妻鏡」,『國史大系書目解題(下卷)』, 吉川弘文館, 2001.

11) 村井章介,「中世日本列島の地域空間と國家」,『アジアのなかの中世日本』, 校倉書房, 1988. 무라이는 본래 중심은 천황의 신체를 핵으로 하는 서국이었으며, 주변은 동국과 남규슈, 경계는 소토가하마(外浜), 기카이가시마(鬼界島) 등지였다고 주장하였다. 아울러 이러한 공간구성이 가마쿠라막부의 출현으로 인해 어그러지고, 교토와 가마쿠라라는 두 개의 중심을 기준으로 일본열도

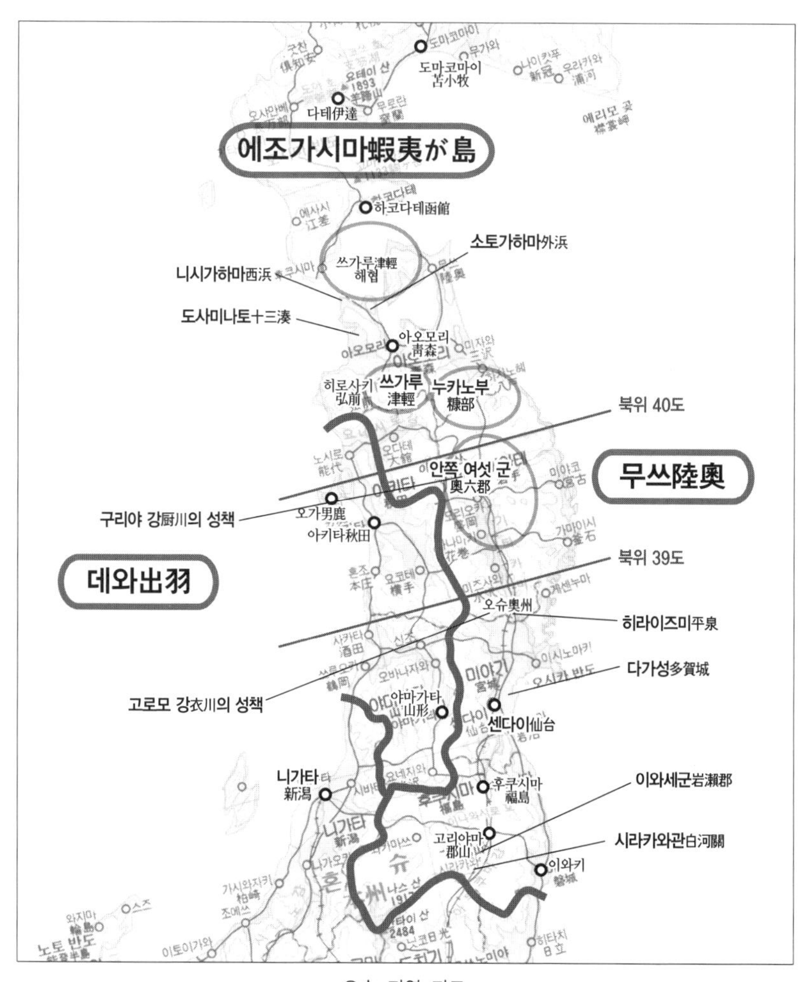

오슈 지역 지도

의 공간은 재편되었다고 보았다.

2. 오슈전투에 이르기까지

『吾妻鏡』에 보이는 오슈의 이미지 가운데 가장 먼저 눈에 띄는 것은 도피처로서의 오슈이다. 중세 일본인들은 유사시에 변경 혹은 이역으로 도피한다는 감각을 공유하고 있었는데,[12] 그러한 도피처 가운데 하나가 오슈였다. 1180년 당시 이즈국(伊豆國)에서 유배생활을 하고 있던 미나모토노 요리토모(源頼朝)에게 교토의 미요시 야스노부(三善康信)는 다음과 같이 전갈하였다.

> 산위(散位) 야스노부(康信)의 사자가 호조(北條)에 도착했다. 무위께서 인적이 드문 곳에서 대면하셨다. 사자가 이르기를, "지난 달 26일 다카쿠라노미야(高倉宮)가 돌아가신 후, 그 영지(令旨)를 받은 겐지(源氏) 등은 모두 추토하라는 명이 떨어졌습니다. 주군께서는 (겐지의) 정통이십니다. 각별히 두려워해야 할 것입니다. 속히 오슈 방면으로 피하셔야 할 것으로 사료됩니다."라고 하였다.[13]

잘 알려진 바와 같이, 1180년대의 내란은 다카쿠라노미야, 즉 모치히토왕(以仁王)의 영지 발급에서 비롯되었다. 헤이시(平氏)를 추토하라는 모치히토왕의 영지는 각지의 겐지들에게 전달되었는데, 요리토모 역시 예외는 아니었다.[14] 그러나 모치히토왕의 거병은 실패로

12) 村井章介, 「國境を考える」, 『國境を超えて』, 校倉書房, 1997 ; 柳原敏昭, 「中世日本の北と南」, 『日本史講座』 4, 東京大學出版會, 2004 ; 同, 「境界への逃亡」, 『古代中世の境界意識と文化交流』, 勉誠出版, 2011을 참조.

13) 『吾妻鏡』 1180년 6월 19일조. 중세의 동북지역 및 홋카이도에 관련된 기본 사료는 가이호(海保嶺夫)의 연구에 상당수 실려 있어 편리하다(『中世蝦夷史料』, 三一書房, 1983 ; 『中世蝦夷史料補遺』, 北海道出版企畫センター, 1990). 필자 역시 본 논문의 작성과정에서 적극 참조하였다.

돌아갔으며, 헤이시는 반란의 싹을 자르기 위한 군사작전에 돌입하였다. 야스노부는 요리토모에게 이러한 사정을 알리는 한편 오슈로의 피신을 권했던 것이다.

겐지장군가 계보도

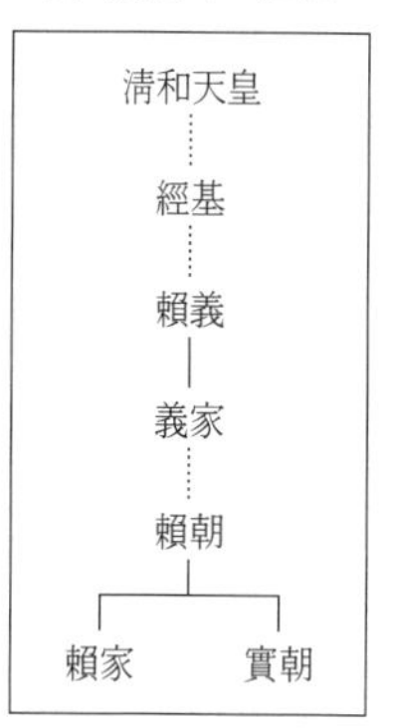

요리토모는 오슈로 피신하는 대신 거병을 택하지만, 여하튼 1180년대 내란기의 일본사회에서 오슈가 유사시에 피신할 수 있는 지역으로 인식되었던 점은 틀림없어 보인다. 예컨대, 미나모토노 요시히로(源義廣)에게 동조한 히타치국(常陸國)의 일부 무사들도 요리토모의 압박을 피해 오슈로 피신했으며,[15] 막부의 수장자리를 넘보았던 미나모토노 요시쓰네(源義経) 역시 마지막 도피처로 오슈를 선택하였다.

이처럼 오슈는 모종의 공권력이 온전하게 작동하지 못하는 영역으로 인지되고 있었던 것인데, 그 근간에는 오슈가 수많은 정복전쟁을 통해 점진적으로 획득된 신천지라는 인식이 자리잡고 있었던 것으로 판단된다. 요리토모가 이끄는 반란군 내부에서는 특히 미나모토노 요리요시(源賴義), 요시이에(義家) 부자에 의한 오슈 정벌이 부단히 기억되고 있었던 것으로 보인다.

> 무위(武衛)께서 아와국(安房國) 마루노미쿠리야(丸御厨)를 둘러보셨다. 마루 고로 노부토시(丸五郎信俊)가 안내자가 되어 모셨다. 이곳은 선조 요슈(予州)께서 동이(東夷)를 평정하신 옛날, 처음으로 받은 조은(朝恩)이었다.[16]

---

14) 『吾妻鏡』 1180년 4월 27일조.
15) 『吾妻鏡』 1184년 4월 23일조.

헤이시에 맞서 거병한 요리토모는 서전에서 승리하지만, 이시바시산(石橋山) 전투에서 패하여 보소반도(房總半島)로 건너갔다. 요리토모는 보소반도의 최남단에 위치한 아와국으로부터 북상하며 점차 세를 규합해 가마쿠라로 들어서게 되는데, 위 사료에 보이듯 아와국에서 안정을 되찾은 요리토모는 자신의 선조인 요리요시가 11세기 중반 오슈 정벌에 성공한 후 조정으로부터 하사받은 영지를 둘러보았던 것이다.

11세기 중반 당시 요리요시는 부수인 아베씨를 제압했는데, 위 사료에서 아베씨는 '동이'로 표현되어 있다. 요리요시의 전쟁은 '정이(征夷)'로 기억되고 있었던 것이며, 오슈는 오랑캐의 땅이자 겐지의 정복지로 인식되고 있었던 것이다.

그런데 <오슈=오랑캐>라는 도식은 1180년대의 당시 상황에도 적용되고 있었다. 다음 사료를 살펴보자.

> 무쓰노카미 히데히라 입도(陸奧守秀衡入道)의 청문(請文)이 도착했다. 공마(貢馬), 공금(貢金) 등을 우선 가마쿠라에 보내고 교토에 전달하게 하겠다는 내용이 실려 있었다고 한다. 이는 지난번에 서한을 보내셔서 "그대는 안쪽 여섯 군(奧六郡)의 주인이요, 나는 동해도의 총관(惣官)입니다." (하략)[17]

위 인용문에 보이는 서한의 주체는 요리토모이다. 요리토모는 오슈 후지와라씨와 조정의 직접적인 교류를 차단하고자 공마, 공금의 중계 역할을 자처했는데, 그 과정에서 후지와라노 히데히라를 '안쪽 여섯

16) 『吾妻鏡』 1180년 9월 11일조.

17) 『吾妻鏡』 1186년 4월 24일조.

군의 주인'이라 칭했다. 이 사와군(胆澤郡), 에사시군(江刺郡), 와가군(和賀郡), 시와군(紫波郡), 히에누키군(稗貫郡), 이와테군(岩手郡)으로 구성된 '안쪽 여섯 군'은 일찍이 '동이' 아베씨가 거점으로 삼았던 지역으로, 말하자면 오랑캐의 땅으로 들어서는 관문이었다. 요리토모는 오슈 후지와라씨를 아베씨의 후계자로 인식하고 있었던 것이다. 요리토모에게 오슈 후지와라씨는 아베씨와 다를 바 없는 '동이'였다.[18)]

오슈 후지와라씨 계보도

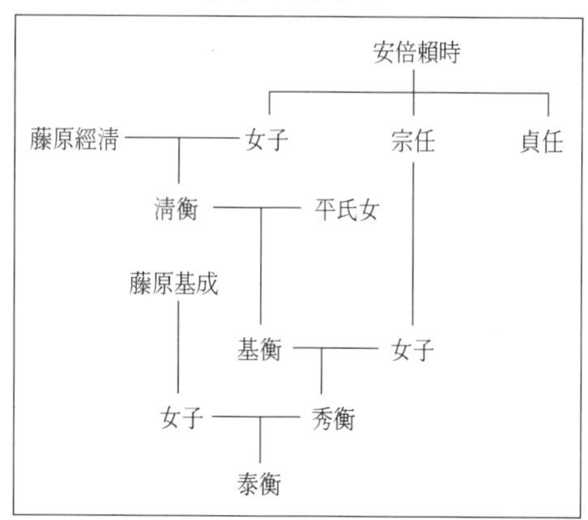

후술하는 오슈전투에 즈음하여 요리토모는 오슈 후지와라씨를 대대로 내려오는 겐지의 게닌(家人)으로 자리매김하는데,[19)] 이러한 태도 역시 아베씨가 요리요시에게 신종했다는 인식에 근거한 것으로 여겨진다. 또 오슈전투에 앞서 오슈 후지와라씨의 게닌인 사토 다다노부(佐藤忠信)가 병위위(兵衛尉)에 임명되었을 때, 요리토모가 "히데히라의 종자가 위부(衛府)에 임명되는 일은 과거에 선례가 없다. 주제파악을 하는 게 좋을 것이다."[20)]라며 불쾌감을 드러낸 것 역시 같은 맥락에서

18) 이러한 요리토모의 인식은 조정 측의 인식과 접점을 지니고 있었다. 유년시절을 교토에서 보낸 요리토모는 귀족적 가치관과 감수성을 지니고 있었다. <오슈=오랑캐>라는 도식은 애초에 정복전쟁을 주도했던 조정 측에서 형성된 것이었다. 이 도식은 물론 1180년대의 조정 내에서도 공유되고 있었다. 예컨대, 당대의 정국을 주도했던 구조 가네자네(九條兼實)는 '오슈 오랑캐 히데히라(奧州夷狄秀平)' 운운의 문구를 심심찮게 사용하고 있다(『玉葉』 1180년 12월 4일조 등).

19) 『吾妻鏡』 1189년 6월 30일, 9월 8일조.

파악할 수 있을 듯하다. 요리토모는 배신(陪臣)에 불과한 다다노부가 조정의 관직에 오르는 것은 분에 넘치는 일이라고 여겼던 것이다.

이처럼 요리토모는 선조들의 정복전쟁에 대한 기억을 근간으로 삼아, 오랑캐의 땅인 오슈를 통괄하는 오슈 후지와라씨를 자신의 게닌으로 인식했다.

그러나 관념상의 오슈와 실체로서의 오슈 사이에는 상당한 간극이 있었다. 오슈 후지와라씨는 대대로 교토문화를 직수입했으며, 1180년대에도 후지와라노 모토나리(藤原基成)를 매개로 교토와의 사이에 두터운 파이프라인을 지니고 있었다. 또 앞서 공마, 공금에 대한 사료를 인용했지만, 오슈는 일본열도의 대표적인 말, 금의 산지였다. 그밖에도 에조가시마를 포함한 해상무역 역시 활발히 진행되어, 오슈 후지와라씨는 막대한 자금력을 지니고 있었다. 예컨대, 모쓰사(毛越寺) 금당의 건립에 종사한 불사(仏師) 운케이(雲慶)에 대해 후지와라노 모토히라(藤原基衡)는 원금(円金) 100량, 독수리 깃털 100묶음, '七間々中徑' 크기의 바다표범 가죽 60여 장, 아다치(安達) 비단 1,000필, '希婦細布' 2,000단, 누카노부(糠部)의 준마 50필, 백포 3,000단 등을 보내고, 이와는 별도로 '生美絹'을 배 3척에 실어 보냈다고 전한다.[21] 요리토모가 반란의 초기 단계부터 오슈 후지와라씨의 조복에 심혈을 기울인 것도 수긍할 만하다 할 것이다.[22]

---

20) 『吾妻鏡』 1185년 4월 15일조.

21) 『吾妻鏡』 1189년 9월 17일조.

22) 『吾妻鏡』 1182년 4월 5일조. 요리토모는 말하자면, 오슈 후지와라씨를 강력한 라이벌로도 인식했던 것이다. 이러한 요리토모의 인식이 오슈 후지와라씨를 '동이' 혹은 '게닌'으로 규정한 요리토모의 언행과 모순된다고 여겨질지도 모르겠다. 나아가 오슈 후지와라씨를 라이벌로 자리매김하는 요리토모의 인식이야말로 '참'이며, 오슈 후지와라씨를 '동이' 혹은 '게닌'으로 규정한 것은 단지 정치적인 데먼스트레이션에 불과하다고 여겨질지도 모르겠다.

그렇다면, 1189년 가마쿠라막부가 오슈로 진공하여 오슈의 실체에 맞닥뜨렸을 때 막부의 인식에는 어떤 변화가 일어났을까? <오슈=오랑캐>라는 강고한 관념은 어떤 부침을 겪었을까? 다음 장에서는 이런 점들에 대해 살펴보기로 한다.

3. '정이'로서의 오슈전투, 그 후

1180년대의 내란은 1185년의 단노우라(壇ノ浦) 전투에서 헤이시가 몰락함으로써 일단락되었다. 조정은 헤이시의 몰락을 내란의 종식으로 규정하고, 전사자공양 등 전후처리에 부심했다. 그러나 막부의 입장은 사뭇 달랐다. 배후의 오슈 후지와라씨를 제압하지 않는 이상 막부의 전쟁은 종료될 수 없었다. 조정의 거듭된 반대에도 불구하고 막부는 오슈전투를 강행하였다.[23]

잘 알려진 바와 같이, 1189년의 오슈전투는 요리요시의 오슈 정벌을 모델로 삼아 전개되었다. 전투의 주요 변곡점에서 요리토모는 요리요시 시대의 선례를 참조하며 이를 재현하는 데 심혈을 기울였다. 이러한 재현을 통해 요리토모는 11세기 중반 이래로 겐지 장군가

그러나 동서고금을 막론하고 사람의 심리는 여러 갈래의 결을 지니기 마련으로, 특정 사안에 대해 모순되는 듯한 인식도 병립할 수 있다고 생각한다. 또 설령 거짓된 인식으로 보이더라도 일정한 담론 공간에서 사람들이 공유하고 그것이 통용된다면, 그 인식은 적어도 해당 담론 공간에서 '참'으로 자리매김될 수 있는 것이다. 모순되는 것처럼 보이는 여러 가지 인식이 끊임없이 길항하고 꿈틀대는 지점이야말로, 오히려 요리토모, 나아가 막부의 인식을 날 것으로 보여주는 흥미로운 지점이 아닌가 생각한다.

23) 내란의 종료시점을 둘러싼 조정과 막부의 인식 차이에 대해서는 다음 논고를 참조할 것. 川合康, 『鎌倉幕府成立史の研究』, 校倉書房, 2004, 第2部.

와 주요 무사 가문이 강고한 주종관계를 유지해왔다는 집단 환상을 창출해내고, 현실 속의 자신과 게닌 간의 유대관계를 한층 공고히 하고자 했다.[24]

이와 같은 전투의 맥락과 상통하는 바이지만, 요리토모는 전투의 승패가 갈린 시점에서도 오슈 정벌의 주요 유적지에 발걸음을 옮겼다. 요리토모는 이미 9월 6일에 적장인 후지와라노 야스히라(藤原泰衡)의 수급을 확인했지만,[25] 며칠 후 오슈 후지와라씨를 가호하는 경계의 신을 내쫓는 의식을 거행한 후 요리요시와 아베씨의 최종 결전이 벌어졌던 구리야 강(厨川)의 성책으로 북상하였다.[26] 가마쿠라로 귀환하기에 앞서서는 고로모 강(衣川)의 유적지에 들러 아베씨의 판도가 시라카와관(白河關)에서 소토가하마에 이르는 지역이었다고 회상했으며,[27] 오슈 정복전쟁의 전설적 인물인 사카노우에노 다무라마로(坂上田村麻呂)의 사적지를 방문하기도 했다.[28]

요리토모의 동선에서 한 가지 주목되는 점은 그가 소토가하마를 인지하고 있었음에도 불구하고 구리야 강의 성책을 넘어 북상하지 않았다는 사실이다.[29] 요리요시의 오슈 정벌을 재현하는 데 부심했던

---

24) 이상, 오슈전투의 전개과정과 역사적 의미에 대해서는 다음 논고를 참조. 川合康, 「奧州合戰ノート－鎌倉幕府成立史における頼義故實の意義－」, 『文化研究』 3, 1989. 11세기 중반의 오슈정벌 이후 오슈전투에 이르는 '정이'의 맥락에 대해서는 關幸彦, 『戰爭の日本史5 東北の爭亂と奧州合戰－「日本國」の成立－』, 吉川弘文館, 2006을 참조.

25) 『吾妻鏡』 동일조.

26) 이세연, 「1189년, 요리토모는 왜 야다테(矢立)를 했는가」, 『일본학보』 99, 2014를 참조.

27) 『吾妻鏡』 1189년 9월 27일조.

28) 『吾妻鏡』 1189년 9월 21일조.

29) 1195년 요리토모가 지엔(慈円)과 연락을 취하며 다음과 같은 노래를 읊은 것도 참고가 된다. "무쓰의 이와테, 시노부는 아닙니다만, 말하지 않고 견디는 것은 이해하기 어렵습니다. 무쓰의 끝 쓰보의 비석까지 답파할 만큼

요리토모였으므로, 요리요시가 진군했던 지점까지 북상하고 이내 발걸음을 돌린 것은 자연스러운 행보로도 보인다.

그러나 한편으로 이러한 움직임의 근간에는 '안쪽 여섯 군' 이북은 이역을 향해 열린 변경 혹은 이역 그 자체라는 고래의 관념이 작용하고 있었던 것은 아닐까 싶다. 구리야 강의 성책은 앞서 이야기한 '안쪽 여섯 군' 가운데 최북단에 해당하는 이와테군에 위치한 성책이었다. 그 너머로는 일본 측의 공권력이 온전하게 침투하지 못했던 지대가 펼쳐져 있었다. 쓰가루, 누카노부(糠部) 등의 광역으로 구성된 이 지대의 경우, 오슈의 타 지역에 비해 군(郡)의 설치가 늦었으며, 장원은 설치되지 않았다. 이 지역에 군이 설치된 것은 고산조천황(後三條天皇)의 적극적인 북방정책에 근거하여 전개된 1070년의 이른바 북오(北奧) 전투 이후로, 기요하라노 사네히라(淸原眞衡), 후지와라노 기요히라(藤原淸衡)의 적극적인 협력 하에 1070~80년대에 걸쳐 완결된 것으로 추정되고 있다.[30)]

짐작컨대, 요리토모는 전통적인 관념에 따라 오슈를 몇 개의 지역으로 구분하여 인식하고 있었던 것으로 판단된다. 오슈전투 후에 오슈 통치의 거점을 오슈 남부의 다가성(多賀城)과 히라이즈미(平泉)에 둔 점, 북위 40도선 이북 지역에 고케닌(御家人)을 배치하지 않은 점은 이를 방증한다. 이와 같은 지역 구분 의식이 <오슈=오랑캐>라는 강고한 관념과 맞물려 있었으리라는 점은 미루어 짐작할 수 있을 것이다. 참고로 덧붙이자면, 오슈전투 직후에도 막부의 한 고위

편지에 생각을 다 적어주세요(陸奥のいはでしのぶはえぞ知らぬかき盡してよつぼの石ぶみ)."(『新古今和歌集』 卷第十八, 『拾玉集』 卷第五에 수록).

30) 入間田宣夫, 「延久二年北奧合戰と諸郡の建置」, 『北日本中世社會史論』, 吉川弘文館, 2005를 참조.

관료는 "데와(出羽), 무쓰(陸奥)는 오랑캐의 땅인 까닭에 종종 신제(新制)에서 제외되었습니다."라고 발언하였다.[31]

이처럼 오슈전투는 우선 이질적인 공간으로서의 오슈라는 인식을 새삼 각인시키는 계기가 되었다. 이러한 인식은 막부가 오슈를 활용하는 방식에도 영향을 미쳤던 것으로 보인다. 다음 사료를 살펴보자.

> 요코야마 곤노카미 도키히로(横山權守時廣)가 이상한 말 1필을 끌고 막부로 왔다. 장군께서 이를 보셨다. 다리가 9개[앞다리 5개, 뒷다리 4개] 있었다. 지난 5월 무렵 영지인 아와지국(淡路國)의 고쿠분사(國分寺) 근처에 나타났다는 보고가 있었던 바, 이상하게 여겨 불러들인 것이라고 하였다. 사콘노쇼겐(左近將監) 이에카게(家景)에게 명하여 무쓰국 소토가하마에 보내게 하셨다.[32]

요코야마 도키히로가 발 9개 달린 말을 막부에 보고하자, 요리토모는 오슈 총봉행(總奉行) 가사이 기요시게(葛西清重)와 더불어 오슈를 관할하던 무쓰국 루스직(留守職) 이사와 이에카게(伊澤家景)에게 명하여, 이를 소토가하마로 쫓아 보내게 했다. 소토가하마는 말하자면, 일상의 질서를 무너뜨리는 비정상적인 것을 털어내는 특수영역으로 인지되고 있었던 셈인데, 이와 관련해서는 1190년대 이후 오슈가 유배지로 등장한 사실도 주목된다.

이미 1191년에는 교토의 강도 등이 무사에게 인도되어 막부로 호송되었다. 당시 기록에는 이들이 에조가시마로 보내질 예정이라고 보이는데,[33] 에조가시마가 오슈의 최북단 지역과 동질의 영역으로도

---

31)『吾妻鏡』1189년 10월 24일조.

32)『吾妻鏡』1193년 7월 24일조.

인지되었다는 점은 머리말에서 언급한 바와 같다. 1194년에는 교토의 강도 등이 이사와 이에카게를 거쳐 오슈로 보내졌으며,[34] 1202년에는 1190년대에 '오슈 오랑캐(奥州夷)'에게 보내진 범죄자가 회상되기도 했다.[35] 이후로도 중죄인들이 막부를 거쳐 오슈 내지 에조가시마로 유배되는 사례는 적지 않게 확인된다.[36] 가마쿠라시대에는 '막부→오슈/에조가시마'라는 중죄인들의 이동경로가 정착했던 것이다.[37]

이처럼 오슈전투를 계기로 오슈는 유배지로도 자리매김되었는데, 그 의미는 중의적이라고 생각한다. 우선 '오슈 오랑캐'로 상징되는 전통적인 관념이 오슈의 유배지화를 유도한 것은 분명해 보인다. 변경과 이역이 중첩되는 영역으로 여겨지던 오슈는 범죄인을 격리시키는 데 최적의 장소로 인식되었음에 틀림없다. 그러나 원칙적으로 유배지는 결코 이역에 설정될 수 없다. 어떤 지역이 유배지로 설정된다는 것은 그 지역에 유배 주체의 정치권력, 즉 모종의 공권력이 일정하게 작동하고 있음을 의미하기 때문이다.

이 문제와 관련하여 한 가지 흥미로운 사실은 오슈로 유배된 범죄자들이 동일한 지역으로 향한 것이 아니었다는 점이다. 위에서 든 사례들을 참조하면 무명의 범죄자들은 대체로 소토가하마나 에조가시마에 유배된 것으로 추측된다. 이들은 사실상 귀환 가능성이 없는

33) 『都玉記』 1191년 11월 22일조.
34) 『吾妻鏡』 1194년 6월 25일조.
35) 『吾妻鏡』 1202년 3월 8일조.
36) 『吾妻鏡』 1216년 6월 14일조, 『吾妻鏡』 1221년 9월 10일조, 『追加法』 86조, 『鎌倉遺文』 8-5946호, 『吾妻鏡』 1251년 9월 20일조, 『建治三年記』 12月 25日조(『群書類從』 武家部 수록) 등.
37) 보다 자세한 내용에 대해서는 다음 논고를 참조. 外山至生, 「流刑地としての夷島·津輕·外浜」, 『中世史料探訪記』, ぺりかん社, 1998 ; 築地貴久, 「鎌倉幕府'流刑地'としての東と西－その成立と展開」, 『文化継承學論集』 5, 2008 참조.

자들로, 앞서 언급한 '오슈 오랑캐'에게 보내진 범죄자도 현지에서 죽음을 맞이했다.[38] 이에 반해 막부의 통치력이 십분 발휘되는 지역으로 유배되는 인물들도 있었던 것 같다. 예컨대, 1213년에는 와다 다네나가(和田胤長)가 막부에 대한 모반 혐의로 무쓰국 이와세군(岩瀨郡)으로 유배되었다.[39] 이와세군은 오슈의 관문인 시라카와관 근처에 소재한 지역으로, 막부의 고위 관료였던 니카이도 유키무라(二階堂行村)의 영지였다. '관리 대상'인 범죄자가 오슈로 유배될 경우, 그들은 이와세군과 같은 오슈 남부 지역으로 향했던 것은 아닐까 추정된다. 가마쿠라막부는 오슈를 역시 몇 개의 이질적인 공간으로 구분하여 인식했던 것으로 판단된다.

이상에서 살펴본 바와 같이, 오슈전투는 막부의 오슈 인식에서 분기점이 되었다. 오슈에 대한 오래된 관념은 새로운 인식과 길항하는 양상을 보였다. 즉, 오슈 정벌이라는 기억의 회로를 통해 ＜오슈=오랑캐＞라는 관념이 새삼 부풀어 올랐지만, 유배지의 설정에서도 엿보이듯이 그 결은 결코 매끄럽지 않았다. 오슈가 막부의 통치영역이 되면서 ＜오슈=오랑캐＞의 관념을 비집고 현실세계에 입각한 새로운 인식이 움트기 시작했다.

이 새로운 인식은 막부가 오슈 후지와라씨 4대에 걸쳐 구축된 유·무형의 사적에 접하면서 한층 농밀해져갔을 것으로 여겨진다. 우선 오슈전투 때 무혈입성한 히라이즈미의 인상은 강렬했다. 시가지에 고스란히 남겨진 창고에서는 진귀한 보물들이 쏟아져 나와 가마쿠라 무사들의 눈을 휘둥그레지게 만들었으며,[40] 주손사(中尊寺)를 비롯

38) 『吾妻鏡』 1204년 8월 5일조.

39) 『吾妻鏡』 1213년 3월 17일조.

40) 『吾妻鏡』 1189년 8월 22일조.

한 화려한 가람군은 요리토모의 신앙심을 자극했다. 히라이즈미의 승려들은 자신들의 새로운 주인에게 '寺塔已下注文'을 바쳤으며, 『吾妻鏡』의 편자는 이 상세한 기록을 빠짐없이 채록하였다.[41] 가마쿠라막부의 3대 사찰 가운데 하나였던 요후쿠사(永福寺)가 주손사의 니카이당(二階堂)을 모델로 삼아 건립된 것도[42] 우연은 아니다.

가마쿠라막부가 모델로 삼은 것은 비단 가람의 양식만이 아니었다. 적어도 1200년대 초반까지는 오슈 후지와라씨가 구축한 통치 시스템이 적극적으로 참조되고 있었던 것으로 보인다. 예컨대, 1200년에는 무쓰, 데와 양국의 군향(郡鄕) 지두(地頭)의 토지 관련 업무는 히데히라, 야스히라 시절의 선례에 따라야 하며, 아울러 히데히라 시절에 획정된 토지 경계선 역시 존중되어야 한다는 점이 확인되었다.[43] 또 1210년에는 히라이즈미 소재 사원들의 수리에 대해 모토히라 시대의 선례에 따라야 한다는 점이 거듭 확인되기도 하였다.[44] 오슈의 현실에 최적화되었을 터인 오슈 후지와라씨의 선례는 막부에게 좋은 참고자료가 되었을 것이다.

이처럼 오슈전투의 전개과정과 전후처리과정에서 발견된 것은 오랑캐의 땅으로서의 오슈 혹은 '동이', '게닌'으로서의 오슈 후지와라씨만은 아니었다. 가마쿠라를 훌쩍 뛰어넘는 히라이즈미의 찬란함과 100년에 걸쳐 갈고 닦인 오슈 후지와라씨의 통치 시스템은 막부의 오슈인식에 균열을 일으키기 시작했다고 판단된다. 이러한 변화에 한층 박차를 가한 것은 겐지 장군가의 붕괴와 막부 내의 세대교체였다.

---

41) 『吾妻鏡』 1189년 9월 17일조.

42) 『吾妻鏡』 1192년 11월 20일조에 요후쿠사는 "동관(東關)의 니카이 범우(梵宇)를 옮긴 것"이라고 보인다.

43) 『吾妻鏡』 1200년 8월 10일조.

44) 『吾妻鏡』 1210년 5월 25일조.

4. 관념의 오슈에서 실체의 오슈로

1) 겐지 혈통의 단절과 세대교체 : 망각 혹은 새로운 기억

1199년 요리토모가 파란만장한 생을 마감하자, 장남인 요리이에(賴家)가 그 뒤를 이었다. 어린 시절부터 차기 장군으로서의 엘리트 교육을 받은 요리이에는 시종일관 강력한 장군으로 군림하고자 했다. 그러나 1180년대의 내란기를 거치며 잔뼈가 굵은 유력 고케닌들은 혈기왕성한 청년 장군의 독주를 달가워하지 않았다. 요리이에는 외척 히키씨(比企氏) 등을 기반으로 이에 맞서고자 했으나 끝내 실패하고, 1204년 암살당하고 만다.

새로운 장군으로는 요리이에의 동생인 사네토모(實朝)가 옹립되었다. 사네토모는 대체로 유력 고케닌들과 큰 갈등을 겪는 일 없이 비교적 순탄한 삶을 보냈지만, 역시 불행한 최후를 맞이했다. 1219년, 사네토모는 쓰루가오카 하치만궁(鶴岡八幡宮)에서 조카이자 명목상의 양자였던 구교(公曉)에게 암살당했으며, 구교는 막부군에게 토벌되었다. 사네토모에게는 후사가 없었던 터라, 겐지 장군의 혈통은 여기서 단절되었다. 섭관가(攝關家), 황족 출신의 장군이 그 뒤를 이었다는 것은 주지하는 바와 같다.

겐지 혈통의 단절은 막부의 오슈 인식에 일정한 변화를 초래하지 않을 수 없었다. 겐지 장군의 부재는 자연히 겐지 장군가와 관련된 사적의 망각으로 이어지기 마련이었다. 앞서 누차 언급했던 겐지 장군가의 오슈정벌도 예외는 아니다. 사네토모의 시대만 하더라도 막부 내에서는 '奧州十二年合戰繪'와 같은 그림이 화제가 되었으며,[45] 1213년의 와다 요시모리(和田義盛)의 난 때는 미우라씨(三浦氏)에 의해 요시이에의 오슈 정벌이 회상되기도 하였다.[46] 그러나 이후의 『吾妻鏡』에서는 이렇다 할 관련 기사를 찾을 수 없다. '정이'의 기억, 그리고 그에 연동되는 <오슈=오랑캐>의 관념은 표면화하는 일 없이 일단 복류하게 되었던 것이다.

그에 대신하여 오슈는 막부의 현실적인 세력기반의 하나로 손꼽히게 되었다. 예컨대, 막부가 조정의 관군에 대항하는 반란군으로 규정된 조큐(承久)의 난에 즈음해서, 오슈는 15개 군사동원지역의 하나로 자리매김되었다.[47] 이러한 변화와 맞물려 오슈전투도 더 이상 '정이'의 전투가 아닌 좋은 선례를 남긴 전투로 기억되기 시작했다. 예컨대, 오슈전투에서의 경험을 바탕으로, 전투에 앞서 막부 측에 떨어지는 번개는 승전을 예고하는 상서로운 징조로 해석되곤 했다.[48]

이러한 변화의 폭을 한층 넓힌 것은 막부 내의 세대교체였다. 오슈전투에 참가한 세대는 대개 1220년대에 접어들어 숨을 거두기 시작한다. 겐지 장군가의 몰락 이후 막부 내의 실권을 장악한 호조씨(北條氏)를 기준으로 말하자면, 요시토키(義時)가 1224년에 서거했으며, 이듬해에는 요리이에, 사네토모 형제의 친모인 마사코(政子)가 생을 마감했다. 요시토키의 뒤를 이어 막부의 정치를 관장한 야스토키(泰時)는 1183년생으로, 1194년에 성인식을 치렀다. 야스토키가 출진한 첫 번째 전투는 1203년 히키씨와의 전투였으며, 그의 삶에서 가장 격렬했던 전투는 1213년의 와다 요시모리의 난과 1221년의 조큐의 난이었다. 1231년 위기에 처한 아우 도모토키(朝時)를 구하는 과정에서 야스

45) 『吾妻鏡』 1210년 11월 23일조.
46) 『吾妻鏡』 1213년 5월 2일조.
47) 『吾妻鏡』 1221년 5월 19일조.
48) 『吾妻鏡』 1221년 6월 8일, 1230년 6월 14일조. 후자의 사료에 '關東先例'라는 표현이 등장한다.

토키는 ‘建曆承久大敵’, 즉 와다 요시모리의 난과 조큐의 난 때의 대적을 운운하며 자신의 삶을 회상하고 있다.[49] 참고로 덧붙이자면, 다케다 노부미쓰(武田信光, 1162~1248)의 아들 노부타다(信忠) 역시 1241년에 이르러 ‘建曆年中’와 ‘承久三年兵亂之時’의 활약상을 회상하고 있다.[50] 1180년대의 내란과 그 연장선상의 오슈전투를 몸소 체험하고 기억하는 자들은 막부 내에 더 이상 남아 있지 않았다.

야스토키를 비롯하여 1220~30년대에 걸쳐 막부의 전면에 등장한 세대들에게 오슈는 단순히 오랑캐의 땅일 수 없었다. 그들에게 오슈는 오히려 사람과 물자의 움직임을 통해 일상적으로 체감되는 생활의 장이었다. 예컨대, 무쓰국 도다군(遠田郡)의 총지두직을 지니고 있었던 야스토키의 가마쿠라 저택에는 이미 1217년의 단계에서 후카누마고로(深沼五郎)라는 오슈 주민이 출입하고 있었다.[51] 이제 ‘정이’의 기억은 잊히고, 그 자리에는 현실세계에 근거한 새로운 기억들이 채워져 갔던 것이다. 이 생활의 장으로서의 오슈의 중심에 서 있던 것은 호조씨였다.

2) 확대되는 생활의 장

1203년 겐지 장군가의 외척 지위를 두고 벌어진 전투에서 히키씨를 멸망시킨 호조씨는 이윽고 막부 내의 주요 직책을 세습화하며 권력을 강화해나갔다. 겐지 장군의 혈통이 단절된 뒤에도 호조씨의 권력에는 흔들림이 없었으며, 가마쿠라시대 말기에는 호조씨의 가독이 ‘부장

---

49) 『吾妻鏡』 1231년 9월 27일조.

50) 『吾妻鏡』 1241년 12월 27일조.

51) 七海雅人, 「鎌倉幕府と奥州」, 『鎌倉·室町時代の奥州』, 高志書院, 2002, 25쪽 참조.

군(副將軍)'으로 불리기에 이르렀다.52) 막부 정치의 전반은 사실상 호조씨의 수중에 있었다.

호조씨 계보도

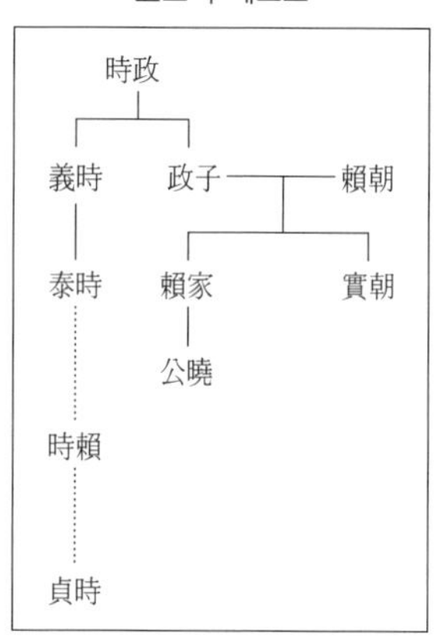

무쓰국의 장관을 의미하는 무쓰노카미(陸奧守) 직을 일찍이 장악한 데에서도 미루어 짐작할 수 있듯이,53) 호조씨는 오슈에 대해 지대한 관심을 표명하고 있었다. 이는 곧 오슈에서의 영지 확대로 이어졌다. 선행연구를 통해 검출된 호조씨의 영지를 일별해 보면, 그 규모가 오슈의 과반에 육박하는 것이었음을 알 수 있다.54)

본 논문의 취지와 관련하여 특히 흥미로운 점은 호조씨가 북위 40도선 이북 지역을 면으로서 지배한 사실이다. 왜냐하면, 이 사실은 혼슈 최북단지역으로까지 생활의 장이 확대되었다는 점, 그리고 그 이남 지역 역시 생활의 장으로 존재하고 있었다는 점을 시사하기 때문이다.

호조씨는 서쪽의 니시가하마(西浜), 소토가하마로부터 동쪽의 누카

52) 細川重男, 『鎌倉政権得宗專制論』, 吉川弘文館, 2000, 255쪽 참조.

53) 1217년 요시토키가 호조씨로는 처음으로 이 직에 올랐다. 아다치 야스모리(安達泰盛) 등 몇몇 예외는 있지만, 1250년대 이후로는 대체로 호조씨가 세습하다시피 했으며, 1280년대 후반부터는 호조씨의 지류인 오사라기(大仏) 가문에서 이 직을 독점하였다.

54) 주요한 관련 연구로는 다음과 같은 것들을 들 수 있다. 豊田武·遠藤巖·入間田宣夫, 「東北地方における北條氏の所領」, 『日本文化研究所研究報告』 別巻 第七集, 1970 ; 入間田宣夫, 「奥州における北條氏所領の内部構造」, 『北日本中世社會史論』, 吉川弘文館, 2005 ; 秋山哲雄, 『北條氏權力と都市鎌倉』, 吉川弘文館, 2006, 第二章. 그밖에 北條氏研究會編, 『北條氏系譜人名辭典(下)』, 新人物往來社, 2001, 515~561쪽에는 '北條氏所領一覽'(가와시마[川島孝一] 작성)이 게재되어 있어 편리하다.

노부로 이어지는 광역 지대를 비롯하여, 쓰가루의 4개 군, 그리고 북위 40도선에 접해 있는 히나이군(比內郡), 가즈노군(鹿角郡), 구지군(久慈郡)과 그 아래의 헤이군(閉伊郡)에 이르는 방대한 지역을 장악하고 있었다.[55] 이들 영지의 관리는 호조씨 각 분파의 가정(家政) 기관과 현지에 파견된 수하들을 중심으로 이루어졌다. 이 지휘계통을 따라 북위 40도선 이북의 산물들이 가마쿠라에 반입되고, 또 기타 지역으로 유통되기도 하였다.

물자의 이동은 육로로만 이루어진 것은 아니었다. 가마쿠라시대에는 유라시아를 향해 열려 있던 항구들을 중심으로 하는 물류 네트워크도 발달했다. 즉, 북쪽의 도사미나토(十三湊)로부터 쓰루가(敦賀)·오바마(小浜)를 거쳐 남쪽의 하카타(博多)를 잇는 바닷길이 열려 있었는데, 이 물류 네트워크의 중심에 서 있던 것 역시 호조씨였다. 도사미나토는 호조씨의 수하인 안도씨(安藤氏)에 의해 관할되었으며, 쓰루가·오바마가 속한 와카사국(若狹國)의 수호(守護)직은 호조씨가 세습했다. 또 1290년대에 접어들어 규슈를 지휘할 목적으로 하카타에 들어선 진서탐제(鎭西探題) 역시 호조씨가 세습했다.

이와 같은 물류 네트워크 하에서 부단히 움직이는 사람과 물자가 혼슈 최북단 지역에 대한 막부의 인식에 질적인 변화를 가져왔으리라는 점은 상상하기 어렵지 않다. 가마쿠라 무사들의 관념 속에서 변경과 이역의 경계선상에 존재하던 북위 40도선 이북 지역은 이제 생활의 장으로 거듭나게 되었던 것이다.

호조씨의 활동을 매개로 한 이 전환의 흔적은 설화의 형태로도 남았다. 예컨대, 남북조시대 이후의 일본사회에서는 이른바 도키요

55) 호조씨가 오슈를 '분국'화 한 점에 대해서는 七海雅人, 「鎌倉幕府の陸奥國掌握過程」, 『中世の杜』, 東北大學文學部國史硏究室, 1997을 참조.

리(時頼) 회국(廻國) 전설이 널리 회자되었다. 즉, 13세기 중엽 막부의 정치를 주도한 호조 도키요리(北條時頼)가 일본열도의 구석구석을 돌아다니며 현지 사정을 살폈다는 이야기들이 유통되었던 것이다.[56] 그 분포범위는 일본열도 전역에 미치고 있는데, 오슈 역시 예외는 아니었다. 관련 이야기들은 아이즈(會津), 나토리(名取), 마쓰시마(松島), 가와사키(川崎, 이와이군[磐井郡] 소재) 등 오슈의 중남부 지역은 물론, 북위 40도선 이북 지역에도 분포되어 있다.

그런데 도키요리 회국전설의 단골 메뉴 가운데 하나는 사원의 개종이다. 잘 알려진 바와 같이, 도키요리는 임제종에 깊이 귀의하여 겐초사(建長寺) 등 많은 선찰을 건립했다. 이러한 이력 때문인지, 회국전설 가운데는 도키요리가 각지를 돌아다니며 모종의 계기를 통해 천태, 진언종의 사원을 선찰로 바꿨다는 이야기가 많이 보인다. 북위 40도선 이북 지역에도 이 같은 맥락의 이야기들이 전해오는데, 그 근간에는 일정한 사실관계가 존재했다.

예컨대, 아오모리현(青森縣) 히로사키시(弘前市)의 조쇼사(長勝寺)에는 '大檀那相模州菩薩戒弟子崇演' 운운의 명문이 새겨진 범종이 현존한다. 1306년에 주조된 이 범종의 발원자 '崇演'은 도키요리의 손자인 사다토키(貞時)를 가리킨다. 선행연구에 따르면, 이 범종은 본래 쓰가루 이나카군(田舍郡)의 후지사키(藤崎)에 소재한 고코쿠사(護國寺)의 범종이었다. 고코쿠사는 1262년 도키요리가 기존의 레이다이사(靈臺寺)를 토대로 창건한 선찰로, 앞서 언급한 가마쿠라의 겐초사와 본말

56) 이 설화군의 전반적 내용에 대해서는 다음 논고를 참조. 豊田武,「北條時頼と廻國伝説」,『英雄と伝説』, 塙書房, 1976 ; 佐々木馨,『執權時頼と廻國伝說』, 吉川弘文館, 1997 ; 石井進,「北條時頼廻國伝説の眞僞」,『もののふの都　鎌倉と北條氏』, 新人物往來社, 1999.

관계를 맺고, 막부의 기도소로 공인받기에 이른다. 요컨대, 도키요리~사다토키 시대에는 실제로 혼슈의 최북단 지역까지 막부의 종교정책이 전개되고 있었던 것이다.[57]

그렇다면, 도키요리, 사다토키와 같은 당대의 실력자들을 변경의 땅에 연결시킨 사람은 누구일까? 그것은 바로 앞서 언급했던 안도씨이다. 안도씨는 호조 요시토키 시대 이래로 에조와의 무역을 관장하던 가문이다. 아베씨의 혈통을 이었다고도 일컬어지는 안도씨는 도사미나토를 거점으로 삼아 쓰가루 해협 양안을 오가며 무역에 종사했던 호조씨의 심복이었다. 혼슈의 최북단 지역은 안도씨의 활약을 통해 생활의 장으로 탈바꿈했다고 해도 과언이 아니다.

안도씨와 관련된 저명한 설화에서도 생활의 장으로 전환되는 변경의 모습을 엿볼 수 있다. 즉, 헤이안시대에 성립하고 무로마치시대에 이르러 그 내용이 보강된 설화집 『地藏菩薩靈驗記』 卷九에는 '建長寺地藏夷嶋遊化事'라는 제하에 다음과 같은 이야기가 실려 있다.[58]

안도씨는 에조가시마의 오랑캐들을 복속시키고 해마다 공물을 바치게 했다. 어느 해 공물을 바치러 온 오랑캐들은, 안도씨가 숭앙해 마지않던 지장보살을 보고는 자신들의 나라에도 이 같은 사람이 있다고 전한다. 이를 궁금히 여긴 안도씨는 그 자를 데려오라고 했다. 오랑캐들은 천신만고 끝에 그 자를 다시마 줄기 등으로 포박하여 안도씨에게 끌고 온다. 그러나 막상 포박을 풀어보니, 사람의 모습은 보이지 않고, 승려가 짚고 다니는 지팡이 하나가 놓여 있을 뿐이었다. 안도씨는 포박되었던 것이 지장보살의 화신에 다름 아니라고 확신했

57) 이 단락의 서술은 다음 논고에 근거한 것임. 入間田宣夫, 「鎌倉建長寺と藤崎護國寺と安藤氏」, 『北日本中世社會史論』, 吉川弘文館, 2005.

58) 『古典文庫』 206冊에 수록되어 있음.

다. 그런데 당시 가마쿠라에서는 겐초사의 본존 지장보살이 지니고 있던 지팡이가 사라져 한바탕 소동이 벌어지고 있었다. 안도씨가 오랑캐를 통해 손에 넣은 지팡이를 지참하여 대조해 보았더니, 그것은 겐초사의 본존이 지니고 있던 지팡이에 다름 아니었다. 사람들은 겐초사의 지장보살이 오랑캐들을 교화하기 위해 현지에 갔던 것이라고 이야기했다.

이 이야기의 근간에 앞서 언급했던 막부의 종교정책이라는 맥락이 존재한다는 점은 두말할 나위 없다. 그런데 여기서 보다 흥미로운 점은 에조가시마 오랑캐의 ‘육성’이 채록되어 있다는 사실이다. 오랑캐들이 설화에 보이는 이야기를 실제로 했는지 여부는 중요치 않다. 그 구체적인 내용은 상상의 산물이라 할지언정, 에조가시마의 오랑캐가 ‘대화’ 가능한 존재로 인지되고, 그런 기록이 유포되었다는 사실에 주목할 필요가 있다. 머리말에서 가마쿠라시대에는 에조가시마가 쓰가루 등과 더불어 일본국의 동쪽 경계로 병기되기도 했다고 언급했는데, 그런 발상도 ＜에조가시마의 오랑캐=‘대화’ 가능한 상대＞라는 관념과 궤를 같이 하는 것은 아닐까 싶다. 이제 생활의 장의 지평은 쓰가루 해협 너머로도 펼쳐지려 하고 있었던 것이다.[59]

---

59) 중세를 거치며 ‘와진’들의 생활의 장이 쓰가루 해협 건너 북쪽으로 전개된 것은 분명한 사실이다. 예컨대, 일본열도의 단일 지역에 대한 발굴 성과로는 최대 규모인 38만여의 동전이 시노리관(志苔館, 홋카이도 하코다테시 소재)에서 출토된 점, 1457년에 이르러 코샤마인의 전투라 불리는 ‘와진’과 에조 간의 대규모 전투가 홋카이도 남단에서 벌어진 점은 이를 방증한다. 다만, 쓰가루 해협 건너 남쪽에 위치한 동북지역이 중세를 거치며 온전히 ‘일본문명권’으로 편입되었는지는 불분명하다. 오늘날의 시각에서 보자면 불가사의한 일이지만, 예컨대 근세에 이르러서도 동북지역의 일부는 여전히 ‘와진’과 에조의 잡거지대로 남아 있었다(喜田貞吉, 「奥羽地方における夷地·狄地の存在」; 同, 「津軽領内における蝦夷關係史料とその研究」[두 논문 모두 『喜田貞吉著作集』 九巻, 平凡社, 1980에 수록]; 菊池勇夫, 「奥羽社會における蝦夷問題」, 『幕藩体制と蝦夷地』, 雄山閣出版, 1984 참조). 이에 대해서는 향후 보다 면밀한 고찰

5. 맺음말

본 논문에서는『吾妻鏡』를 주요 소재로 가마쿠라막부의 오슈 인식에 대해 살펴본 결과, 다음과 같은 변화과정을 확인할 수 있었다.

1180년대의 내란기에 오슈는 우선 도피처로서 인식되고 있었다. 이 관념은 오슈가 8세기 이래로 새로이 개척된 신천지라는 인식에 근거하고 있었다. 가마쿠라막부 내에서는 특히 미나모토노 요리요시, 요시이에 부자의 오슈 정벌이 부단히 기억되었다. 겐지 선조들의 오슈 정벌에 대한 기억에 근거하여, 막부는 오슈를 오랑캐의 땅으로 인식했다.

1189년의 오슈전투는 이러한 인식에 일정한 변화를 초래했다. 오슈전투는 우선 <오슈=오랑캐>라는 인식을 환기했다. 오슈전투는 기본적으로 오랑캐를 굴복시킨 요리요시의 오슈정벌을 재현하는 방식으로 전개되었기 때문이다. 그러나 오슈전투를 전후하여 막부가 직면한 것은 오랑캐의 땅으로서의 오슈만이 아니었다. 오슈 후지와라씨가 구축한 찬란한 문화와 통치 시스템은 가마쿠라막부의 오슈 인식에 균열을 가져왔다.

이러한 인식 변화의 폭은 겐지 장군의 혈통 단절과 막부 내의 세대교체를 매개로 한층 넓어졌다. 겐지 장군의 혈통이 단절됨으로써, 겐지 선조들의 오슈 정벌이 회상되는 일은 거의 없었다. 이는 곧 <오슈=오랑캐>라는 인식이 환기될 만한 유력한 환경이 허물어졌음을 의미했다. 또 1220년대 이후, '정이'로서의 오슈전투를 경험하지 못한 새로운 세대가 막부의 전면에 등장하자, <오슈=오랑캐>라는 인식이 수면 위로 부상할 가능성은 한층 낮아졌다. 오슈는 이제

이 필요할 테지만, 일본열도의 서쪽 변경에 대한 동쪽 변경의 특수성이라는 시각도 필요하지 않을까 싶다.

생활의 장으로 인식되게 되었다.

생활의 장으로서의 오슈의 중심에 서 있던 것은 호조씨였다. 호조씨 일족은 오슈의 과반을 영지로 차지하고 있었으며, 특히 북위 40도 이북지역을 사실상 분국화했다. 혼슈 최북단의 물자들은 호조씨와 그 수하들에 의해 일본열도 각지에 유통되었다. 사람과 물자가 복잡하게 얽히는 가운데, 생활의 장으로서의 오슈의 이미지는 확고하게 자리잡게 되었다.

가마쿠라막부의 오슈 인식에 대한 이상의 스케치에 큰 오류는 없다고 생각하지만, 남은 과제가 산적해 있다는 점은 부정할 수 없다. 무엇보다 본 논문에서 제시한 전망을 뒷받침할 만한 보다 구체적인 논거들을 제시하지 않으면 안 될 것이다. 예컨대, 막부의 오슈 지배에 오슈 후지와라씨의 통치시스템이 영향을 준 구체적인 사례, 생활의 장으로서의 오슈의 실상을 보여주는 구체적인 사례 등을 검출할 필요가 있을 텐데, 이는 곧 '여러 개의 오슈'에 대한 고찰로 연계될 것이다. '여러 개의 오슈'에 대한 고찰이 일본열도, 나아가 동아시아 세계 속의 오슈에 대한 고찰과 유기적으로 결합된 형태로 진행되어야 한다는 점은 두말할 나위 없다.

한편, '여러 개의 오슈'와 관련해서는 막부를 기준으로 한 공간모델을 구상할 필요도 있을 것이다. 예컨대, 동국을 대상으로 <막부의 기반이 되는 이즈, 스루가, 사가미, 무사시>, <기타 간토 제국>, <막부가 점거한 오우, 에치고 등>이라는 막부의 공간인식모델을 제시한 홍고(本郷和人)의 논의도 참조할 만한데,[60] 이에 대한 구체적인 검토 역시 차후의 과제로 남기고자 한다.

---

60) 本郷和人, 「鎌倉幕府が意識する東國の地域的分類」, 『兵たちの時代 I 兵たちの登場』, 高志書院, 2010, 197~199쪽을 참조.

참고문헌

1. 사료

『平安遺文(新訂版)』(竹内理三編, 東京堂出版, 1974~1981)
『鎌倉遺文』(竹内理三編, 東京堂出版, 1971~1997)
『中世法制史料集 第一巻』(佐藤進一·池内義資編, 岩波書店, 1955)
『玉葉』(宮内廳書陵部編, 明治書院, 1994~)
『民経記』(東京大學史料編纂所編, 岩波書店, 1975~2007)
『吾妻鏡(普及版)』(黑板勝美編, 吉川弘文館, 1980~1981)
『建治三年記』(『群書類従』 武家部 수록)
『鶴岡社務記錄』(貫達人·三浦勝男編, 鶴岡八幡宮社務所, 1978)
『地藏菩薩靈験記』(『古典文庫』 206冊 수록)

2. 연구서

小林清治·大石直正編, 『中世奥羽の世界』, 東京大學出版會, 1978.
海保嶺夫, 『中世蝦夷史料』, 三一書房, 1983.
石光眞人編著, 『ある明治人の記録－會津人柴五郎の遺書－』, 中央公論新社, 1986.
北海道·東北史研究會, 『北からの日本史』, 三省堂, 1988·1990.
海保嶺夫, 『中世蝦夷史料補遺』, 北海道出版企畫センター, 1990.
平泉文化研究會編, 『奥州藤原氏と柳之御所跡』, 吉川弘文館, 1992.
平泉文化研究會編, 『日本史の中の柳之御所跡』, 吉川弘文館, 1993.
國立歴史民俗博物館編, 『中世都市十三湊と安藤氏』, 新人物往來社, 1994.
佐々木馨, 『執權時頼と廻國伝説』, 吉川弘文館, 1997.
入間田宣夫·小林眞人·齊藤利男編, 『北の内海世界－北奥羽·蝦夷ヶ島と地域諸集団』, 山川出版社, 1999.
五味文彦, 『增補 吾妻鏡の方法』, 吉川弘文館, 2000(증보판, 초판은 1990).
細川重男, 『鎌倉政權得宗專制論』, 吉川弘文館, 2000.

北條氏研究會編,『北條氏系譜人名辭典(下)』, 新人物往來社, 2001.
入間田宣夫·豊見山和行,『北の平泉, 南の琉球』, 中央公論新社, 2002.
川合康,『鎌倉幕府成立史の研究』, 校倉書房, 2004.
入間田宣夫,『北日本中世社會史論』, 吉川弘文館, 2005.
秋山哲雄,『北條氏權力と都市鎌倉』, 吉川弘文館, 2006.
關幸彦,『戰爭の日本史5 東北の爭亂と奧州合戰－「日本國」の成立－』, 吉川弘文館, 2006.
大石直正·高良倉吉·高橋公明,『周緣から見た中世日本』, 講談社, 2009.
高橋富雄,『奧州藤原氏四代』, 吉川弘文館, 2011(신장판 7쇄, 초판 1쇄는 1958).
村井章介,『日本中世境界史論』, 岩波書店, 2013.
齊藤利男,『平泉－北方王國の夢－』, 講談社, 2014.

3. 연구논문

이세연,「1189년, 요리토모는 왜 야다테(矢立)를 했는가」,『일본학보』99, 2014.
豊田武·遠藤巖·入間田宣夫,「東北地方における北條氏の所領」,『日本文化研究所研究報告』別卷 第七集, 1970.
豊田武,「北條時賴と廻國伝說」,『英雄と伝說』, 塙書房, 1976.
喜田貞吉,「奧羽地方における夷地·狄地の存在」,『喜田貞吉著作集』九卷, 平凡社, 1980.
喜田貞吉,「津輕領內における蝦夷關係史料とその研究」,『喜田貞吉著作集』九卷, 平凡社, 1980.
菊池勇夫,「奧羽社會における蝦夷問題」,『幕藩体制と蝦夷地』, 雄山閣出版, 1984.
村井章介,「中世日本列島の地域空間と國家」,『アジアのなかの中世日本』, 校倉書房, 1988.
川合康,「奧州合戰ノート－鎌倉幕府成立史における賴義故實の意義－」,『文化研究』3, 1989.
大石直正,「陸奧國の莊園と公領」,『東北學院大學東北文化研究所紀要』22, 1990.
村井章介,「國境を考える」,『國境を超えて』, 校倉書房, 1997.
七海雅人,「鎌倉幕府の陸奧國掌握過程」,『中世の杜』, 東北大學文學部國史研究室, 1997.

外山至生, 「流刑地としての夷島、津輕·外浜」, 『中世史料探訪記』, ぺりかん社, 1998.
石井進, 「北條時頼廻國伝説の眞僞」, 『もののふの都　鎌倉と北條氏』, 新人物往來社, 1999.
五味文彦·井上聰, 「吾妻鏡」, 『國史大系書目解題(下卷)』, 吉川弘文館, 2001.
柳原敏昭, 「中世陸奥國の地域區分」, 『鎌倉·室町時代の奥州』, 高志書院, 2002.
柳原敏昭, 「中世日本の北と南」, 『日本史講座』 4, 東京大學出版會, 2004.
荷見守義, 「北緯四○度の歴史學－東アジア世界における北方日本－」, 『北方社會史の視座 第3巻 歴史·文化·生活』, 清文堂出版, 2008.
築地貴久, 「鎌倉幕府「流刑地」としての東と西-その成立と展開」, 『文化継承學論集』 5, 2008.
本郷和人, 「鎌倉幕府が意識する東國の地域的分類」, 『兵たちの時代 I 兵たちの登場』, 高志書院, 2010.
柳原敏昭, 「境界への逃亡」, 『古代中世の境界意識と文化交流』, 勉誠出版, 2011.
入間田宣夫, 「東北史の枠組を捉え直す」, 『講座 東北の歴史 第一巻 争いと人の移動』, 清文堂出版, 2012.
桂島宣弘, 「徳川日本における「國境」の認識過程－「蝦夷地」論という言説－」(제76회 일본사학회 월례회 발표문, 2015).

17~20세기 몽원사 연구에 나타난 청 지식인들의 '몽골제국' 인식*

『元史類編』, 『元史新編』, 『新元史』를 중심으로

조 원

1. 머리말

홍무 2년(1369)에서부터 3년(1370) 사이에 졸속으로 편찬되었던 『元史』는 당대부터 후세학자들에 이르기까지 사료상의 정보 누락(漏落), 오기(誤記) 등으로 비판을 받아왔다. 그러한 연유로 명대에서부터 청대에 이르기까지 『元史』에 대한 보정(補正) 작업이 지속적으로 이루어졌다. 청대 몽원사 연구는 고증학을 바탕으로 『元史』의 오류를 바로잡고자 했던 학문적 관심에서 시작되어 20세기 초까지 '몽원사 지학(蒙元史地學)'이라고 하는 하나의 학문적 조류를 형성하며 발전해

* 이 글은 「17-20세기 몽원사 연구에 나타난 청 지식인들의 '몽골제국' 인식 : 『元史類編』, 『元史新編』, 『新元史』를 중심으로」(『중국학보』 74, 2015)를 수정 보완한 것이다.

갔다.

이 시기 가운데에서도 18세기 중엽은 몽원사 연구가 본격적으로 진행된 시기로 파악된다. 당시 티베트 고원과 동투르키스탄 지역이 편입됨으로써 청제국의 강역이 확정되었다. 준가르부를 마지막으로 몽골이 청조에 완전히 편입되자 청은 비로소 중국과 내륙아시아를 아우르는 제국으로 부상하게 되었다. 청의 강역이 몽골과 서북지역으로 확장되는 과정에서 정복지역에 관한 지리, 역사, 종족 등의 인문학적인 지식이 축적되기 시작하였고, 몽원사 연구가 본격적으로 진행되었다.[1)]

19세기 중엽 아편전쟁, 태평천국의 난 등으로 이어지는 청제국의 대내외적 충격은 몽원사 연구가 활발히 전개될 수 있었던 자극이 되었다. 동서 교통로의 확대와 더불어 외부세계에 대한 인식의 지평이 확대되면서 '몽골제국'에 대한 역사적 기억이 재생된 것이었다.[2)] 이러한 배경 속에서 몽원사와 관련된 다양한 저작들이 집필되었다. 진득지(陳得芝)의 견해에 따르면, 청 초기, 고염무(顧炎武), 황종의(黃宗

1) 청대 몽골사에 관한 역사서술 및 연구는 크게 몽골인들 자신들에 의한 몽골사 서술과 청조 관찬·사찬 몽원사 연구의 두 줄기로 나눌 수 있겠다. 먼저 몽골의 역사서술은 그 부흥기에 해당하는 16세기 말경으로 거슬러 올라간다. 티베트 불교를 수용하면서 그로부터 정신적, 문화적인 자양분을 공급받았던 몽골인들은 티베트 불교의 세계관을 도입하여 자신들의 종족적 계보를 만들고, 몽골 칸의 혈통을 티베트 및 인도 왕들과 연계하여 구성하여 『白史』, 『黃史』, 『Altan Tobci』, 『蒙古原流』 등의 역사서들을 편찬했다. 이러한 전통은 19세기까지 계승되어 칭기즈칸으로부터 이어지는 연대기인 『阿薩拉克齊史』, 『恒河之流』, 『水晶念珠』, 『黃金念珠』, 『水晶鑒』 등 역사서의 편찬으로 이어졌다. 한편, 18세기 말기가 되면 몽골의 독자적인 연대기 편찬 작업은 약화된다. 반면에 청후기 고증학적 방법론이 유행하면서 청의 관찬·사찬 사가들에 의한 역사서편찬이 활발하게 이루어졌다. 이는 몽골까지 포함한 역사 서술의 전 영역으로 이어진다. 본 연구에서는 후자에 해당하는 청대 몽원사 연구에 주목하여 연구를 진행하고자 한다.

2) 李廷勇, 「晚淸蒙元史硏究的新風氣」, 『浙江學刊』, 2001-5.

義)에 의해 개창된 경세치용·실사구시의 학풍이 원사 연구의 시작점이 되었고 페르시아, 아랍어 등의 사료를 바탕으로 진행된 서구 및 일본학계의 몽원사 연구성과가 유입되었던 19세기 이래로 몽원사 연구가 더욱 활기를 띠게 되었다.[3] 청제국과 서구 학계의 교류가 청말 몽원사 연구를 더욱 풍성하게 하였던 것이다. 이렇듯 19세기 몽원사 연구는 청 지식인들의 위기의식의 발로이자, 서구 학계의 몽골 연구의 유입으로 말미암은 지적 자극의 산물이었다.

청대 몽원사지학과 관련된 연구들은 기존에 사학사·문헌학의 맥락에서 다루어졌다. 나이토 고난(內藤湖南)은『지나사학사(支那史學史)』에서 명말부터 전개되었던 고대 사서 개찬 작업에 관해 소개했다. 그는 그 가운데 원사 개찬(改撰)의 연구성과들을 소개하면서 소원평(邵遠平)의『元史類編』이 복잡한 원대의 역사를 보다 간명하게 기술하고 있고, 기존『元史』의 오류들을 바로잡았으며 인용한 서적들을 모두 기재하여 사원(史源)을 파악할 수 있다는 점에서 원대사 연구에 중요한 참고자료가 될 수 있다고 평가했다.[4] 이외에도 장승종(張承宗)은 몽원사 연구의 성과들을 청대 전기, 후반, 말기의 시기별로 나누어 개괄적으로 소개하였다. 그는 청 전기와 말기의 몽원사 연구가 각각 건가(乾嘉)시대의 고증학의 발전과 대외 침략으로 말미암은 민족주의 정신의 발현이라는 배경 속에서 탄생한 시대적 산물로서 파악하였다.[5] 한편, 황조강(黃兆强)은 청초기부터 중엽까지 원사 연구를 개괄적으로 다루

---

3) 陳得芝,「蒙元史研究與中西學術的會通」,『江海學刊』, 2000-3.

4) 內藤湖南,『支那史學史』, 東京: 弘文堂, 1949. 이외에 청대 편찬된 몽원사 관련 사료들의 개략적 내용들이 간략히 소개한 연구들이 있다. 陳高華,『中國古代史史料學』, 北京: 北京出版社, 1983와 王愼榮,『元史探源』, 長春: 吉林文史出版社, 1983 참조.

5) 張承宗,「清代的元史研究」,『史學史研究』, 1992-4.

고 있으며, 소원평(邵遠平), 전대흔(錢大昕), 조익(趙翼) 등의 인물을 중심으로 청전기 몽원사 연구의 정황을 상세히 소개하고 있다.[6]

1990년대 이후 중국 변강 연구가 활기를 띠면서, 몽원사지학에 대한 연구가 활발하게 이루어졌다. 이 가운데 몽원사지학이 형성되었던 배경과 관련하여 고증학의 학문적 결실과 청제국의 군사전략적 목적이라는 두 가지 측면에서 분석되어왔다. 몽원사지학을 주도했던 대표적인 학자들과 그 연구업적에 관한 개별적인 연구들이 다수 발표되었다.[7]

'제국의 공간'에 대한 이해와 상상이라는 맥락에서 피터 퍼듀(Peter. Perdue)는 확장되는 제국의 '공간에 대한' 제국의 '상상'의 일환으로 지도제작과 역사서술이 전개되었으며, 이때 역사서술은 변경 정복과 지배의 정당화 작업의 일환으로 전개된 것으로 파악하였다.[8] 또한 갈조광(葛兆光)은 청말 '새로운' 원사가 집필되었던 중요한 원인은 기존에 '한문사료'들을 바탕으로 서술되어 왔던 '원조(元朝)'의 역사적 공간이 '원제국'을 충분히 담아내지 못하기 때문이었다고 지적하였다.[9] 이러한 논의들은 청대 몽원사지학이라는 학문적 조류가 '제국

---

6) 黃兆强, 『淸人元史學探硏-淸初至中葉』, 臺北: 稻鄕出版社, 2000.

7) 19~20세기 대표적 몽원사 연구자인 위원(魏源), 장목(張穆), 가소민(柯劭忞), 도기(屠寄)의 몽원사 연구에 관한 연구성과들로는 위원의 몽원사 연구에 관하여 伍成泉, 「魏源的邊疆史地研究述略」, 『中國邊疆史地研究』 16, 2006 ; 劉蘭肖, 「『元史新編』的歷史編撰學成就」, 『山東理工大學學報』, 2010-1, 장목에 관한 연구로는 余大鈞, 「淸代學者張穆及對我國西北史地學的貢獻」, 『內蒙古大學學報』 1984-2 ; 蔡家藝, 「淺論《蒙古游牧記》」, 『中國邊疆史地研究』, 1991-1, 가소민의 『新元史』에 관하여 魯海, 「柯劭忞의 『新元史』」, 『史學月刊』 816 ; 劉佳佳, 『柯劭忞 『新元史』編纂成就及史料價値研究』, 華中師範大學碩士學位論文, 2013, 도기의 몽원사 연구에 관하여 李鑑昭, 「關于屠寄和他的『蒙兀兒史記』」, 『文史哲』 1957-12 등의 연구성과들이 있다.

8) 피터 퍼듀, 공원국 역, 『중국의 서진』, 도서출판 길, 2012.

9) 葛兆光, 『宅玆中國』, 北京: 中華書局, 2011, 19쪽.

확장'과 '제국 건설'의 맥락에서 검토될 수 있다는 해석의 가능성을 열어주고 있다.

한편, 18세기 이후 몽원사 연구의 성과를 서북사지학(西北史地學) 연구의 일환으로서 파악한 연구들이 있다. 서북사지학은 18세기 신강을 정복하기 위해 진행되었던 서북 지리와 역사에 대한 연구로서 19세기 이후에는 그 연구 영역이 확대되어 청의 북방(北方)과 서북(西北)지역을 총체적으로 다루었다. 청대 서북사지학에 관한 연구를 진행해왔던 곽려평(郭麗萍)은 18세기 말의 가경(嘉慶) 연간부터 20세기 초까지 몽원사지학이 서북사지학의 주류를 이루며 학문적 발전을 이루어 왔던 것으로 파악하였다. 관련 연구자들은 청 중기 군사적 팽창과 강역 확대에 따른 변경 지역에 대한 지리적 정보의 필요성과 군사전략적인 방략(方略)을 목적으로 서북사지학과 몽원사지학이 출현하게 되었다고 보았다.[10]

본 연구에서는 17세기부터 20세기 초에 이르는 몽원사 연구의 대표적인 성과들을 중심으로 그 저작들에 반영된 청대 한인 출신의 관료형 지식인들의 몽골인식에 관해 살펴보고자 한다. 이 시기 몽원사 연구 성과들 가운데에서도 본고에서는 정사(正史)의 기전체 형식으로 집필된 『元史』의 체례를 고수하면서도 그 틀 안에서 '새로운' 원사의 집필에 주목하였다. 이러한 작업은 몽원사 연구가 시작되었던

---

10) 19세기의 몽원사지학이 서북사지학과 함께 거론되는 것은 19세기 중엽 이래로 중국 서북변의 강역에 관심을 가지고 연구를 진행했던 관리출신의 학자들이 몽원사지학 연구에 참여하였기 때문이다. 또한 몽원사 연구자들 역시 서북사지학 연구자들과 문제의식이 공유하며 연구를 진행하였던 것으로 파악된다. 陳得芝, 『蒙元史研究導論』, 南京: 南京大學出版社, 2012, 128~132쪽 ; 周丕顯, 「淸代西北輿史地學與元史研究」, 『甘肅社會科學』, 1993-1 ; 郭麗萍, 『絶域與絶學』, 北京: 三聯書店, 2007 ; 최희재, 「淸 嘉慶道光期 西北史地學 연구의 역사적 의의」, 『역사문화연구』 53, 2015 참조.

청 전기로부터 청말·민국초기까지 대략 다섯 차례 진행되었다. 대표적으로 소원평(邵遠平)의 『元史類編』, 전대흔(錢大昕)의 『元史稿』, 위원(魏源)의 『元史新編』, 가소민(柯劭忞)의 『新元史』, 도기(屠寄)의 『蒙兀兒史記』가 손꼽힌다. 이 가운데 전대흔(錢大昕)의 『元史稿』는 전해지지 않고 있으며, 『蒙兀兒史記』는 도기(屠寄)가 완성하지 못한 채 사망하여 「志」가 1권밖에 기술되지 않았다. 따라서 본고에서는 청대 『元史』를 개찬(改撰)한 저작들 가운데 소원평(邵遠平)의 『元史類編』, 위원(魏源)의 『元史新編』, 가소민(柯劭忞)의 『新元史』를 중심으로 각 시기별 몽원사 연구의 특징과 의미를 살펴보고자 한다. 특히 이 저작들은 각각 청 전기, 함풍(咸豊) 연간의 청 후반, 1920년대의 민국 초기에 집필된 것으로 대략 200년에 걸쳐 청대 한인 지식인의 '몽골제국' 인식의 흐름을 파악하는 데 유용하다고 볼 수 있겠다. 또한 소원평(邵遠平), 위원(魏源), 가소민(柯劭忞)은 각각 청조에서 관직을 역임했던 대표적인 관료출신의 학자들로서 이들이 '새로운' 『元史』를 편찬하는데 있어서 청 조정을 의식한 측면이 있다고 생각된다.

본고에서는 청대 한인 지식인들의 『元史』 집필의 특징과 집필의 목적 및 저작에 나타난 당시의 '몽골제국' 인식을 검토하기 위해, 먼저 소원평(邵遠平)의 『元史類編』을 중심으로 청제국 전기에 시작된 몽원사 연구의 특징을 고찰해볼 것이다. 다음으로 19세기에 집필되었던 위원(魏源)의 『元史新編』을 살펴볼 것이다. 『元史新編』의 구성과 특징을 통해 그 집필의도를 파악하고, 그 속에 나타난 위원(魏源)의 몽골제국 인식을 검토하고자 한다. 마지막으로 가소민(柯劭忞)의 『新元史』를 중심으로 청말민국 초에 진행되었던 원사(元史) 연구의 의미와 특징을 파악하고자 한다. 청 제국의 팽창 시기에서부터 제국의 몰락에 이르기까지 몽원사 연구의 추이를 검토해봄으로써 이 연구들의 특징과 청제국의 정체성을 형성하는데 어떠한 시각을 제공하였는지를 규명하고자 한다.

2. 청 전기 원사 연구와 소원평(邵遠平)의 『元史類編』

청 초기부터 조정에 사관(史館)이 설치되어 역사 편찬 사업이 활발해졌고 『四庫全書』의 간행을 통해 고증학이 발전하는 가운데 학문적인 관심으로 『元史』의 오류를 바로잡고자 하는 작업들이 진행되었다. 또한 몽골초원과 준가르 지역의 몽골세력이 모두 청제국의 판도에 들어오게 되면서 이 시기의 몽원사 연구는 몽골인과 몽골의 역사에 대한 학문적인 관심과 더불어 청황제에게 통치에 있어서 몽골 및 서역 지역의 지리 및 종족에 관한 필요한 정보들을 제공하고 있는 측면이 나타난다.

청대 몽원사 연구는 강희(康熙) 연간에 시작되었다. 이 시기는 삼번의 난, 대만의 평정, 갈단의 토벌 등 대외적인 정복활동이 큰 성과를 이루었던 시점이었다. 북방으로 영토를 팽창해가던 청은 남하하는 러시아와의 충돌로 강희 28년(1689)에 네르친스크 조약을 맺었고, 이후 준가르부의 갈단을 토벌하는 과정에서 북방과 서북지역의 강역(疆域)을 공고히 하는 작업을 추진하였다. 이러한 시점에 전개되었던 몽원사 연구의 선구는 소원평(邵遠平)의 『元史類編』이다. 이후 준가르부가 완전히 복속되었던 18세기 중엽 이후에는 고증학의 성숙과 청제국의 강역의 확장이라는 배경하에서 전대흔(錢大欣)의 『元史氏族表』, 『元史藝文志』, 왕휘조(汪輝祖)의 『元史本證』 등 걸출한 연구성과들이 배출되어 이후에 전개된 몽원사지학 연구에 중요한 기초를 마련하였다. 이하에서는 청 전기 몽원사 연구 가운데에서 가장 먼저 『元史』의 개찬(改撰) 작업을 전개한 소원평(邵遠平)의 『元史類編』을 살펴보겠다.

1) 소원평(邵遠平)의 『元史類編』 저술과 집필목적

소원평은 절강(浙江)출신으로 강희 3년(1664)에 진사(進士) 급제하였다. 문재(文才)가 뛰어나 한림원시독(翰林院侍讀)을 거쳐, 정삼품(正三品)의 첨사부(詹事府) 소첨사(少詹事)직을 역임하고, 스스로 사임한 후 선조의 업적을 계승하여 사서(史書) 집필에 전념했다. 그의 고조부였던 소경방(邵經邦)은 명(明)의 공부(工部), 형부(刑部) 원외랑(員外郎)을 역임하였고 가정(嘉靖) 연간 황제에게 올린 상소로 인해 복건(福建)으로 유배를 당해 유배지에서 생을 마감했다. 그는 그곳에서 『弘簡錄』 254卷을 저술하였는데, 이때 당(唐)에서부터 송(宋), 요(遼), 금(金)의 역사는 집필했으나, 원의 역사는 마무리하지 못하고 사망했다. 소원평은 『弘簡錄』의 체례를 따라 누락된 부분이었던 원사(元史)를 집필하여 강희 32년(1693)에 『元史類編』 42권을 완성하였고, 고조부의 업적을 계승했다는 의미에서 『續弘簡錄元史類編』이라 하였다.

『元史類編』은 크게 「紀」 10권과 「列傳」 31권으로 구성되어 있고, 「志」와 「表」는 따로 두지 않았다. 이는 『元史類編』이 처음부터 『唐六典』과 『通典』의 제도사의 체례를 따랐기 때문이었다. 소원평은 『經世大全』, 『元文類』 등을 비롯하여, 몽골 대칸이 반포한 조(詔), 제(制)를 비롯하여, 원대 문인들의 원집(文集)을 수집하여 집필에 착수하였으며,[11] 帝紀」에

11) 王愼榮, 『元史探源』, 332쪽.

황제의 조령(詔令)을 넣고 유림(儒林)의 저작들을 다수 인용하여 보완했다. 또한 『元史』「志」에 들어가는 천문(天文), 오행(五行), 역(歷), 지리(地利), 하거(河渠), 예악(禮樂), 여복(輿服), 선거(選擧), 백관(百官), 식화(食貨), 병(兵), 형법(刑法)의 13지(志)를 모두 제기(帝紀)에 편입시켜,12) 「紀」에서 각 시기 통치자들의 재위기간의 행정과 제도를 함께 파악할 수 있게 하였다.

「紀」는 「世紀」와 「天王」으로 나누어, 「世紀」는 칭기즈칸부터 뭉케까지의 기사를 기술하였고 「天王」은 쿠빌라이부터 순제(順帝) 토곤테무르까지의 기사를 수록했다. 「列傳」 42권에서는 원대의 중요한 인물들을 재보(宰輔), 공신(功臣), 시종(侍從), 대간(臺諫), 직간(直諫), 서관(庶官), 황후(皇后), 공주(公主), 계속(系屬), 유학(儒學), 문한(文翰), 정덕(旌德), 열녀(列女), 잡행(雜行)의 14개 유형별로 분류하였는데, 원(元)에서 크게 중시되지 않았던 문인들을 경학(經學), 문학(文學), 예학(藝學)으로 더욱 상세히 분류하여 기술하고, 오히려 몽골 통치자들에게 중시되었던 종교인이나 쿠빌라이 재위 초기의 중요 인물들을 마지막 잡행(雜行)으로 분류하였다는 점이 특징이다. 이는 소원평의 전형적인 한인 유학자로서의 인식을 잘 반영하고 있는 것으로 볼 수 있겠다.

소원평이 『元史類編』 집필의도를 살펴보면 개인적인 사연, 학문적인 측면, 그리고 정치적인 측면을 함께 고려해 볼 수 있겠다. 그는 「進呈元史類編表」에서 『元史類編』 집필 목적을 밝히고 있는데 크게 강희제와의 인연, 미완의 가업으로서의 사서 집필, 학문적인 차원에서의 당위성의 측면에서 기술하고 있다. 이 내용을 구체적으로 살펴보면, 먼저 그는 자신이 소첨사(少詹事)직에서 물러나 고향에 머물러

12) 『清史稿』 卷484, 「文苑傳一」, 北京: 中華書局, 1977, 13349쪽.

있을 때였던 강희(康熙) 18년(1679), 강희제가 남도를 순행하던 길에 소원평에게 봉관액(蓬觀額)을 하사했었던 일을 회고하고[13] 강희제에 대한 감은(感恩)의 심정을 기술하면서 그 은혜에 보답하기 위한 보은(報恩)으로서 『元史類編』을 집필하였음을 밝히고 있다. 다음으로 고조부 소경방이 『弘簡錄』을 집필하다가 탈고하지 못한 채 작고한 사연을 언급하면서, 자신이 사관(史官)으로 재직하였던 사실과 그 경력을 바탕으로 조부의 업적을 계승하여 『元史類編』 41편을 저술하여 황제에게 바친다고 하였다.[14] 소원평은 고조부가 미처 마무리 짓지 못한 가업(家業)을 완성하고 이를 청의 황제에게 바침으로써 보은하여 청대의 기념비적인 저술로 남기고자 했던 것이다.[15]

소원평은 「進呈元史類編表」에서 기존의 『元史』가 갖는 문제점들을 소상히 밝히고 있다. 『元史』의 문제점으로는 그 구성이 체계적이지 못한 것, 「后妃傳」에 제왕(諸王), 공주(公主)의 표(表)만 있고, 전(傳)이 없으며 그 가운데 오류가 많은 점, 칭기즈칸의 서역 정벌, 세조의 대리평정과 남벌에 관한 내용 등 몽골제국의 팽창에 기여했던 중요한 사건들에 관해 상세히 다루지 않은 점 등을 기술하였다. 또한 본문의 "분류가 잘 되어 있지 않고, 시간의 선후가 도치되어 해석이 분명하지 않다"[16]고 지적하면서 『元史類編』 집필의 학문적 당위성을 강조하였

13) 『淸史稿』 卷484, 「文苑傳一」, "聖祖南巡, 賜禦書'蓬觀'額, 因自號蓬觀子", 13349쪽.

14) 『元史類編』, '進呈元史類編表'.

15) 황조강(黃兆强)은 이와 같은 遠平의 저술동기를 궁극적으로 고조부와 자신의 이름을 널리 알리기 위한 揚名으로 보고 있으나, 이는 그 저술동기를 지나치게 단순화 시킨 것이라고 본다(黃兆强, 『淸人元史學探硏-淸初至中葉』, 40~41쪽). 소원평(邵遠平)의 저술동기와 배경은 그가 史官을 역임했던 사실과 청전기 조정의 지원하에 수사(修史) 사업이 활발히 전개되었던 상황과 연결하여 생각해볼 수 있을 것이다.

16) 邵遠平, 『續弘簡錄元史類編』(이하 『元史類編』로 약칭) 「凡例」, 『續修四庫全書』 「史部·別史類」 312卷, 上海: 上海古籍出版社, 1995, 3쪽.

다. 이러한 점에 주목하여 기존의 연구에서는 청 전기 고증학의 발전에 따른 학문적인 성과로서 『元史類編』을 소개해 왔다.

그가 다양한 사료를 활용하여 『元史類編』을 집필할 수 있었던 것은 청 전기 조정에서 사관을 역임했던 배경하에 가능한 것이었다. 청 초기 황제들은 청나라를 건국하는 과정에서부터 '역사서술'을 중시했다. 숭덕(崇德) 원년(1636) 황타이지는 국사(國史), 비서(秘書), 홍문(弘文)의 삼원(三院)을 세우고 국사(國史) 편찬과 서적 수집에 주력하게 했고, 그 과정에서 한문(漢文) 사서(史書), 정서(政書)의 번역이 활발하게 이루어졌다. 강희 4년(1665)에는 명사(明史) 편찬을 위한 명사관(明史館)이 설치되었고 18년(1679)에 『明史』의 편찬이 시작되어 건륭(乾隆) 4년(1739)에 비로소 완성되었다. 건륭 연간에는 『滿洲老檔』과 『滿洲實錄』이 편찬되기에 이르렀다. 청 정부에서는 서적 편찬 사업을 적극적으로 추진하기 위해 담당 기구를 확충하였는데, 기존에 있던 한림원(翰林院) 소속의 국사관(國史館)뿐 아니라 군기처(軍機處) 소속의 방략관(方略館), 내무부(內務府) 소속의 무영전(武英殿) 수서처(修書處)를 통해 본격적으로 수사(修史)를 전담하게 했다. 이외에도, 청 조정에서 임시적인 수서(修書) 기구들을 두었다. 청 정부의 적극적인 후원 하에서, 중국을 정복한 만주의 역사가 편찬되었을 뿐 아니라, 앞선 중원 왕조들의 역사도 집필되었다. 이렇듯 청대 국가주도의 수사(修史) 사업으로 다량의 실록(實錄), 기거주(起居注), 열전(列傳), 방략(方略), 정서(政書), 방지(方志)가 집필되었을 뿐만 아니라, 사가(私家)에서도 사서(史書)의 개작(改作), 증보(增補) 등 다양한 차원의 사서(史書) 편찬(編纂)이 이루어졌다.[17] 청대 서화가(書畵家)로 이름을 날렸던 주이(朱彝)는 『元史類

17) 馮爾康, 『清史史料學』, 北京: 古宮出版社, 2012, 8~15쪽.

編』에 대해 "관찬이 아니고는 이를 따라잡을 수가 없다."[18]라고 높이 평가했던 것은 그가 사관을 역임하면서 접했던 다양한 사료들을 바탕으로 『元史類編』을 집필할 수 있었음을 반영하고 있다고 볼 수 있겠다.

그런데 집필 목적과 관련하여, 소원평이 모두에서 강희제와의 인연을 특별히 강조하고 이를 강희제에게 바친다고 기술한 부분이 주목된다. 이를 '進呈表'에 나타난 의례적인 문구로 간주할 수 있겠으나, 『元史類編』 집필 당시 청의 대외정세를 고려해 볼 때 소원평이 또 다른 의도를 추정해볼 수 있겠다. 소원평의 『元史類編』 집필하던 시기는 할하 몽골 왕공들의 청조에의 복속이 공식적으로 선포된 직후였다. 강희 30년(1691) '돌론노르 회맹'을 통해 할하 몽골 부족들은 청 황제에게 철저한 복속을 다짐했고, 이를 계기로 청의 울타리인 외번이 내몽고를 넘어 할하 몽고로 확대되었다.[19] 17세기 말 준가르를 제외한 내할하(현재 내몽골)와 외할하(현재 외몽골)가 청에 완전히 복속되면서, 청제국의 판도 및 강역에 대한 새로운 정의가 필요했을 것이다. 이러한 시점에 공교롭게도 『元史』가 다시 정리·집필되었던 것은 중요한 의미를 지니고 있다고 볼 수 있겠다. 소원평은 이 시점에 『元史類編』을 집필함으로써 청 황제가 몽골 황제를 계승한 제국의 통치자라는 이념적 기반을 제공하고자 했으리라고 생각된다.

---

18) 『淸史稿』 卷484, 「文苑傳一」, "朱彝尊稱,其書非官局所能逮也", 13349쪽.

19) 이선애, 「外國(tulergi gurun)에서 外藩(tulergi golo)으로－17세기 청·할하 관계」, 『명청사연구』 43, 2015, 148~154쪽.

2) 『元史類編』에 나타난 '몽골제국'의 인식

『元史類編』은 기본적으로 『元史』를 저본으로 하여 체례를 조정하고 오류를 바로잡았으며 새로운 사료들을 통해 제도적인 측면을 보완한 것으로, 『元史』의 내용에서 커다란 변화가 발견되지는 않는다. 다만 『元史』에서는 발견되지 않는 내용에 첨가되어 있는 부분이 있어 주목된다.

먼저 『元史類編』의 「進呈元史類編表」에 이어서 「朔漠圖考」, 「海運圖考」라 하여 몽골통치 시기 행정적, 정치적 중심지에 대한 개괄적 서술과 함께 지도가 삽화로 들어가 있어 흥미롭다. 「朔漠圖考」에는 칭기즈칸이 즉위한 오논강 유역에서부터 카라코룸, 쿠빌라이 집권 시기의 상도(上都) 궁성(宮城), 요양행성(遼陽行省) 등에 관해 설명되어 있으며, 칭기즈칸의 출생지였던 오논강 일대를 비롯하여, 몽골통치 시기 요동 일대의 지도가 삽화로 들어가 있다. 또한 만주의 발원지였던 요동일대의 몽골 통치를 행정기구인 요양행성(遼陽行省)에 관해서도 소개하고 있다. 「海運圖考」에는 몽골의 남송 정복과 이후 대도에서부터 강남으로 이어지는 조운(漕運)을 소개하고 이를 활용할 것을 청 황제에게 제언하고 있다. 소원평(邵遠平)은 「朔漠圖考」, 「海運圖考」를 통해 북방 지역에 소재한 몽골제국 시기 통치 중심지를 소개하고 몽골제국시기 운하를 통한 중국내 물자 유통망의 운용에 관해 소개함으로써 청 황제에게 통치의 지혜를 제공하고자 하였음을 알 수 있다.

『元史類編』의 마지막 42권은 「附載」라 하여 『元史』「外夷傳」에 해당하는 부분을 기술하고 있다. 이 부분에서 주목되는 점은 다음 <표 1>에 나와 있듯이, 『元史』에서 따로 입전(立傳)하지 않았던 서역에 관해 상세히 서술하고 있다는 점이다. 『元史』「外夷傳」에 누락되어

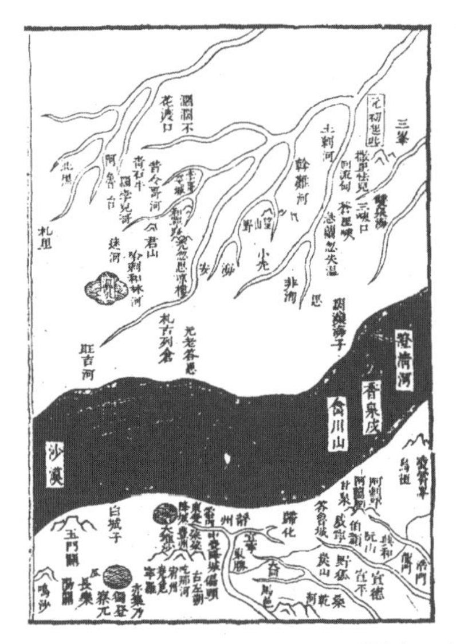

「삭막도고(朔漠圖考)」

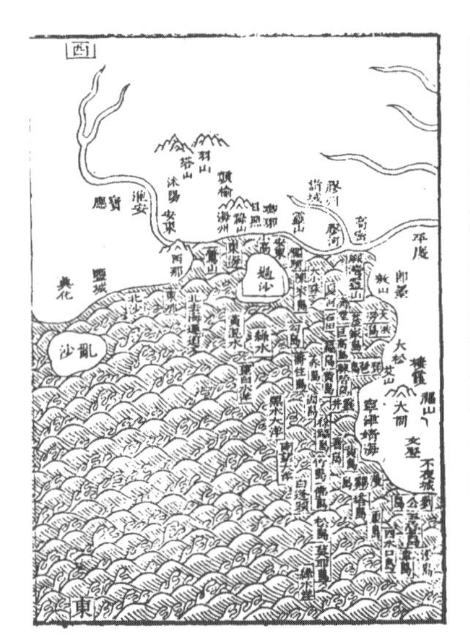

「해운도고(海運圖考)」

<표 1> 『元史』와 『元史類編』에 수록된 외국 국명

書名	『元史』「外夷傳」	『元史類編』「附載」
國名	高麗, 耽羅, 日本, 安南, 緬, 占城, 暹, 爪哇, 琉求, 三嶼, 馬八兒等國	高麗(耽羅), 日本, 安南, 占城(暹羅), 爪哇, 琉求, 緬, 八白媳婦, 西域, 大理, 吉利吉思

있는 서역(西域), 대리(大理), 키르키스[吉利吉思]에 관하여 상세히 기술하였다. 특히 서역에서는 오손(烏孫), 소그드[粟特], 안식(安息), 킵착[欽察] 등 고대로부터 존재해왔던 다양한 종족과 왕조들에 관한 내용도 포함되어 있어 당시 청조의 준가르 전쟁에 따른 서역 지역에 대한 관심을 반영하고 있는 것으로 볼 수 있겠다. 이를 통해 청 황제에게 몽골의 판도 하에 편입되었던 몽골초원 서부의 키르키스, 청의 남쪽 변방 지역에 위치한 대리, 청조의 서북지역에 해당하는 서역에 관한 지리·역사·종족에 관한 정보를 제공하고 하였던 것으로 보인다.

이를 통해 『元史』에서 축소되었던 동아시아 중심의 몽골제국의 역사상이 소원평의 인식 속에서 북방과 서북 지역으로 다소간 확대되었음을 알 수 있다. 이러한 인식의 확대는 강희 연간에 전개되었던 정복활동 및 그로 말미암은 청제국의 팽창과 맞물려 나타난 것으로 파악할 수 있겠다.

3. 18세기 이후 몽원사지학(蒙元史地學)의 발전과 위원(魏源)의 『元史新編』

1) 18세기 이후 청의 대외정세와 몽원사지학(蒙元史地學)의 발전

건륭(乾隆) 20년(1755) 청이 준가르 전쟁에서 승리한 이후, 청조는 복속된 지역을 강역(疆域)화 하는 정책들을 주도면밀하게 수행해 갔다. 그 일환으로 정복지역에 한인들을 이주시키고 행정기구를 설치함으로써 청조는 준가르 지역에 지배체제를 확립해갔다. 1880년대까지 신장에서 청의 통치 방식은 중국 내지와는 다른 양상을 띠었다. 청은 이 지역에 청해, 몽골, 만주 지역과 같이 기(旗)체제를 통한 통치체제를 확립했다. 이를 바탕으로 군 부대를 통해 토착 엘리트들이 관리하는 지방 정부를 감독하도록 했다.[20] 청조는 새롭게 편입된 지역에 대해 군사·행정적 지배를 실시했을 뿐 아니라 학문의 영역에서도 철저히 제국적인 질서를 구현했다. 청이 준가르를 정복하게 되면서 청제국의 판도가 내륙아시아를 아우르는 최대의 강역으로 확장되었다. 이때 포섭된 공간에 대한 상상을 정당화하고 현실화시키는 역사서술의 작업이 이루어진 것이다. 이러한 과정에서 전개된 몽원사 연구는 가도(嘉道)연간에 본격화되었다. 교주(校注), 고증(考證), 편집(編輯), 증보(證補) 등 연구방법의 지평이 넓어진 가운데 풍부한 연구성과들이 배출되었다.

그러나 19세기 중엽 몽원사지학 연구는 국제 정세를 비롯한 국내외의 정치적 상황에 따라 경세치용학(經世致用學)으로서의 성격을 띠게 된다. 19세기 중엽 이후 서구 열강들과의 충돌과 그로 말미암은 일련의 불평등조약 체결은 청대 지식인들에게 충격을 주었다. 이 시기 몽원사 연구에 뛰어들었던 학자들 중 다수는 관료출신의 한인 지식인들이었다. 이들은 학문적 관심에서뿐 아니라 균열하는 청제국

---

20) 청조의 준가르 지역 지배 정책에 관해서는 김호동, 『근대 중아아시아의 혁명과 좌절』, 사계절, 1999, 35~49쪽 ; 남상긍, 「18세기 후반 淸代 索倫營의 성립과 붕괴」, 『만주연구』 6, 2007 ; 문명기, 「청말 신강의 건성(1884)과 재정」, 『중국학보』 63, 2011 ; 余太山 主編, 『西域通史』 鄭州: 中州古籍出版社, 1996 ; 苗普生, 『新疆史綱』, 烏魯木齊: 新疆人民出版社, 2004, 326~360쪽 참조.

의 강역(疆域)에 대한 위기의식의 발로로 몽원사(蒙元史) 연구에 매진하였다.[21)]

이 시기는 17세기 이래로 유지되어왔던 만몽일가(滿蒙一家)의 일체화 정책이 동요되던 시점이기도 했다. 19세기 중엽 이후 청제국을 둘러싼 대내외적 상황이 변화되면서 만(滿)-몽(蒙) 연대에 기초한 전통적인 몽골 정책의 유지가 어려워졌다. 두 차례에 걸친 중-영 전쟁 이후 계속된 제국주의 열강의 중국 침략과 변경과 국내에서 발발한 각양의 소요사태는 청조의 변강에 대한 지배력을 약화시켰다.[22)] 청 조정 내부에서는 발언권이 강화된 한인 관리들을 중심으로 중화주의적 지배 질서의 재편이 활발하게 논의되었다. 그 과정에서 종래에 유지되어왔던 변경지역에 대한 느슨한 통치의 방식이 폐기되고 변강 말단에 이르기까지 중앙 정부의 지배권을 강화하여 중국 내지와 일체화시키기 위한 변방 정책이 전개되었다. 이러한 배경 하에서, 북방에서 러시아의 압박을 막아내고 있던 몽골 지역에 대한 통제의 강화의 필요성이 대두되었다. 청 정부 내에서는 몽골 유목 지역에 대한 봉금 해제 및 중국식 행정 기구 설립과 청 정부에 의한 직접 통치에 관해서 심도 있게 논의되었다.[23)] 이러한 배경 하에서, 청 조정은 몽골지역에 성(省)을 설치하여 직접 지배체제를 마련하였고, 이어서 한인들을 이주시키고 몽골인과 한인 간의 통혼을 허용하는

---

21) 대표적인 연구성과로는 장목의 『蒙古遊牧記』, 위원의 『元史新編』, 서송(徐松)의 『元史西北地理附注』, 『元史諸王世系表』, 이문전(李文田)의 『聖武親征錄校注』, 시세걸(施世杰)의 『元秘史山川地名考』, 문정식(文廷式)의 『經世大典輯本』, 『元高麗紀事』 등이 있다.

22) 김호동, 「1864년 新疆 무슬림발란의 초기경과」, 『동양사학연구』 24, 1986, 168~171쪽.

23) 이평래, 「淸末 몽골 지역의 新政」, 『역대 중국의 판도 형성과 변강』, 한신대학교 출판부, 2008, 270~273쪽.

<표 2> 청대 몽원사(蒙元史) 관련 저작[24]

저자	서명	집필 완성 시기
소원평(邵遠平)	『元史類編』	康熙 32年(1693)
전대흔(錢大昕)	『元史考异』 15卷 『元史氏族表』 『元史藝文志』 4卷	乾隆 45년(1780) 乾隆 45년(1780) 乾隆 45년(1780)
조익(趙翼)	『元史箚記』 2 卷	乾隆 60년(1795)
왕휘조(汪輝祖)	『元史本證』 50卷	嘉慶 7년(1802)
기운사(祁韻士)	『西域釋地』	道光 16년(1836)
서송(徐松)	『元史西北地理附注』	道光 28년(1836)
하추도(何秋濤)	『校正元聖武親征錄』 『遼金元北徼諸國傳』 『元代北徼諸王傳』	咸豊年間
장목(張穆)	『蒙古遊牧記』 16卷	咸豊 9년(1859)
위원(魏源)	『元史新編』	咸豊 3년(1853)
홍균(洪鈞)	『元史譯文證補』	光緒 23년(1897)
도기(屠寄)	『蒙兀兒史記』	光緒 26년(1900)
문정식(文廷式)	『經世大典輯本』 『元高麗紀事』	光緒 26년(1900)~ 光緒 30년(1904)
정겸(丁謙)	『聖武親征錄地理考證』 『元秘史地理考證』 15卷 『元史外夷傳地理考證』	民國初
가소민(柯劭忞)	『新元史』	1920년

등 적극적인 내지화 정책을 전개하였다.[25] 이러한 대내외적 정치 상황 속에서 한인출신의 관료형 학자들의 주도로 몽원사 연구가 더욱 활발히 전개되었던 것이다.

---

24) <표 2>에서는 청대 몽원사 연구의 개략적 흐름을 파악하기 위해 대표적인 연구자 13명을 선별하여 대표 업적을 중심으로 표를 만든 것으로, 청대 전시기 몽원사 연구자들은 30명이 넘는 것으로 파악된다(黃兆强, 『清人元史學探研-清初至中葉』, 臺北: 稻鄕出版社, 2000, 9~21쪽 참조).

25) 이평래, 「清末 몽골 지역의 新政」, 273~279쪽.

2) 위원(魏源)의 『元史新編』 저술과 집필목적

위원(魏源, 1794~1857)은 청의 성세(盛世)가 정점을 찍었던 건륭(乾隆) 59년(1794)에 호남성(湖南省) 소양현(昭陽縣)에서 출생했고 아편전쟁이 종식된 뒤 얼마 지나지 않은 도광(道光) 24년(1844)에 진사(進士) 급제하여 관직에 올랐다. 청조는 아편전쟁의 결과로 남경조약을 맺었고, 이어서 프랑스, 미국과도 무역 특권을 인정해주는 불평등조약을 맺게 되었다. 아편전쟁을 통해 팔기군(八旗軍)의 무능함이 드러난데다 청의 내부에서도 연이어 반란이 일어났다. 1850년대에는 태평천국의 난, 염군(捻軍)의 봉기가 이어져 청 제국을 혼란에 빠뜨렸으며, 1855년에는 운남성 서북 지역에서 회족의 반란이 일어났다. 이와 같은 혼란의 시기에 진사 급제하여 관직을 시작했던 위원은 기울어져 가는 청조에 대한 위기의식을 가지지 않을 수 없었다.

그는 관직 초기부터 서북 문헌을 연구하던 학자들과 교류하였다. 일찍이 도광(道光) 6년(1826)에는 『蒙古圖志』를 집필한 공자진(龔自珍)과 함께 북경에서 회식(會試)을 치를 때에 친분을 갖게 되었고, 이후 서송(徐松), 임칙서(林則徐) 등과의 교류를 통해 서북지역의 정치, 군사적 상황에 대해 촉각을 곤두세우며 그들과 문제의식을 공유하게 되었다. 당시 카슈가르(Kashgar)에서 연이어 일어난 소요사태를 계기로 그는 몽고와 천산남북로의 준부(準部), 회부(回部) 및 청해(青海), 서장(西藏) 등 청의 북쪽과 서쪽 변방의 여러 지역과 지리 역사에 관심을 갖게 되었다.[26] 이 시기 서북(西北)은 청조에게 있어 정복해야 할 대상, 낯선 이역(異域)의 땅이 아니라, 이미 청의 통치 영역으로

26) 崔韶子, 「魏源(1794~1857)과 『海國圖志』」, 『梨花史學硏究』 第20·21合輯, 1993, 417쪽.

편입되어 수호해야 할 청의 강역(疆域)이었다. 이 시기 관련 연구자들은 다양한 자료들을 공유하며 서북사지학(西北史地學)과 몽원사(蒙元史)에 대한 연구를 충실히 해나갔다.[27] 위원은 아편전쟁의 패배에 대한 책임을 지고 이리(伊犁) 지역으로 귀향을 가던 임칙서를 만나 그가 쓴 『西夷四州志』를 받고 『海國圖志』의 저술을 의뢰 받게 된다. 『海國圖志』는 세계 각국의 지리적 위치, 각종 지도, 역사 등을 담고 있는 저술로서 세계정세를 상세히 기술하고 있는 지리서인데, 그 서문에 기록된 '師夷之長技制夷論'[28]의 주장을 통해 신학문의 필요성을 주창하고, 청제국의 위기를 극복할 것을 주장하고 있다.[29]

『元史新編』은 『元史類編』이 집필된 시기로부터 한 세기 반 가량이 지난 이후에 『元史』를 새롭게 편찬할 필요가 있다는 문제의식 속에서 저술되었다. 그는 「進呈元史類編表」에서 『元史』에 몽골제국 초기 개국 공신들에 대한 전(傳)이 없는 점 등의 오류와 청 전반에 이루어졌던 『元史』의 개수(改修) 작업의 한계를 지적하였다. 대표적인 성과로서 『元史類編』과 전대흔의 『元史氏族表』를 소개하였고, 『元史類編』에 "기전(紀傳)은 있으나, 표(表)와 지(志)가 없어 한 대의 법과 제도가 없거나 상세하지 않다"고 문제점을 지적하면서 『元史新編』 집필의 당위성을 필요성을 강조하였다.

그는 소원평의 『元史類編』을 참고하고 『元朝秘史』, 『元典章』, 『經世大典』, 『元文類』를 비롯하여 『四庫全書』에 수집되어 있는 100여 종의 관련 사료들을 참조하여 기존에 집필되었던 『元史』를 보완하였다. 가령 『元史』에 누락되어 있는 「后妃列傳」에는 『元史』에는 기술되어

---

27) 郭麗萍, 『絶域與絶學』, 142쪽.
28) 魏源, 『海國圖志』, 臺北: 成文出版社, 1967, 5~8쪽.
29) 崔韶子, 「魏源(1794~1857)과 『海國圖志』」, 417쪽.

있지 않은 후비(后妃)에 관한 내용을 상세히 기술하였고 내륙아시아의 부족과 지리 정황에 대해서도 상세히 기술하는 등 내용을 더욱 풍부하게 보완하였다. 그 구성을 살펴보면 「本紀」 14권, 「列傳」 42권, 「表」 7권, 「志」 32권을 포함하여 총 95권으로서 전통적인 기전체 정사의 형식을 취하고 있다. 체례에서 기(紀), 전(傳), 표(表), 지(志)의 순서를 조정하여, 표, 지를 열전의 뒷부분에 배치했다는 점이 특징이다.[30]

「進呈元史類編表」에서 『元史』의 오류와 청 전기 원사 연구의 한계들을 지적하면서 『元史新編』 저술을 하게 된 학문적인 동기를 밝혔다. 그러나 그가 『元史新編』을 집필한 경위를 엄밀하게 살펴보면, 이는 '제국의 강역'에 대한 관심에서 비롯되었음을 알 수 있다. 그는 자신이 "『海國圖志』를 편찬할 때에 원대 서역과 그 멀리에 있는 변계(邊界)지역이 모두 서북쪽으로 러시아와 인접해 있고, 서남쪽으로 인도와 연하고 있고, 더불어 오늘날 서양의 오랑캐들과 인접하고 있는 땅이라는 사실을 알게 되었다"고 기술하면서, 여타 원대 사료에서 당시 강역(疆域)에 관한 기록이 상세하게 나와 있지 않다는 사실에 아쉬움을 드러냈다. 『經世大典』에는 "서북(西北) 번봉(藩封)의 강역, 녹적(錄籍), 병마(兵馬)에 관해 단지 이름만 나열되어 있고 근거가 제시되어 있지 않으며", 『元一統志』에도 역시 "내지(內地) 각 행성(行省)에 관해서만 기록되어 있고, 번봉(藩封), 막북(漠北), 요동(遼東), 서역(西域)에 관한 기록이 상세히 나와 있지 않다"[31]고 기술하였다. 이로 미루어 원 제국의 광활한 영토와 강역에 대한 위원의 관심이 그를 몽원사(蒙

30) 魏源, 『元史新編』 「進呈元史新編表」, 『續修四庫全書』 「史部·別史類」 313卷, 上海: 上海古籍出版社, 1995, 3쪽.

31) 『元史新編』 「進呈元史新編表」, 3쪽.

元史) 연구로 이끌었던 것으로 보인다.

그는 『海國圖志』에 수록된 「元代疆域圖」를 집필하면서, 『元朝秘史』, 『蒙古源流』를 비롯하여 역대 「西域傳」을 참조하였다. 이러한 문제의식을 바탕으로 저술된 『元史新編』은 함풍(咸豊) 3년(1853)에 집필이 완성되었다.[32] 위원은 절강순무(浙江巡撫) 하계정(何桂淸)을 통해 자신이 집필한 『元史新編』을 함풍제(咸豊帝)가 어람(御覽)하기를 바라는 뜻을 전하였으나 이를 이루지 못하고 사망하였다. 그의 사후 그의 일족인 위광도(魏光燾)가 유고를 정리하여 교정한 후 1905년에 『元史新編』의 간행이 이루어졌다. 후대 사학자들은 원대의 각종 사료들을 통해 원대의 강역과 지리에 대한 상세한 고증을 시도했다는 점에서 그의 업적을 높이 평가하고 있다.[33]

3) 위원(魏源)의 『元史新編』에 나타난 몽골제국 인식

『元史新編』에서 주목되는 특징들을 살펴보면, 먼저 『元史』에 누락되어 있는 내용들을 충실히 보완하였다는 점이 있다. 가령 「后妃列傳」에는 『元史』에는 기술되어 있지 않은 후비(后妃)에 관한 내용이 비교적 상세히 기록되어 있다. 또한 『元史』에서 상세히 다루고 있지 않은 내륙아시아의 부족과 지리 정황에 대해서도 상세히 기술하였다.

「列傳」의 첫 부분에서는 「后妃列傳」과 「皇子諸王」의 전기를 기술하였고 이어서 「列傳」의 3, 4권(卷)에서는 칭기즈칸의 세계 정복전쟁 당시 내륙아시아 각 지역, 부족, 관련 인물에 대해 기술하고 있다.

---

32) 『淸史稿』 卷486, 「文苑傳三」, "晩遭夷變, 謂籌夷事必知夷情, 複據史志及林則徐所譯西夷四州志等, 成海國圖志一百卷", 13429쪽.

33) 陳高華, 『中國古代史史料學』, 319쪽.

그런데 여기에서 주목되는 내용은 『元史』와 앞선 원사 연구에서 상세히 다루지 않았던 몽골제국의 팽창과정의 내용을 보완하였다는 점이다. 그는 태조(太祖) 칭기즈칸, 태종(太宗) 우구데이, 헌종(憲宗) 뭉케의 각 본기(本紀)에서 내용을 보완하고, 앞서 보았듯이 「列傳」의 '平服各國' 기사를 통해 정복전쟁 과정을 상세히 소개하였다. 각 기사의 제목을 살펴보면, '칭기즈칸 각 나라를 정복한 기사[太祖平服各國]', '동북제왕(東北諸王)', '막북제부(漠北諸部)', '동거란야율류가(東契丹耶律留哥)', '고창(高昌)', '서하(西夏)', '서거란(西契丹)', '서역(西域)', '서역번봉(西域藩封)', '대리(大理)'가 기록되어 있는데, 이 지역들은 모두 청조의 서북, 북방, 남방의 변강(邊疆)에 해당하는 지역들로서 몽골제국에 편입되었던 지역들이다. 위원(魏源)은 몽골 제국이 광대한 규모를 자랑하는 시기였음에도 불구하고, 『元史』에 "서역(西域)에 관한 지(志)도 없고, 서번(西藩), 즉 서역의 번국(藩國)들에 대한 전(傳)이 없어 당시 상세한 정황을 파악하기가 어려웠으나, 다행히 명대(明代)에 해당지역에 관한 내용들이 전해져, 『明史』를 참조하였다고 기술하였다.[34]

이상에서 살펴본 바와 같이, 『元史新編』에서는 몽골제국 건립과 팽창의 역사를 보완하고, 열전에서는 개국 공신전, 후비열전 등 몽골제국의 건설과 통치에 있어서 중요한 인물들에 관한 내용들을 추가하였으며, '태조평복각국(太祖平服各國)', '태종 헌종양조평복각국전(太宗憲宗兩朝平服各國傳)' 등의 기사를 새롭게 넣어, 몽골제국 초기의 보다 상세한 역사를 담고 있다. 이외에도, 몽골제국 하의 '동북(東北)'과 '북부(北部)' 지역의 정세에 관해서도 기록하고 있다. 이상의 내용

34) 『元史新編』 卷18, 「西域藩封傳」, 212쪽.

<표 3> 『元史』와 『元史新編』에 수록된 외국 국명

書名	『元史』	『元史新編』	
	「外夷傳」	「太祖平服各國傳」 「太祖憲宗兩朝平服各國」	「外國志」
國名	高麗, 耽羅, 日本, 安南, 緬, 占城, 暹, 爪哇, 琉求, 三嶼, 馬八兒等國,	高昌, 西夏, 西契丹, 西域, 西域藩封, 大理	高麗, 日本, 琉求, 三嶼, 安南, 占城, 暹, 八白媳婦, 緬, 爪哇, 馬八兒

들을 보완함으로써 몽골초원과 서역 지역의 군사활동, 자연 지리, 사람과 지역 풍속들에 관하여 소개하고 있음을 알 수 있다. 이외에도, 아무르 강, 하라호름, 요양삼성(遼陽三省) 지역에 관한 내용들을 기술하였는데, 당시 청제국의 변강지역으로 편입된 지역들에 관한 상세한 정보를 제공하고 있음이 주목된다.

한편, 위원은 앞서 살펴보았듯이 『元史』에서 구현되지 못했던 몽골제국의 판도를 드러내고자 하였는데, 이는 「外國志」의 구성에서 나타나고 있다. 먼저 그는 『元史』에는 따로 기사를 따로 정리하여 기록하지 않은 고창(高昌), 서하(西夏), 서거란(西契丹), 서역(西域), 서역번봉(西域藩封), 대리(大理)를 모두 「列傳」에 수록시키고, 고려(高麗), 일본(日本), 류구(琉求), 삼서(三嶼), 안남(安南), 점성(占城), 섬(暹), 팔백식부(八白媳婦) 등의 나라들은 구분하여 「외국지(外國志)」에서 기술하여 몽골제국의 판도하에 있었거나 몽골과 교류하였던 여러 세력들을 망라하여 기술하고 있다. 흥미로운 점은 지역과 나라들을 구분하여 일부는 전(傳)에서 기술하고 일부는 志에서 따로 기술하고 있다는 점이다. 「列傳」에 수록된 나라들은 몽골제국에 복속되었던 지역 혹은 나라들이었던 반면, 고려(高麗), 일본(日本), 류구(琉求), 삼서(三嶼), 안남(安南), 점성(占城) 등의 나라들은 몽골에게 정복당하지 않았던 독립적인 세력으로서의 '外國'으로 파악되었던 것이다. 이는 기존에 이들을 중국 전통왕조의 중화질서 속에서 외이(外夷), 나아가 번국(藩國)으로 위치지어 이 나라들을 『元史』의 「外夷傳」에 편입시켰던 방식과는 다른 인식을 기반으로 한 것이었음을 알 수 있다. 제국에 정복된 지역과 정복되지 않은 지역을 나누어서 파악하고 기술한 것은 위원이 13세기 '몽골'을 '제국'으로서 인식하였음을 반영하고 있다고 생각된다.

다음으로 그가 연구했던 몽골 제국을 이상화하여 소개하고 그 제도적 특징과 성쇄(盛衰)의 과정에 대해 밝히고 있다.

> "원(元)은 천하(天下)를 가져 강역(疆域) 내에 해조(海漕)의 넉넉한 병력과 웅장한 영역이 한당(漢唐)을 넘어서며, 장성 북쪽에서 세명의 제(帝)와 중원 7명의 제(帝) 모두 뛰어난 무를 계승하였고, 어리석고 사나운 군주는 하나도 없었다. 안으로는 궁성에 환관과 같은 해충이 없었고, 바깥으로는 가혹한 정치를 하는 신하와 오랑캐들의 근심이 없었다. 네 케식의 자손들은 대대로 어진 재상으로서 나라와 고락을 함께 하니, 그 안정되고 덕이 두터움이 역시 한당(漢唐)을 넘어선다."[35]

위원은 한당(漢唐)과 비교할 수 없을 정도의 넓은 강역과 풍부한 물적 자원을 언급하면서 원(元)제국을 이상적인 시기로 기술하고 있다. 위원은 『元史新編』은 이러한 위기의식을 바탕에 두고 세계제국을 자랑하던 몽골의 성세와 쇠퇴를 탐구함으로써 내우외환(內憂外患)에 처한 청제국의 탈출구를 모색하고자 했던 것으로 파악된다.

또한 그는 예민한 통찰력으로 가지고 청의 상황과 몽골제국 말기의 상황이 유사하다고 보고, 원의 여러 정책들의 실패를 거울로 삼고자

35) 『元史新編』「進呈元史新編表」, 3쪽.

하였다. 당시 외적인 팽창을 통해 청의 강역에 들어온 이민족들의 봉기가 이어졌으나, 이러한 사태를 수습하기에 청의 관리들은 무능하고 부정부패만을 일삼고 있는 상황이었다. 그는 이러한 문제의 해답을 몽골 제국의 역사에서 찾고자 했다. 그는 金과 宋이 몽골에 패배할 수 밖에 없었던 연유를 간신(奸臣)의 등용에서 찾고 있다. 또한 다종족으로 구성되었던 청조의 민족 갈등의 해법을 몽골제국에서 찾고자 했다. 위원은 원 제국에서 시행되었던 민족정책의 변화를 언급하고 있다. 그의 견해에 따르면 몽골제국 초기와 쿠빌라이 시기까지도 민족에 대한 차별정책이 시행되지 않았으나, 원 중기 이래로 몽골, 색목인과 한인, 남인을 구별짓기 시작했고, 차별주의적 정책이 나타나게 되었다고 보았다. 결국 색목인들이 조정에서 득세하게 되면서 원이 쇠망으로 이어졌다고 보았다. 이와 더불어 불교 사원(寺院)들의 불사(佛事), 몽골 분봉(分封) 귀족들의 재정 소모가 원의 패망을 야기했다고 보았다. 그는 "대도(大道)를 행하는 것은 천하를 공정하게 하는 것이고, 공정하게 하는 것은 중외(中外)를 일가(一家)로 보는 것이지만, 공정하지 않으면 남북(南北)이 와해되고 만다"[36]고 지적하면서 몽골이 공(公)을 실현하였을 때, 천하를 장악할 수 있었지만, 중외(中外)를 구분하는 차별정책을 실시했을 때 와해될 수 밖에 없었다고 지적했다. 결국, 그는『元史新編』에 나타난 몽골 제국의 사례를 통해 청말 제국이 직면하고 있는 강역(疆域)의 문제와 민족 갈등의 대한 해법을 모색하고자 했음을 알 수 있다.

---

36)『元史新編』「進呈元史新編表」, 3~4쪽.

4. 청말민초 몽원사 연구와 가소민(柯劭忞)의 『新元史』

1) 청말민초 몽원사 연구의 성과들

청제국 말기에서부터 중화민국 초기까지 이루어진 몽원사 연구는 한 세기 이상에 걸쳐 축적된 몽원사 연구의 성과들이 집대성된 시기로 평가된다. 특히 서양의 몽원사 연구 성과들이 소개되어 청대 지식인들의 '몽골제국' 에 대한 인식의 확장에 중요한 기여를 하게 되었다. 19세기 서양의 몽원사 연구자들은 특히 페르시어와 아랍어 등의 어학 실력을 바탕으로 페르시아 지역의 몽골 통치에 관한 연구를 진행하였다. 대표적으로 프랑스의 까뜨르메르(Quatremere)는 페르시아어로 된 『집사』를 번역하였고, 스웨덴의 동방학자 도슨(d'Ohosson)은 유럽어, 투르크어, 아랍어, 시리아어 등의 어학 능력을 바탕으로 다양한 사료를 참조하여 『몽골사』를 집필하였다. 이외에도 영국학자 호워스(H. Howorth)는 13세기부터 근대에 이르기까지 중국, 러시아, 페르시아 지역에 걸쳐 전개되었던 몽골의 역사를 집필한 바 있다.[37] 이와 같은 연구성과들은 청말 해외에 사신으로 파견되었거나 유학을 갔던 자들에 의해 번역되어 소개되었다. 대표적으로 광서(光緒) 13년(1897)부터 러시아, 독일, 오스트리아, 네덜란드 네 나라의 공사로 파견되었던 홍균(洪鈞)의 업적이 주목된다.

공사로 파견되었던 그는 청·러 간의 국경 문제 등 외교적 현안에 관심을 갖고 『중·러 교계전도(交界全圖)』라는 책을 번역하여 청제국 내에서 큰 반향을 일으켰다. 그는 러시아 체류 당시 몽골제국시기의

37) 陳得芝, 「蒙元史硏究與中西學術的會通」, 『江海學刊』, 120쪽.

위구르어 사료를 접하게 되었는데 이때부터 몽원사에 관심을 갖게 되었다. 이때 그는 라시드 앗딘(Rashid ad-Din)의 『집사』 번역본, 쥬페이니의 『세계정복자사』, 도슨이 쓴 몽골사, 베레진의 『칭기스칸전』, 호워스의 몽골사 등 서구학계의 연구성과들을 참조하여 『元史譯文證補』를 완성했다.[38] 서구의 연구성과들은 홍균에 의해 번역되어 청에 소개되었고, 청말 연구자들의 연구성과에 반영되기에 이른다. 그 결과 이 시기 새롭게 쓰여진 『元史』의 저술 범위는 중국 경내에만 한정되지 않고 몽골제국시기의 전 지역을 아우르고 있는 특징이 나타났다. 도기(屠寄)는 몽골제국 초기 몽골인들이 자신들의 부족을 몽올아(蒙兀兒)라고 칭했던 점에 착안하여, 몽골인들의 역사를 의미하는 『蒙兀兒史記』를 저술했다. 도기는 차가타이 제왕전 및 티무르전을 보완하였고, 오고타이칸국의 성쇠를 상세히 서술했다. 이외에도 『西北三藩地理通釋』을 통해 『元史』를 보완하였다. 가소민(柯劭忞)은 홍균, 도기의 연구성과들을 바탕으로 『新元史』를 편찬했다. 『新元史』는 삼대 칸국의 역사를 상세히 기술하여 몽골제국을 보다 입체적으로 파악할 수 있도록 연구의 기반을 마련해주었다. 이외에도 청대에 몽골시대의 각종 사료에 대한 교주작업이 주목된다.

하추도(何秋濤)는 『聖武親征錄』에 대한 교정(校正)본을 출판했고, 정겸(丁謙)은 『元秘史地理考證』과 『聖武親征錄地理考證』 각각 1권을 집필했다. 왕국유(王國維)는 『長春眞人西遊記注』, 『蒙韃秘錄箋證』, 『黑韃事略箋證』 등 사서에 대한 교주 작업을 진행했다. 이 시기 국난(國難)의 어려운 상황과 대외 문물, 지식의 교섭이라는 모순적 상황 속에서 몽원사지학(蒙元史地學)은 심화된 연구의 결실을 맺게 되었으나, 20세

38) 李峻杰, 「從使臣到史家: 洪鈞使歐事迹論述」, 『史林』, 2013-5, 107~108쪽.

기 전반기 중국의 격난(激難) 속에서 연구는 중단되고 말았다.

2) 가소민(柯劭忞)의『新元史』집필

가소민(柯劭忞, 1850~1933)은 산동(山東) 교주현(膠州縣) 출신으로 자는 풍손(鳳蓀)이다. 광서(光緖) 연간에 진사(進士) 급제하였고, 한림원 편수(翰林院編修), 국자감사업(國子監司業), 호남학정(湖南學政), 귀주제학사(貴州提學使), 산동선무사(山東宣撫使), 경사대학당경과서((京師大學堂經科署) 총감독, 국사관편수(國史館編修)직 등을 역임하였다. 1897년에는 독일이 자신의 고향 교주(膠州)를 침략하자 제국주의에 맞서는 주전론(主戰論)을 주장하는 상소문을 조정에 올리기도 하였다. 외세에 맞서 '자강'할 것을 주장했던 그는 청 조정 내부의 투항파(投降派) 들과 충돌하기도 하였다.

청제국이 몰락하자 망국의 한을 품고 고향에 돌아갔으나, 민국 초기 북양정권에 의해 발탁되어 학술 분야의 책임을 맡게 되었다. 1914년에는 고궁박물원(故宮博物院) 이사직을 담당하였고, 같은 해에 정부가『淸史』집필을 위한 청사관(淸史館)을 설립하자 영입되어 관장(館長)직을 맡아『淸史稿』의 집필을 관장하였다. 그는 이 와중에도 원사(元史) 연구에 관심을 갖고 원대 사료 수집에 주의를 기울여 1922년『新元史』257권을 완성하였고 1930년에 최종본을 간행하였다.『新元史』가 앞선『元史』의 개수(改修) 저작들과 차별되는 점은 기존 발굴되었던 사료들과 최신의 연구성과들을 총 망라하고 있다는 점이다. 가소민은 앞서 저술되었던 소원평(邵遠平)의『元史類編』, 위원(魏源)의『元史新編』등을 비롯하여 청대 몽원사 연구성과들을 집대성하였다.『元史』에 반영되어 있지 않는 묘지명(墓誌銘)과 금석문(金石文)의 자료들을 수집하였고, 『元典章』과 『經世大典』 잔문(殘文) 등을 참조하여 「志」의 내용을 보완하였다. 또한 비한문(非漢文) 연구성과들을 반영하였는데, 『元朝秘史』와 청대 몽골인에 의해 쓰여진 『蒙古源流』를 통해 몽골인들의 시각을 수용하였을 뿐 아니라, 이 당시 홍균에 의해 번역된 서양의 연구성과들을 참조하였다.

가소민의 『新元史』는 당시 북양 군벌 정부의 대총통이었던 서세창(徐世昌)의 명으로 정사(正史)의 반열에 올라 25사(史)의 하나로 자리매김하게 되었고 해외 학계의 주목을 받아 그 성과로 일본 동경제국대학의 문학박사학위를 수여 받게 되었다.[39] 그가 편찬한 『新元史』는 해외와 국내의 풍부한 자료를 바탕으로 『元史』의 한계를 보완하여, 몽골제국의 정황을 상세히 파악할 수 있게 해주었다는 점에서 높이 평가 받고 있다.[40]

『新元史』는 「본기(本紀)」 26권, 「표(表)」 7권, 「지(志)」 70권, 「열전(列傳)」 154권의 257권으로 구성되어 있다. 그는 기본적으로 『元史』의 내용에 증수(增修)를 더하였고, 『元史』의 오류들을 바로잡았다. 예를 들면 「지」에서 「禮樂志」, 「百官志」, 「刑法志」, 「食貨志」, 「兵志」의 내용을 보완하였다. 또한 「열전」은 60편 가량이 늘어났는데, 『元史』에 누락되어 있는 인물, 사건, 제도 등에 관하여 보다 상세한 내용을 기술하고 있다. 『新元史』는 몽골제국 시기의 사료들을 집대성 하였고 편찬 과정에서 『元史』와 관련 연구들의 한계들을 보완하였다는 점에서 사료적 가치를 지니고 있으며 몽골제국의 역사상을 드러냄에 있어서 앞선 원사 연구를 뛰어넘고 있다.

---

39) 陳得芝, 『蒙元史研究導論』, 132~133쪽.

40) 劉佳佳, 『柯劭忞『新元史』編纂成就及史料價值研究』, 華中師範大學碩士學位論文, 2013.

가소민은 『新元史』에 「서문(序文)」과 「범례(凡例)」를 따로 두지 않아 그 저술의 동기와 목적을 파악하기가 어렵다. 이와 더불어 광범위한 개수(改修)가 이루어졌음에도 불구하고 구사(舊史)의 어떤 부분을 수정하였는지를 파악할 수가 없다는 점 등이 문제점으로 지적되어 왔다.[41] 그의 집필 의도를 명확히 알기는 어려우나 일찍이 광서(光緖) 연간에 진사(進士) 급제하여 한림원편수(翰林院編修)로 재직하던 시절 위원의 『元史新編』 교감 작업을 진행한 바 있었으며, 이후로도 『元史』의 수정 증보 작업을 지속적으로 전개했었다는 사실을 미루어, 일찍부터 새로운 『元史』의 집필을 구상해왔던 것으로 추정된다. 청 제국 말기 조정의 사관으로 재직하면서 기존의 『元史』가 제국의 역사상을 담아내지 못하고 있다는 사실을 깊이 인식하였고 장기간에 수집해왔던 풍부한 관련 자료를 바탕으로 『新元史』를 집필하게 되었다고 볼 수 있겠다. 이러한 사실들을 종합해보면, 『新元史』는 청 조정의 사서 편찬의 체계화, 청대 고증학의 발달에 따른 몽원사 연구의 진보, 서구 학계 몽원사 연구 업적의 소개 등이 종합적으로 어우러진 성과라고 볼 수 있겠다. 그렇다면, 『新元史』에는 '몽골'인식에 있어서 어떠한 변화가 반영되어 있을까?

3) 가소민의 『新元史』에 나타난 '몽골제국' 인식

『新元史』에는 『元史』에 누락되어 있는 '몽골제국'의 역사적 사실들을 보완되어 있다. 그 가운데에서도 몽골제국 건립 이전의 몽골 역사와 몽골제국이 멸망한 이후 세워진 북원(北元)의 역사를 기술하고

---

41) 游相錄, 「近代著名史學家柯劭忞」, 『華夏文化』 2, 2008, 53쪽.

있는데, 특히 북원의 2대 칸인 소종(昭宗) 아유시리다라의 기사가 본기에 포함되어 있다는 점이 인상적이다. 이를 통해 가소민이 『元史』의 평면적인 서술과 서술상의 누락이 가져온 몽골제국에 대한 인식에 한계를 넘어서고자 했던 것으로 파악된다.

관련 내용을 살펴보면, 가소민은 「본기(本紀)」를 기술하기에 앞서 『元史』에는 없는 「서기(序紀)」를 두어 몽골의 기원에 관해 비교적 상세히 소개하였다. 그는 서두에 "몽골의 선조가 돌궐(突厥)에서 나왔다"는 문구를 시작으로 몽골의 문화와 풍속 및 칭기즈칸의 제국 건설 이전까지 몽골부족의 역사를 소개하고 있어, 이를 통해 몽골 부족의 시원과 문화적 특징을 파악할 수 있게 해준다. 그는 칭기즈칸이 소속된 부족의 성을 '키얀[奇渥溫]'으로 기술하고 있는 『元史』의 기술을 정정하여 '키야트 보르지긴[乞顏特孛兒只斤]'으로 기재하였다. 「서기」의 말미 논찬 부분에서, 그는 청 강희(康熙) 연간에 편찬된 몽골사서 『蒙古源流』의 기록에 따라 그 국성(國姓)을 보르지긴[博爾濟錦]으로 바로잡는다고 기술하였다.[42] 이로 미루어 몽골제국의 진상(眞像)을 파악하기에 앞서 그 기원과 문화를 소개함으로써, 몽골제국의 통치집단인 몽골인에 대한 이해를 더하고자 했으며, 그 과정에서 몽골인에 의해 집필된 『蒙古源流』를 참조하였다는 점이 주목된다.

이외에도 「표」에서는 『元史』의 「宗室世系表」와 「諸王表」를 「宗室世表」의 하나로 합하였고, 「行省宰相年表」를 덧붙여 몽골제국의 몽골통치집단에 관한 내용을 일목요연하게 정리하였으며, 이외에도 「열전」은 『元史』 「열전」에 비해 57편이 증가된 것을 통해서도 알 수 있듯이 『元史』에 누락된 인물들이 보완되었고, 『元史』의 오류를 바로 잡았다.

---

42) 『新元史』, 上海: 開明書店, 1935.

「열전」을 집필하는 과정에서 그는 『元朝秘史』와 서양의 연구서들을 참조하여 동서도제왕(東西道諸王), 서역 나라들에 관하여 비교적 상세히 기술하고 있다.

『新元史』에서는 「열전」의 마지막 부분에는 「外國傳」이 기술되어 있는데, 여기에는 기존의 원사 연구에 수록되어 있던 나라들보다 그 수가 배에 달하고 여기에는 실제로 몽골제국의 영역이 미치거나 정복을 시도했던 나라들이 망라되어 있다. 이 나라들은 위원의 『元史新編』에서 「外國志」로 편성했던 것과는 달리, 다시 「外國傳」으로 분류하였다는 점을 통해서 그가 전통적인 기전체 사서의 체례를 고수했음을 알 수 있다. 그러나 중국 전통 사서에서 '외이(外夷)'로 분류되어 있던 나라들이 '외국(外國)'으로 파악되고 있다는 사실을 미루어 볼 때 『新元史』는 구(舊)와 신(新)의 성격을 모두 지니고 있음을 알 수 있다.

이들 나라들로는 고려(高麗), 일본(日本), 안남(安南), 면(緬) 섬라(暹羅), 팔부식부(八白媳婦), 점성(占城), 과와(爪哇), 도이제국(島夷諸國) 이외에 서역(西域), 파사(波斯), 소무구성(昭武九姓), 토화라(吐火羅), 각아지(角兒只), 라마(羅馬), 소아미니아(小阿昧尼亞), 극아만(克兒漫), 해랍탈토이기(海拉脫土耳基), 인도(印度), 목랄이(木剌夷), 보달(報達), 서리아(西里亞), 아라사(斡羅斯), 킵착[欽察], 강리(康里), 마찰아(馬札兒), 파란(波蘭)에 이르기까지 아프리카와 유럽의 나라들을 망라한다. 동아시아의 왕조들뿐 아니라, 서아시아, 아프리카, 러시아, 동유럽의 나라들까지 아울러 기술함으로써 가소민이 몽골제국 판도를 독자들에게 가시적으로 보여주고자 하였을 알 수 있다. 이를 통해 가소민의 인식 속에서 몽골제국의 지평이 청대 지식인들의 인식을 뛰어넘고 있음을 알 수 있다.[43]

<표 4> 『元史新編』과 『新元史』의 「外夷傳」

書名	『元史』	『元史新編』		『新元史』
	「外夷傳」	「太祖平服各國傳」 「太祖憲宗兩朝平服各國」	「外國志」	「外國傳」
國名	高麗, 耽羅, 日本, 安南, 緬, 占城, 暹, 爪哇, 琉求, 三嶼, 馬八兒等國,	高昌, 西夏, 西契丹, 西域, 西域藩封, 大理	高麗, 日本, 琉求, 三嶼, 安南, 占城, 暹, 八白媳婦, 緬, 爪哇, 馬八兒	高麗, 日本, 安南, 緬暹羅, 八白媳婦, 占城, 爪哇, 島夷諸國, 西域(波斯, 昭武九姓, 吐火羅, 角兒只, 羅馬, 小阿昧尼亞, 克兒漫, 海拉脫土耳基, 印度),木剌夷, 報達, 西里亞, 斡羅斯(欽察, 康里, 馬札兒, 波蘭)

이렇듯 가소민은 몽골의 기원에서부터 시작하여 몽골 제국의 정치, 경제, 문화 인물에 관한 상세한 기술들을 더하였고, 몽골제국 이후의 몽골역사도 간략하나마 기술하였다. 또한 「外國傳」에서는 몽고제국의 판도를 드러낼 수 있는 당시 세계 여러 나라들에 관한 기사들을 포함시켰다. 이러한 집필이 가능했던 것은 청대 『사고전서』의 편찬 과정에서 전개된 방대한 사료의 수집, 청대 몽원사지학 연구의 축적, 서구학계의 몽골 연구성과들의 유입으로 말미암은 것이었다. 뿐만 아니라 청제국의 확장과 붕괴라는 소위 '근대'로의 전환을 경험하면서 세계 인식의 지평이 확대되었기 때문이었다.

5. 맺음말

이상에서 17세기부터 20세기초까지 전개되었던 몽원사 연구의 흐름과 그 연구 가운데 반영된 각 시기 청대 한인 지식인들의 '몽골제

43) 『新元史』 卷249, 「外國傳」에서부터 『新元史』 卷257, 「外國傳」까지 참조.

국' 인식을 살펴보았다. 청대 몽원사 연구는 청대 고증학을 바탕으로 진행된 학문적 성과의 축적, 청 만주 통치자들의 역사 편찬에 관한 관심,[44] 청대 정복 지역의 역사, 지리학 및 종족에 관한 연구의 활성화[45] 등의 배경하에서 전개되었다.

강희 연간 중국 전역의 지배를 공고히 하고, 내륙아시아 지역 중에서 북방의 몽골을 장악한 시점에 몽원사 연구가 시작되었다. 가장 일찍이 진행되었던 몽원사 연구로서 강희 32년(1693)에 집필된 소원평(邵遠平)의 『元史類編』은 할하 몽골이 청에 공식적으로 편입되고 청의 몽골지역에 대한 지배가 강화된 시점에 출현하였다. 소원평의 『元史類編』은 기존에 청 전기 고증학적인 학문 성과로서 고조부가 완성하지 못했던 『弘簡錄』의 『元史』 부분을 완성한다는 명목으로 집필된 것으로 파악되어왔다. 그러나 그 집필 시점을 고려해볼 때 저술의 또 다른 의도가 내재되어 있었던 것으로 파악된다. 중요한 정치적 중심지역과 몽골의 중국의 조운(漕運)을 활용하여 중국 내지의 물자를 대도까지 운송했던 사실들을 기술하면서 청 황제에게 통치의 지혜를 제공하고자 했음이 엿보인다. 또한 기존에 『元史』에서 따로 입전(立傳)하지 않았던 서역의 지리적 정보가 상세히 기록되어 있다는 점을 미루어 당시 준가르 복속을 통해 西域으로의 진출을 꾀하는 청조에 중요한 정보를 제공하였던 측면이 있던 것으로 파악된다.

몽원사 연구는 청이 서북의 준가르를 복속한 이후 본격화된다.

---

44) 馮爾康, 『清史史料學』, 北京: 古宮出版社, 2012, 8~15쪽.

45) 청의 지도제작과 민족지 작업의 출현에 관해서 Laura Hostler의 Qing Colonial Enterprise에서 상세히 다루고 있다. Laura Hostetler, Qing Colonial Enterprise, Chicago: University of Chicago Press, 2001 참조, 청대 복속된 준가르 지역[新疆] 및 몽골에 관한 연구는 郭麗萍, 『絶域與絶學』 참조.

가도(嘉道) 연간 이래로 진사(進士) 급제하여 관직을 역임하였던 청조의 지식인들이 몽원사 연구에 뛰어들어 활발한 연구성과를 배출했다. 청이 신장을 정복하게 되면서 조정의 후원하에 이 지역을 통치하기 위한 지식을 집대성하고 서적을 출판하였는데, 여기에는 신장의 지명사전, 지역 지도층의 가계도, 분량이 긴 역사·지리 저작 및 현지에 대한 기술, 대규모 지도에서부터 신장에 있는 다양한 민족에 대한 보고서들이 포함되었다. 이 시기 몽원사 연구는 청 중기 이후 제국의 영토적 팽창이 극에 달했던 시점에 다종족을 포괄하는 제국의 역사상을 청조에 제시하였던 측면이 나타난다. 이 시기 몽원사 연구는 제국의 역사적 계보를 이어 청이 몽골제국을 계승함으로써 제국 통치의 정당성의 기반을 마련해주었던 셈이다.

그러나 이후 몽원사 연구에 더 큰 원동력이 되었던 것은 19세기 중엽 이후로 전개된 청제국의 대내외적인 위기 상황이었다. 청제국은 러시아를 비롯하여 영국, 프랑스 등 서구 열강의 침입을 겪으면서 러시아와는 신강 지역에서 충돌하고, 동부연해에서는 영국을 비롯한 열강들에게 문을 열어 주었다. 청말 서구열강과의 충돌로 말미암은 강역의 균열과 제국의 몰락에 직면한 관료출신의 한인 지식인들의 위기의식의 발로로 몽원사 연구가 심도있게 진행되었다. 이러한 문제의식은 대표적으로 위원의 『元史新編』에서 잘 드러난다. 그는 강역에 대한 문제의식을 갖고 집필한 『海國圖志』의 저술 과정에서 원의 강역에 주목하게 되었다고 밝히고 있다. 원의 통치권이 인도 북부, 중앙아시아, 러시아 지역까지 미치고 있음을 인식한 그는 『元史新編』을 통해 몽골제국의 강역을 회복시키고자 하였다. 이러한 인식은 『元史新編』 가운데 몽골제국의 칭기즈칸, 우구데이, 뭉케의 정복전쟁 기사에서 상세히 나타나고 있다. 그는 여기에서 몽골 정복 초기 이래로 몽골초원과 서역에서의 군사활동, 자연 지리, 사람과 풍속에 관한 상세한 기술을 통해 기존에 『元史』에서 담아내지 못한 몽골제국의 역사상을 드러내고자 하였다.

청말 민초시기는 몽원사 연구가 집대성된 시기로 평가된다. 대표적으로 도기(屠寄)와 가소민(柯劭忞)의 연구에서는 저술 범위가 중국 경내에 한정되지 않고 몽골제국 시기의 전 지역을 아울러 개괄하고 있다는 점이 주목된다. 이러한 인식의 지평의 확대는 한 세기 이상을 걸쳐 축적되었던 몽원사 연구의 성과의 기반 위에 페르시아, 아랍어 사료를 바탕으로 진행된 서구의 몽원사 연구 성과의 유입으로 가능한 것이었다. 청제국의 몰락을 경험했던 가소민(柯劭忞)은 한문사료뿐 아니라, 몽골인이 저술한 몽골사, 서구의 몽골사 연구성과들을 통합하여 몽골제국의 역사상을 복원하고자 하였다. 그가 쓴 『新元史』에는 몽골제국 초기와 제국 몰락 이후 북원(北元) 초기의 역사가 기록되어 있다. 또한 몽골제국의 판도에 편입되었던 지역으로서 시리아, 바그다드 등의 서아시아 지역을 비롯하여 러시아 지역까지 기술하고 있어 몽골제국의 역사상을 복원하는 데 중요한 기여를 했다고 생각된다. 그리고 그가 집필한 『新元史』는 북양(北洋)군벌시기 25사(史)에 편입되어 정사(正史)의 반열에 올랐다. 이는 청제국에서 이루어졌던 몽원사 서술의 계보가 근현대 중국으로 이어졌음을 반영하고 있는 것이다.

참고문헌

1. 사료

『元史』(宋濂 撰, 北京：中華書局, 1975)
『元史類編』(邵遠平 撰,『續修四庫全書』, 上海：上海古籍出版社, 1995)
『元史新編』(魏源 撰,『續修四庫全書』, 上海：上海古籍出版社, 1995)
『新元史』(柯劭忞 撰, 上海：開明書店, 1935)
『清史稿』(趙爾巽, 柯劭忞 撰, 北京：中華書局, 1977)
『海國圖志』(魏源 撰, 臺北：成文出版社, 1967)

2. 연구서

王愼榮,『元史探源』, 長春：吉林文史出版社, 1983.
陳高華,『中國古代史史料學』, 北京：北京出版社, 1983.
黃兆强,『清人元史學探研－清初至中葉』, 臺北：稻鄉出版社, 2000.
郭麗萍,『絶域與絶學』, 北京：三聯書店, 2007.
葛兆光,『宅玆中國』, 北京：中華書局, 2011.
陳得芝,『蒙元史研究導論』, 南京：南京大學出版社, 2012.
馮爾康,『清史史料學』, 北京：古宮出版社, 2012.
Laura Hostetler, *Qing Colonial Enterprise*, Chicago：University of Chicago Press, 2001.
Peter C. Perdue, *China Marches West：The Qing Conquest of Central Eurasia*, Cambridge：Harvard University Press, 2005(피터 퍼듀, 공원국 역,『중국의 서진』, 도서출판 길, 2012).

3. 연구논문

김호동,「1864년 新疆 무슬림 반란의 초기경과」,『동양사학연구』24, 1986.
崔韶子,「魏源(1794~1857)과『海國圖志』」,『梨花史學研究』第20·21合輯, 1993.

이평래, 「清末 몽골 지역의 新政」, 『역대 중국의 판도 형성과 변강』, 한신대학교 출판부, 2008.
최희재, 「清 嘉慶道光期 西北史地學 연구의 역사적 의의」, 『역사문화연구』 53, 2015.
이선애, 「外國(tulergi gurun)에서 外藩(tulergi golo)으로－17세기 청-할하 관계」, 『명청사연구』 43, 2015.
張承宗, 「清代的元史研究」, 『史學史研究』, 1992-4.
丕　顯, 「清代西北輿史地學與元史研究」, 『甘肅社會科學』, 1993-1.
陳得芝, 「蒙元史研究與中西學術的會通」, 『江海學刊』, 2000-3.
李廷勇, 「晚清蒙元史研究的新風氣」, 『浙江學刊』, 2001-5.
游相錄, 「近代著名史學家柯劭忞」, 『華夏文化』 2, 2008.
李峻杰, 「從使臣到史家：洪鈞使歐事迹論述」, 『史林』, 2013-5.
劉佳佳, 「柯劭忞『新元史』編纂成就及史料價值研究」, 華中師範大學碩士學位論文, 2013.

함경도 지식인들의 시선에서 본 간도문제

은정태

1. 머리말

간도문제(서북간도의 유민문제와 영토문제)가 제기되어 기본구조가 만들어진 것은 대체로 1880년대부터 1909년까지이다. 그런데 이 시기 간도문제의 해결을 요구하며 정부에 제출한 100여 건 이상의 각종 청원서와 상소문 등을 보면, 그 작성자가 대부분 함경도, 그중 함경북도 출신이었다. 서간도 문제를 염두에 둔다면 평안도 출신 인사들이 있을법한데 전무했다. 연해주 지역의 주민 보호문제 제기도 함경도 지식인들이 주도했다. 『皇城新聞』의 간도 관련 언설과 『大韓疆域考』의 장지연으로 알 수 있듯이 중앙 언론과 출판물의 간도담론에 일부 서울과 남부지방 출신 지식인들이 덧붙여지는 정도였다. 간도문제에 함경도 출신 지식인들의 독무대가 된 이유, 혹은 서간도 지역에 대해서조차 평안도 출신 지식인들이 적극적이지 않았던 이유가 궁금

해졌다.

간도문제가 함경도 출신 인사들의 독무대가 된 이유는 단순하게는 두만강을 건넌 유민들이 대체로 함경도 출신이었기 때문일 것이다. 북간도는 말할 것도 없고, 월강(越江)이 본격 시작된 고종 초기인 1870년대 서간도 지역을 조사한 보고서인 『江北日記』에 함경도 무산 출신이 대부분이었다는 기록이 있는 것으로 보아 서간도 지역조차도 함경도 출신 유민들이 많았다. 『江北日記』의 저자가 조사한 곳은 압록강 중류지역인 혼강 일대(현재 집안, 통화, 임강 일대로 초산, 자성, 후창 대안지역)였다. 서간도 지역조차 함경도 출신 유민들이 다수를 차지하여 그들의 보호관리 문제가 대두되어 간도문제는 함경도 출신 지식인들의 몫으로 남게 된 이유가 아닐까.

또 다른 이유는 1880년대 간도문제가 제기된 배경 때문이었다. 처음 영토문제가 제기되었을 때 백두산 동북의 북간도 지역만이 논의되었다. 백두산정계비 문제와 연동되었는데, 당시 서간도 지역은 거론된 바 없었다. 서간도 지역이 논의되기 시작한 것은 유민문제가 본격 대두된 대한제국기부터였다. 서간도 지역에는 영토문제로 접근할 때 고토회복 논리뿐으로 북간도 지역처럼 백두산정계비와 같은 재료가 없었다. 게다가 북간도와 달리 서간도의 경우에는 현지 유민들과 청국 자치조직 및 본국 지방관과의 충돌이 초기 국면을 압도하였다. 1900년 의화단사건, 1904~5년 러일전쟁 국면까지 이어졌고, 식민지 전후에는 현지 주민들 사이에서 복군(復郡) 운동과 자치운동의 갈등으로 이어졌다. 이처럼 정치적 폭발력이 강한 영토문제가 제외되고 유민문제가 주로 제기된 서간도 지역에 대한 평안도 지식인들의 관심은 상대적으로 함경도 지식인들의 그것보다 약했던 것이다.

간도문제를 둘러싼 지역별 상이한 반응의 간극을 서울의 지식인들,

특히 언론 및 정부가 메워가고 모든 한국인들의 관심사가 되는 과정이 곧 근대 한국의 영토민족주의 형성과정이라 할 수 있다. 적어도 그때까지 간도문제는 함경도의 문제, 보다 좁게는 함경북도의 문제였던 것이다.

청의 북경 진출과 만주 변금정책에 따라 6진 지역의 군사적 긴장이 해소된 조선 후기 이래 함경도가 이 정도의 국가적 아젠다를 가진 적이 있었을까? 함경도의 지역적 가치는 19세기 들어 대외개방과 군사적 긴장이 고조되는 가운데 간도문제를 계기로 뚜렷이 부각되었다. 여기에 또 러시아 변수가 크게 작용하였다. 러시아와의 교섭에 따른 교류의 수요, 러시아의 만주진출에 따른 군사적 긴장, 간도문제에 러시아의 개입, 러시아의 남하정책에 따른 청국과 일본의 대응이 조선에 미친 영향 등으로 함경도의 위상이 그 어느 때보다 커져갔다. 청국과 러시아라는 외부를 향한 입구이자 출구였던 함경도로서는 변화된 환경이 새로운 기회였던 셈이다.

특정 공간을 특정 맥락에 위치지우는 과정은 곧 해당지역을 다른 지역과 다르게 만들어가는 과정이라 할 수 있다. 각 지역은 자신을 특권화함으로써 세상에다 자신을 발신했다. 이 과정에 많은 사람들이 개입(기획, 생산, 전파, 재생산)되어 하나의 지역의식이 만들어질 수도 있다.

본고는 함경도 출신 지식인들이 간도문제를 국가적 아젠다로 부각해나가는 과정에 주목하고자 한다. 간도문제는 함경도의 조선왕조와 중앙에 대한 인정투쟁의 영역이었다. 여기에는 함경도의 시선과 중앙정부의 시선이 만나는 지점이 뚜렷하고, 그리고 시대적 전환기를 맞아 전통과 근대가 만나는 지점을 확인할 수 있다. 함경도 지식인들은 간도문제를 제기하면서 첫째, 왕실발상지론, 둘째, '두만강중심론'

을 제기하여 함경도의 지역가치를 부각시켰다. 전자는 대한제국의 '적자(赤子)'라는 자의식과 맞물려 중앙정부에 진전된 함경도 대책을 요구하는 원천이었고, 이 과정에서 근왕의식을 더욱 강화시켰다. 후자의 '두만강중심론'은 중화문명 중심지 이동론을 끌어들여 두만강 좌우 일대 지역을 문명의 중심지로 특권화하였다. 두 사안은 제국주의의 영토팽창 논리와 접점을 이루었으며, 황실의 해외망명 추진과도 맞물려 독립운동기지론과도 연결되었다.

아울러 본고는 간도문제를 국가간의 문제로만 보지 않고 지역문제로 파악함으로써 경계지역의 장소성에 주목하였다. 지역문제가 국가문제로 전환되고 다시 중앙에서 지방을 재규정하는 상호 작용과정을 살펴봄으로써 중앙에 의한 지방 포섭, 지방의 특권화 과정을 드러내어 지역의식 형성의 맥락을 파악하고자 하였다.

본고는 각주를 별도로 달지 않았고, 말미에 참고문헌을 덧붙이는데 그쳤다.

2. 러시아와 함경도

조선시대 함경도와 관련된 대부분의 기록은 항상 기호, 영호남 지방과 구분하여 언급되었다. 지세와 기후는 척박하고, 풍습과 인심은 여진의 유풍이 남아있으며, '尙武之鄕'으로 일컫고 있으나 병자호란 이후에는 사실상 퇴색했고, 선비들의 위상은 평민들과 별 차이가 없었고, 일부 선비들이 경학을 논하지만 볼만한 것이 없다는 평가 일색이었다. 『擇里志』는 서북지방을 사람 살만한 곳이 못된다고 하였으며, 서울 사대부는 서북 인사들과의 혼인을 꺼렸고, 서북 인사들

스스로도 서울의 사대부와 혼인을 맺을 마음을 접고 있었다. 함경도가 조선사회에서 유일하게 기댈 것은 '豊沛之鄕' 즉 조선을 개국한 이성계와 그 조상들의 활동무대였다는 점뿐이었다. 조선시대 많은 글에서 이를 강조하고 있지만, 특히 조선후기에 들어서 대외적 긴장이 약화되면서 대부분 레토릭에 불과하였다.

조선시대 함경도 출신 인사들은 중앙정계 진출에 많은 어려움이 있었다. 서북의 지식인들은 조선 개국 이래 "西北人은 勿大用하라는 李太祖의 咀呪"라는 말로 자신들의 중앙정계 진출에 제약이 있어왔다고 인식하였다. 조선후기 과거 합격자 통계나 중앙고위직 진출자 통계 자료는 이를 증명한다. 서북 인재의 등용을 밝힌 국왕의 전교(傳敎)는 수없이 있었지만 대부분 문구에 그쳤다.

19세기 후반에 들어 이런 흐름은 변하기 시작했다. 러시아의 등장 때문이었다. 고종시대 이전까지 함경감사가 정부에 보고한 중요 현안은 개시(開市), 친기위(親騎衛), 도시(都試), 정배(定配), 진상(進上), 환곡, 농형(農形) 등이었다. 그러나 1860년대 들어 러시아와 청국으로 유민들이 대량 발생하여 범월(犯越) 방지와 쇄환(刷還) 문제가 현안으로 떠올랐다. 함경도의 통치기반 자체가 몹시 취약해져 함경도의 환곡탕감 조치와 지방관 교체로 유민 발생 원인을 제거하는 과정에서 자연스럽게 함경도가 주목 대상이 되었다. 좁게 보면 함경북도 지역이었다.

1865년부터 러시아의 접근이 시작되었다. 초기 러시아는 연해주 지역 주둔군의 육류보급지로서 함경도 지역을 주목하고 통상을 위해 조선과의 접촉을 시도했으나 거부되었다. 중앙정부의 방침 때문이었다. 러시아의 연해주 당국이 유민들의 초기정착을 지원한 행위는 '조선인을 불러들여 개간'한다는 것으로 인식되었다. 1869~70년 '기경(己庚)대기근' 이후 더 많은 한인들이 연해주로 이주하였다. 이번에는 조선측에서 유민쇄환 문제를 두고 러시아에 접근하였다. 그리고 수령교체, 암행어사와 안무사의 파견, 환곡대책 등 두만강에만 의지하지 않는 몇몇 개혁 조치로 범월을 막으려 했다. 그렇다고 해도 조선 정부가 러시아에 대해 큰 위기감을 갖고 있지는 않았다. 그런데 1879년부터 이리사건의 위기가 이홍장을 통해 조선에 전파되었을 때 러시아에 대한 부정적인 정보가 조선에 넘쳐났다. 다른 서양열강과 달리 영토에 대한 야심이 강하다는 것이었다. 1880년 일본에서 『朝鮮策略』을 들고 온 김홍집은 러시아가 함대를 편성하여(16척, 각 3천명) 조선을 경유해 산동반도를 거쳐 북경을 공격할 것이라는 소문을 전하였다. 청국의 러시아관을 담은 『朝鮮策略』의 수용, 조미수교와 통리기무아문 설치, 조사시찰단과 영선사 파견 등, 러시아문제는 개항 초기 조선 정부의 대내외정책 추진의 배경이 된 것은 주지의 사실이다.

이리사건은 조청일 삼국 모두에게 러시아에 초미의 관심을 두게 하였다. 조선 정부는 그동안 진전이 없던 청국과 러시아 거주 유민들을 재차 쇄환하고 지방재정을 개혁하는 한편, 러시아의 동향을 파악하기 위해 청국과 협의해 나가고, 자체적으로 러시아의 실정을 잘 아는 유민 가운데 재주와 지략이 뛰어난 자를 관리로 등용하기 시작했다. 1881년 봄 러청간에 조약이 체결되어 이리위기는 해소되지만 함경도 출신의 러시아 전문가의 등용은 이후 지속되었다. 1881년 전 함경감사 김유연의 안무사 임명, 1883년 서북경략사 어윤중의 임명은 모두 재정개혁, 유민쇄환, 인재등용과 관련되어 있었다. 1884년부터는 안무사를 함북 경성에 상주시키고 관찰사로서의 역할을 수행하도록 했다. 이때 함경도를 남북으로 분도(分道)했다거나 안무사를 '北道監司'로 불렀다는 기록도 있다. 경략사에 이은 안무사의 임명에 대해 함경감사는 함경북도가 떨어져 나가 자신의 사무가 간단해져 다스리기가 어렵지 않게 되었다는 반응을 보일 정도였다. 남북도의 분리 관념과 안무사의 경성 주재는 모두 러시아의 등장을 배경으로 하였다.

1880년대 들어 중앙정계에 진출한 함경도 출신 인사들은 대부분 러시아와 관련된 인물들이었다. 활동지역과 중앙정계와의 관계, 대외정책 등에 따라 크게 세 부류로 나눌 수 있다.

첫째는 경성 출신의 장박(張博, 1849~1921)과 경흥 출신의 김학우(金鶴羽, 1862~1894)이다. 삼촌 김인승(金麟昇)을 따라 어릴 적 블라디보스톡으로 이주한 김학우는 블라디보스톡에 들어온 일본 관리와 관계를 맺고 일본에 건너가 교사생활도 하였다. 그가 서울 관계에서 활동하게 된 것은 장박의 지원 덕분이었다. 장박은 1880년 왕명을 받고 '邊界事' 때문에 연해주로 갔는데, 그곳에 머물고 있던 김학우를 만났고 1882년 서울에 함께 돌아와 김학우를 정부에 천거하였다. 장박은 『漢城旬報』 제작에 참여하였다. 주목되는 것은 '변계사'인데, 이리위기에 따른 러시아의 동향파악일 것으로 추정된다. 김학우는 최적임자였다. 김옥균이 동남제도개척사겸포경사(東南諸島開拓使兼捕鯨使)로 활동할 때 종사관이었던 백춘배(白春培)도 1882년 러시아 채탐사(採探使)로 활동한 바 있는데, 김학우를 만난 기록에서 러시아의 조선 침략 가능성을 경고하기도 하였다. 장박, 김학우 등은 블라디보스톡에 거주하면서 러시아의 동향파악에 적극 나선 공로를 인정받아 중앙의 관리로 진출할 수 있었다. 김학우는 기기국, 전환국, 연무공원, 전운서 등 개화자강정책 추진기관에서 선박, 무기, 전선사업에 업적을 남겼으며, 갑오개혁 당시에는 법부협판에 올랐다. 김학우는

1886년 '2차조로밀약'과 연관된 러시아 전문가로서 개화파와 일본과 연계를 가졌으며, 백춘배는 김옥균과 가까운 위치에서 러시아의 침략 가능성을 계속 제기하였다. 이처럼 첫 번째 부류는 개화파, 일본과 연계를 가지며 러시아에 비판적 입장을 견지하였다.

두 번째 부류는 『江左輿地記』, 『俄國輿地圖』를 남긴 신선욱(申先郁)과 김광훈(金光勳) 등이다. 두 사람 역시 일찍부터 연해주로 이주하였던 함경도 출신이었다. 이들은 왕명에 따라 1882년 9월부터 11월까지 연해주를 여행하고, 러시아 국경수비상황과 그들의 생활상 및 연해주 29개 지역의 지도와 도설을 기록해 보고하였다. 러시아 정보 요구는 이해 5월 러시아의 통상조약 체결 의사 피력 때문에 나왔다. 이듬해 이들은 왕명에 따라 조러간 조약체결을 남우수리국경행정관에게 타진하기 위해 연해주로 갔고, 또 1884년에는 친군전영사 한규직(韓圭稷) 등과 연계되어 '1차 조로밀약'의 실무자로 활동하기도 하였다. 한규직은 김옥균 등의 친일파, 김윤식 등의 친청파와 달리 자신들을 친러파로 자임하였다. 러시아 현지 조사의 공을 인정받은 김광훈과 신선욱은 또 다른 인물 채현식(蔡賢植)을 천거하였다. 채현식은 별입시(別入侍)로서 두 차례의 조로밀약에 국왕의 메신저 역할을 하였고, 1901년에는 변계경무서 교계관으로 임명되어 러시아측과 협의하였다. 경흥에는 러시아 유민만을 대상으로 한 문무과가 설치되었고, 유민 신국희(申國熙)는 이를 통해 경원부사로 임명되기도 하였다. 이들 두 번째 부류는 두 차례 조로밀약을 거치면서 상당한 타격을 입었으며, 러시아의 영향이 커진 대한제국기에 다시 등용되었다.

세 번째 부류는 명천 출신의 이용익(李容翊)과 김우현(金禹鉉) 등이다. 이들은 앞선 인물들과 달리 유민들이 아니었다. 이용익은 1882년 임오군란 직후 연해주의 조선인 장적(帳籍)을 거두어다가 서울에서

인쇄하여 유민들에게 송부하는 일을 벌이다가 러시아 관리에게 체포되어 경흥으로 압송되었다. 1883년 7월 러시아에 유랑한 조선유민 114명이 배를 타고 함경남도 단천으로 입항했는데, 경원과 경흥 출신인 이들이 고향으로 돌아가지 않고 당시 단천부사였던 이용익에게 돌아온 것은 1882년 사건과 관련있어 보인다. 김우현은 서북출신 급제자 가운데 조선후기 이래 처음으로 홍문관에 들어간 인물로 평가받는다. 임오군란 직후 서북인 등용 전교(傳敎)에 따른 조치로서, 그는 어윤중과 연계되어 있었다. 그는 1884~1886년, 1889~1895년까지 거의 8년간 경흥부사에 재임하여 초기 조러관계의 현장 책임자였다. 러시아와의 수로통상과 육로통상 개시 시점마다 경흥에 부임하였고, 두 차례의 조러밀약 논의의 연결고리로 활동하는 등 조선에서 최고의 러시아통이었다.

이처럼 1880년대 對러시아 정책 추진 과정에서 함경도 출신 지식인들은 중앙정계에 진출하였다. 연해주 지역 러시아의 동향 파악을 위한 현지조사, 양국간 교섭과정에서의 통역, 현지 조선 유민들의 쇄환 등의 일을 정부의 요구에 맞추어 펼쳐나갔다. 그러나 이들은 함경도 출신 유민으로, 러시아어를 할 줄 알고 연해주 현지 사정에 밝아 정부의 필요에 의해 주목받는 위치에 있었을 뿐이었다. 또 러시아에 대한 인식이나 소속 정치집단의 성향은 다양했다. 즉 이들 스스로가 중앙정부와 러시아의 매개자 역할을 넘어 이를 계기로 새로운 지역의식을 만들어갈 만한 위치에 이르지는 않았다.

이처럼 1880년대 들어 러시아와의 교류가 확대되면서 그 어느 때보다 중앙정부의 이해가 강하게 투사되는 환경이 마련되었다. 그 결과 함경도는 러시아를 향한 출구이자 입구로 자리매김할 수 있었다. 이러한 조건은 함경도와 중앙과의 연결고리가 되었고, 간도문제를 풀어가는 과정에서 이 연결고리는 더욱 튼튼해졌다.

3. '왕실발상지' 함경도

러시아 요인 등장 이후 특히 아관파천, 의화단사건, 러일간의 한반도를 둘러싼 각축과정에서 러시아와 연계된 인물들의 중앙정계 내에서 활동은 더욱 증가하였다. 특히 의화단사건을 계기로 한 만주위기의 결과 함경도는 '중아(中俄)의 변계', '삼국의 교계처(交界處)'라는 인식, 즉 변방(邊防) 차원에서 주목받았다. 이점은 평안도도 마찬가지로 1900~1902년에 대한제국의 지방군 증액의 대부분은 함경도와 평안도 지역에서 이루어졌다. 함경도의 사나운 성질은 용감하고 모험심이 강하다는 평가에 따라 잊혀지곤 했던 '尙武之鄕'으로 주목받을 수 있었다.

이것은 중앙정부의 함경도에 대한 시선이었다. 이 시선에 맞서서 함경도 출신 지식인들이 독자적인 지역의식을 견지했다는 기록은 찾아볼 수 없다. 오히려 함경도에서는 그 시선을 온전히 받아들여 이를 더욱 강화하는 방식으로 지역의 가치를 부각시키려 하였다. 조선 후기 이래 함경도 지식인들은 왕조의 발상지임을 강조하고, 노론계열의 중앙정계와 어떡해서든 연결지어 생존을 모색해온 유산이 있었다. 서울로부터 똑같이 차별을 받았지만, 기호에 맞서 평안도 지식인들이 함경도까지 끌어들여 서북의 지역적 정체성을 견지하려 했던 흐름과는 대비된다.

함경도 지역의식은 많은 경우 중앙중심주의에 대한 열등감의 표출로 서울을 올려다보고 서울과 견주어 나타나게 되는 편차에 일방적으로 부끄러움을 갖고 있었다. 지역 내부에서 중앙에 맞서서 지역의 배타적 가치를 부풀리고 절대시하는 태도는 보여주지 않았던 것이다. 부족한 컨텐츠와 미약한 정치세력이 주된 이유였을 것이다. 다만 다른 지역과 경쟁하는 과정에서 서북에 대한 차별이 부각되었을 때, 유력 정치인들을 중심으로 강한 단결력을 보여줄 뿐이었다. 대한제국에 들어 그 지역 기반이 강화되고 중앙정계 진출이 확대되었지만 스스로 조심스러워하였고, 멸시받는 흐름은 여전히 이어졌다. 1901, 1903년 이용익에 대한 정부대신들의 비판은 그러한 의식과 무관하지 않았다.

이러한 조건에서 함경도는 조선왕조와의 연계 요소를 부각하는 방식을 통해 지역 기반을 강화해 나갔다. 함경도의 근왕의식은 생존수단이었다. 이런 흐름은 간도문제 논의과정에서 더욱 뚜렷해졌다.

간도문제는 영토문제와 주민문제였다. 1880년대 조선측의 선제적 문제제기로 간도문제가 성립되었지만 속방질서 하에서 결국 청조의 '流民安置' 정책으로 귀결되었고, 그 결과 영토문제와 주민보호 문제는 잠복되었다. 그런데 청일전쟁 이후 양국 관계가 변하고, 압록강과 두만강 연안의 긴장이 고조되면서 간도문제는 다시 부각되었다.

1898년 종성 출신 오삼갑(吳三甲)의 상소를 필두로 주민보호, 관리파견, 군대 혹은 경찰의 주둔, 청국과 러시아와의 협상을 통한 영토문제의 해결 등의 요구가 잇달았다. 필자가 확인한 바로는 대한제국의 독자적인 간도정책 추진기였던 1897년부터 1907년까지 함경도 출신 지식인들이 정부와 지방관 및 언론에 간도문제를 제기한 소장, 상소, 청원서, 신문기고 등의 건은 60건 이상에 달하였고, 서간도와 연해주의 주민보호문제까지 포괄하면 100건이 넘었다(본고에서는 이를 '청원운동'이라 지칭). 어떤 건은 수십 혹은 최대 수백 명 단위의 규모로 이루어졌고, 어떤 인물들은 중앙정부와 지방관 및 언론을 상대로 반복적인 주장을 펼쳤다.

'청원운동'은 크게 3시기로 나눌 수 있다. 1기는 1899년 한청통상조약 체결 전후, 2기는 의화단사건 이후 '淸匪'의 등장에 따른 변계경무서 설치 및 이범윤 파견 시기, 3기는 러일전쟁 종료 후 통감부의 간도파출소 설치 이전 시기 등이다. 모두 간도정책에 중요한 변화를 담고있는 관서 설치 혹은 관리 파견 문제와 맞물려 있었다.

1기 청원운동을 주도했던 인물은 오삼갑, 최제강(崔齊崗), 지창한(池昌翰) 등으로 두만강 연변 각군의 전직 관리들이었다. 한청통상조약 협상과 맞물려 유민보호와 경계획정을 강하게 요구하였다. 2기 청원운동을 주도했던 인물은 한태교(韓台敎), 이승호(李昇鎬), 지용규(池龍奎), 장봉한(張鳳翰) 등으로 함경도 출신의 간도 거주 유생들이었다. 이들은 간도관리사 이범윤이 추진한 간도 한인에 대한 호적 조사와 사포대 운영에 중요한 역할을 하였다. 또 이들은 종성의 대표적 유학자 김노규(金魯奎)와 연계되어 『北輿要選』 간행에도 관여하였고, 러일전쟁 이후에는 이범윤과 함께 러시아로 이동하여 의병운동에 참여하였다. 2기에는 1880년대 러시아와의 교섭 수요 증가로 중앙정계에 진출했던 이용익과 채현식도 크게 활동하였다.

3기에는 일진회의 움직임이 두드러진다. 초기에는 서울의 일진회 본부에서 주도했지만, 1907년부터는 주범중(朱範中), 김현묵(金賢默) 등 일진회 북간도 지부 관계자들이 전면에 나섰다. 간도 개발과 이민에 적극적이던 일진회는 영토문제 해결과 관리파견을 주장하며 정부 간도정책의 계승자임을 자임하였다. 이처럼 대한제국기 간도문제를 둘러싼 '청원운동'에는 함경북도와 관련된 관리, 지식인, 주민 등 다양한 인물들이 참여하고 있었다.

‘청원운동’은 간도문제가 함경도의 당면 과제이며, 더 나아가 대한제국의 국가적 아젠다임을 끊임없이 강조하였다. 그것은 두 가지 결여된 것을 채우는 과정이었다. 첫째는 타국에서 고통받고 있는 자국민 보호라는 근대국가의 구성원리라는 측면에서, 또 하나는 상실한 왕조발상지의 복구라는 왕조국가의 유산이라는 측면에서였다.

우선 유민보호 논리를 살펴보자. 청일전쟁과 의화단사건을 거치면서 함경도 일대의 변경에서는 ‘淸匪’와의 대규모 충돌이 일상화되어 변경민의 삶이 크게 악화되었다. 이에 따라 유민 ‘安業’ 문제가 현안으로 떠올랐다. 청원운동은 자연스럽게 간도 한인보호를 핵심 주제로 부각시켰다. 경찰 혹은 관리 파견을 통한 행정적 방법, 러시아를 이용한 외교적 방법, 진위대 파병 혹은 사포 설치를 통한 군사적 방법 등 여러 안이 제시되었다. 변경 위기가 어떤 의미가 있는지, 왜 핍박받은 자신들을 적극 보호해주지 않는지를 정부에 계속 묻고 주민보호 정책 추진을 지속적으로 요구했다. 이것은 중앙으로부터 소외된 현실에 대한 몸부림이기도 했다.

또 다른 논리는 왕조발상지의 회복이었다. 함경도=왕조발상지로 통칭되던 것에서 함경북도 간도=이성계 선조의 활동지라고 구체화되었다. 김노규의 『龍堂誌』와 『北輿要選』, 1903년 11월 이용익 등의 상소문은 모두 두만강 대안 간도 지역이 왕조의 발상지임을 부각시켰다. 간도관리사 이범윤은 경원 대안 흑정자(黑頂子) 지역의 동네 이름을 이성계 조부 목조(穆祖)가 활동했다고 알려진 알동(斡東), 해관(奚關) 등의 지명으로 아예 바꾸기도 하였다. 또 1903년부터 북간도라는 말이 사용되기 시작했는데, 이것은 ‘함북간도’의 줄임말로서 간도가 함경북도의 일부라는 태도였다. 왕조 발상지 회복은 함경도의 이해와 정확히 일치하였다. 특히 주민보호와 영토회복 정책 추진 과정에서 예견되는 관리파견, 군대주둔 그리고 관서의 설치에는 응당 현지 상층 지식인들의 요구가 반영되었다. '청원운동'을 전개한 대부분의 지식인들은 변계경무서, 진위대, 사포대 등에 참여하였다.

'청원운동'은 중앙정부와 인적으로나 내용적으로나 강하게 연결되어 있었다. 이용익, 윤택영, 이건하, 민병석 등 대한제국 정부대신들의 호응이 없었다면 간도문제가 이렇게 부각되지는 않았을 것이다. 김노규의 『北輿要選』은 간도관리사 이범윤의 요청에 의해 집필되어 함경도와 서울사람들의 후원을 받아 서울에서 간행되었다. 이 시기 많은 사람들에게 읽혀졌던 장지연의 『大韓疆域考』의 「白頭山定界碑考」는 대부분 『北輿要選』에 의지한 것이었다. 이용익은 서울의 함경도 출신 관리들을 모아 적극적인 간도정책을 주문하였고, 대한제국 간도정책의 실재 추진자였다. 윤택영도 의정 윤용선을 배경으로 김노규와 연계하여 간도문제를 자신의 정치적 입지 강화 수단으로 활용하고자 하였다. 이건하는 당시 내부대신으로서 유민보호와 관리파견의 책임자였다.

대한제국의 간도정책 추진에는 간도문제에 대한 러시아의 태도가 크게 고려되었다. 의화단사건 이후 만주를 장악하고 있던 러시아는 만주에서 청국의 국경을 변경시켜 제3국, 특히 일본이 개입할 소지를 미연에 막고자 하였다. 의화단사건 이후 한청간 영토문제나 주민보호를 위한 협정체결을 유도하고 변경에서 양국의 충돌시에 중재를 시도한 것은 러시아의 그러한 입장이 반영된 것이었다. 때문에 대한제국의 간도정책은 늘 조심스러웠다. 그렇다고 해도 대한제국은 영토회복의 기대를 숨기지 않았다. 중앙정부 입장에서는 함경도와 간도는 대한제국이 국제법적 보통국가로 혹은 '제국'으로서의 전망을 가지는데 그 가능성을 열어줄 공간이었다. 이때 '청원운동'을 벌인 함경도 출신 지식인들이 간도문제 해결을 위한 관리파견, 군대주둔 등에 소요되는 인력과 재정문제를 모두 스스로 마련할 수 있다고 자신함으로써 정부의 간도정책 추진에 현실적인 환경을 만들어주었다. 대한제국은 '청원운동'에 적극 호응하고 이를 명분으로 제한적이나마 간도정책을 추진하였던 것이다. 그래서 변계경무서 설치, 진위대의 증설, 시찰사 및 관리사 파견, 원수부의 사포대 군수물자 지원 등의 실질적인 조치가 추진되었다. 그 결과 간도는 함경도의 일부임이 강조되고 '舊疆恢復'으로 정당화되어 대한제국의 '제국'으로서의 국가적 정체성 견지의 시험대가 될 수 있었다.

조선후기 이래로 함경도 지역의 가치가 이때보다 중요해진 적이 없었다. 레토릭에 불과하였던 함경도=왕조발상지 관념이 지역적 실체를 가지게 된 순간이었다. 함경도 지식인들의 이러한 지역의식은 새롭게 형성된 것이라기보다는 이전부터 있었던 지역의식을 더욱 확장시켜 실체화한 것이었다.

'청원운동'은 황제의 '적자보호' 논리와 왕조 발상지라는 전통적인 문법에 의해 이루어졌다. 물론 이것은 함경도의 시선이 강하게 투사된 담론으로, 단군과 기자, 고구려와 발해를 적극 끌어들여 민족의 고토회복론을 견지한 평안도 지역과는 다른 접근이었다.

4. 김노규의 '두만강중심론'

대한제국기 함경도의 '청원운동'의 중심에는 이 시기 간도문제의 전범(典範)이라 할 수 있는 『北輿要選』을 편찬한 김노규(金魯奎, 1846~1904)라는 인물이 있었다. 김노규는 본관은 김해, 호는 학음(鶴

陰)으로 경원 출신이다. 윗대는 원래 남양 출신의 사족으로 16세기 후반 경원으로 이사하였다. 5대조 김대성이 송시열 계열의 학문을 전수받았고 김노규 자신도 송시열의 학문을 계승하였다. 일찍부터 과거 공부의 미련을 버리고 중화문명의 보존을 바란다는 의미에서 서재 이름을 '望華'라 짓고 명나라 유민으로 자처하며 성리학 연구에 몰두하였다.

김노규는 간도문제에 대해 일찍부터 주목해온 것으로 보인다. 한청통상조약 협상이 진행 중이던 1899년 3월 정부의 지시에 따라 경원군수 박일헌이 조사할 때, 그는 떠나기 전 김노규로부터 백두산 지도와 1880년대 감계 당시의 일기를 받아보았다. 김노규가 지역 지식인으로서 간도 관련 자료를 갖고 있었던 것이다. 이후 정부의 간도정책 추진 과정에 계속 관계를 맺었다. 의화단사건 직후인 1900년 9월에는 의정 윤용선의 손자이자 당시 영친왕부 총관이던 윤택영이 유민문제를 거론하며 변경대책에 대한 질문을 하자, 적극적인 변경대책이 나라의 원기를 부식하는 기본 방도가 될 것임을 역설하였다. 또 함경북도 관찰사와 접촉하면서 경원에 있는 목조(穆祖)의 활동지 용당(龍堂)에 전각을 세울 것을 밝혀 두만강 일대가 왕조 발상지임을 부각시켰다. 또 용당지(龍堂誌) 간행을 준비하던 중에 그 위망(威望)을 들은 간도 시찰 이범윤의 요청에 따라 북여요선(北輿要選)을 편찬해 정부에 올렸다. 이때 혁신유림이라 할 수 있는 유완무(柳完茂)에 의해서도 간도문제를 자극받았다. 유완무는 이범윤과 김노규 사이에서 메신저 역할을 하였다.

『北輿要選』은 김노규의 제자 오재영(吳在英) 등이 교정을 하고 이범윤의 수행원 한태교 등과 함께 정부와 민간의 지원을 얻어 1904년 봄에 출간되었다. 유완무와 오재영은 두만강, 백두산, 선춘령을 함께 답사하기도 하였다. 『北輿要選』이 정부에 올라오자 함경도 출신의 고위 관리 이용익, 주석면, 오상규, 태명식 등이 연명으로 정부의 적극적인 간도정책 추진을 청원하였다. 이로써 김노규는 중앙정부와 강하게 연결되었다. 이 과정에 등장인물도 상당하였다. 윤택영이 나섰고, 이용익 등이 한 축을 차지하며 사실상 간도정책을 추진해 나갔고, 여기에 김노규의 문인들, 간도현지의 이범윤 등이 지원하였다. 함경도 지식인이 이렇게 정부에 주목받는 경우는 없었을 것이다. 『北輿要選』은 『龍堂誌』의 필연적인 결과였고, 간도문제가 제기되면서 이범윤을 통해 중앙정부와 연결되어 중앙정부의 관심사로 부각될 수 있었다.

김노규는 흑룡강 경계론을 견지하며 그 중심을 두만강유역에 두었다. 이것은 백두산 지세론과 발상지 복구론을 바탕에 두고 있었다. 윤택영의 요구로 김노규는 그 동생을 고종에게 보내어 두만강이 "국토의 중앙이 되어 (나라가) 전일의 배에 이를 것이다"고 아뢰었다.

> 우리나라의 용세(龍勢)는 주체가 백두산이다. 그 부림에 좌익은 흑룡강, 우익은 압록강이고 가운데에 두만강을 품고 있으니, 3룡이 백두산에 굴종함을 알 수 있다. 고려의 경계는 압록강에 불과하여 두만강에 미치지 못했다. 본조(本朝)의 경계는 처음 두만강을 차지했지만 흑룡강에는 미치지 못했다. 저 흑룡강의 기운이 청나라를 이루어 중원을 차지한 지 거의 300년이 되었으며, 지금에 이르러 백두산과 다툴만한 기세가 없다. 우리 백성이 변경에 순찰이 없어 그곳에 들어가 거주하고 있다. 장차 흑룡강을 경계로 삼을 것인데 지금이 바로 그 때이다.(鶴陰集)
> 국내 4악(嶽) 7독(瀆)의 영(靈)은 대개 백두산의 원기가 양(陽)으로 향하여 나뉘어진 것이다. 두만의 독(瀆)은 백두 근방의 땅에 있어 성조(聖朝)가

최초로 발상한 근원이 된다. (중략) 고적에 기록된 곳이 8곳이고 반은 강의 오른쪽 반은 강의 왼쪽에 있다. 그러나 강의 왼쪽은 불행히도 야인이 침점(侵占)하여 나라의 모든 신민이 눈을 치뜨고 마음을 상하게 하였다.(北輿要選)

김노규는 백두산의 양익 가운데 하나인 흑룡강을 경계로 삼아야 하며, 그 중심에는 두만강이 자리한다고 본 것이다. 그런데 용세가 흐르는 이곳은 왕조의 발상지인데 일부가 두만강 너머에 있는 만큼 이를 회복하는 것이 관건이었다. 그곳에 많은 조선인들이 거주하고 있는 이때가 영토를 회복할 때라고 하였다.

김노규는 또 화이(華夷)가 시대에 따라 지역적으로 순환한다는 주장을 펼쳤다. 요순의 활동지 기북(冀北)에서 시작된 중화문명이 본래 사이(四夷)의 변방이던 주나라의 도읍지 기양(岐陽)으로 옮겨갔다가 공맹의 고향인 추로(鄒魯)와 주자의 고향 민중(閩中)을 거쳐 조선의 한양으로 이어지게 되었다는 것이다. 그리고 일본과 서양의 침략으로 인해 한반도가 이적의 땅으로 전락한 후, 서울에 있던 중화문명의 정통성은 순수함을 간직한 동북지역 함경도로 옮겨질 수밖에 없다는 인식이었다. 이제 그가 거주하던 함경도 경원, 즉 두만강 일대는 새로운 중화문명의 중심지가 될 수 있음을 역설한 것이다.(우경섭, 2014)

이처럼 김노규는 두만강과 백두산 일대를 재발견하였다. 두만강은 더 이상 국경이 아니라 중화문명의 새로운 가능성을 담지한 곳이 되며, 아울러 조선왕조의 유교문명 부흥과 새로운 중화세계를 건설할 수 있는 터전이 될 수 있었다. 두만강을 중심에 두고 흑룡강을 경계로 하며, 두만강 너머 왕조 발상지를 회복하는 것은 그가 꿈꾼 중화세계를 건설하는 첫 출발이었다. 이를 바탕으로 왕실을 두만강 일대로 옮기려는 구상, 이른바 '北遷'운동은 자연스러운 수순이었다. 다만 그 때가 문제였다. 『북여요선』 집필 후인 1903년 겨울 간도관리사 이범윤이 무산에서 사포대를 조직해 훈련시키는 한편 경원의 김노규를 찾아가 도움을 구했으나, 김노규는 시기상조라며 기다리라는 말만 할뿐이었다. 러일전쟁 발발 직전 이범윤의 사포대는 청병과 충돌해 패퇴하였고, 김노규도 이 해 사망하면서 국왕을 '北遷'하려는 운동은 수포로 돌아갔다고 한다. 당연하겠지만 사포대는 대부분 함경도 출신 간도 현지인들로 구성되어 있었다.

이처럼 김노규는 백두산 지세론에서 출발하여 문명중심지 변천론을 바탕에 두고 두만강중심론을 전개하였다. 러일전쟁 이후 왕조질서 자체가 요동치게 되자 연해주로 옮겨간 독립운동세력들 사이에서 북천운동이 계속 추진되었다. 이 일련의 방향에는 두만강중심론이 자리하고 있었다. 곧 이 시기 함경도는 간도 지역과 일체화되어 중화문명의 중심지, 대한제국의 천도지로 더욱 부각될 수 있었다.

『北輿要選』의 주장은 『大韓疆域考』의 「白頭山定界碑考」와 『增補文獻備考』의 「北間島疆界」에 그대로 반영되었다. 함경도 지식인들의 인정투쟁이 승리하는 순간이었다. 그러나 그 직후 대한제국은 붕괴되었고 함경도 지식인들의 지역구상은 사라지고 말았다.

5. 맺음말

간도문제를 통해 본 함경도의 지식인들의 지역의식은, 근대를 향하면서도 더 본원적인 옛 조선 즉 기자조선을 향하며 중앙(서울 혹은 기호)과 대결하려했던 평안도 지식인들의 그것과 대비된다. 함경도 지식인들은 근왕의식을 가지고 중앙을 향하고 있었던 것으로, 중심에 압도된 흔적을 그대로 보여주었다. 함경도에 대한 관심 호소와 주민 보호 논리는 황제의 '적자보존' 논리와 쉽게 연결될 수 있었다.

김노규의 두만강중심론은 함경도의 지역적 가치를 크게 부각시켰다. 경계문제를 그 출발로 삼으면서 중화라는 보편문명으로 그 경계를 넘어서려 한 것이다. 또 '북천'운동을 통해 두만강 일대를 새로운 문명의 중심지로 자리매김함으로써 조선왕조의 발상지에서 새로운 부흥을 모색한 것이다. 그런데 이 논리는 이민과 제국의 확장으로 경계를 넘어서려 한 또 다른 보편이 보여주는 힘과 연계될 수 있었다. 1910년 이전까지 대한제국의 간도정책의 가장 충실한 계승자는 통감부간도파출소와 일진회였다. 일진회는 '북천'운동처럼 자신들도 간도로 이주하여 새로운 국가 수립을 구상하기도 하였다.

이 시기 함경도 지식인들은 주변인으로서의 위치를 자각하여 새로운 지역의식을 만들어낸 것일까? 외부세계의 규정과 관습에 의해 규정되지 않고 자기존재를 또렷이 긍정할 수 있는 시공간은 보이지 않았다. 두만강중심론은 지역적 가치를 높였지만 또 다른 중심의 구축과정이기도 했다. 게다가 거기에 보인 유교문명은 '植民'과 동전의 앞뒷면일 수도 있었다.

왕조발상지론과 두만강중심지론은 국망과 유교문명의 쇠퇴로 더 이상 현실적인 의미를 지닐 수 없었다. 다만 이때 형성된 지역적 자산들과 인적네트워크가 후일 지역의식 형성에 중요 토대가 되었다. 19세기 이래 고조되었던 서울과 왕실을 향한 발신은 이제 중국, 러시아, 일본 등 외부를 향한 발신으로 바뀌었다. 독립운동, 사회주의 사상 수용, 해외유학이라는 지난한 시간동안 다른 맥락이 함경도를 규정했으며, 물론 이후 중앙에 의한 재포섭과정이 뒤따랐다.

본고는 1880년대 러시아와의 교류 과정과 간도문제를 계기로 형성된 함경도 지식인의 지역의식의 한 단면을 살펴보았다. 다만 주로 서울과의 관계를 중심으로 살펴본 나머지 외부를 향한 변경으로서의 자기의식에 대해서는 충분히 서술하지 못했다.

참고문헌

1. 사료

『北輿要選』
『龍堂誌』
『鍾城誌』
『間島開拓史』
『淸季中日韓關係史料』

2. 연구서

강석화, 『조선후기 함경도와 북방영토의식』, 경세원, 2000.
오수창, 『조선후기 평안도 사회발전 연구』, 일조각, 2002.

3. 연구논문

이광린, 「구한말 露領 이주민의 한국정계진출에 대하여－김학우의 활동을 중심으로」, 『한국개화사의 제문제』, 일조각, 1986.
고승희, 「19세기 후반 함경도 六鎭과 만주지역 교역의 성격」, 『조선시대사학보』 25, 2003.
고승희, 「19세기 후반 함경도 변경지역과 연해주의 교역 활동」, 『조선시대사학보』 28, 2004.
이왕무, 「조선 후기 『강북일기』에 나타난 만주지역 인식」, 『동북아역사논총』 4, 2005.
배항섭, 「韓露 수교(1884) 전후 조선인의 러시아관」, 『역사학보』 194, 2007.
은정태, 「대한제국기 '간도문제'의 추이와 '식민화'」, 『역사문제연구』 17, 2007.
반병률, 「러시아 연해주 한인마을 연추의 형성과 초기 모습」, 『동북아역사논총』 25, 2009.

이훈상, 「지역사, 지역사의 특성, 그리고 지역사회의 '정체성 만들기'」, 『영남학』 16, 2009.
이희완, 「백초 유완무의 생애와 민족운동」, 『인천학연구』 10, 2009.
장영숙, 「『內下冊子目錄』을 통해 본 고종의 개화관련 서적 수집 실상과 영향」, 『한국민족운동사연구』 58, 2009.
장유승, 「조선후기 서북지역 文人 연구」, 서울대 국문학과 박사학위논문, 2010.
노대환, 「백춘배(1844~1887)의 採探使 활동과 對러시아 인식」, 『역사문화연구』 46, 2013.
이동진, 「1900년 '강북'의 조선인－"강북일기"에 나타나는 변경과 변경민」, 『만주연구』 15, 2013.
우경섭, 「한말 두만강 지역의 유학자들－김노규와 김정규를 중심으로－」, 『한국학연구』 32, 2014.
이명종, 「근대한국인의 만주인식 연구」, 한양대 박사학위논문, 2014.
이왕무, 「고종대 한러관계의 구축과 『俄國輿地圖』의 제작」, 『한국학논총』 42, 2014.

찾아보기

집필진 소개

박혜정

경기대학교 사학과 초빙교수. 빌레펠트대학 박사. 독일현대사 전공. 주요 논저로는 "East Asian Odyssey towards One Region. The Problem of East Asia as a Historiographical Category"(History Compass, 12-12, 2014), 「문화와 냉전 : 전후 서독의 서구(Abendland: 西歐)담론의 냉전사적 위치」(『이화사학연구』 51, 2015), 「세계시민교육과 지정학적 세계전략 사이의 세계사 교육 : 미국과 독일의 차별적 세계사 교육을 중심으로」(『서양사론』 131, 2016) 등이 있다.

조 원

한양대학교, 단국대학교 사학과 강사. 북경대 박사. 몽골제국사 전공. 주요 논저로는 「大元제국 다루가치체제와 지방통치 : 다루가치의 掌印權과 職任을 중심으로」(『동양사학연구』 125, 2013), 「쿠빌라이시기 강남지역 色目人의 任官과 활약 : 江浙行省 지방관부-色目人 관원의 사례를 중심으로」(『중앙아시아연구』 19-2, 2014), 「大元제국시기 孛蘭奚(Bularqu)民과 元 정부의 관리 정책」(『중앙아시아연구』 20-1, 2015) 등이 있다.

정 면

서강대학교 디지털역사연구소 연구교수. 서강대 박사. 중국고중세사, 운남사 전공. 주요 논저로는 「'爨龍顔碑'를 통해 본 5세기 雲南 '西爨' 세력의 성격(『中國古中世史硏究』 18, 2007), 「唐代 '南中' 지역과 '西爨' : 「爨守忠墓誌」의 해석을 중심으로」(『東洋史學硏究』 110, 2010), 「'그려지는 것들'과 '그리지 않는 것들' : 어린이·청소년 역사책 속 동아시아 지도 분석」(『역사학보』 218, 2013), 『남조국(南詔國)의 세계와 사람들 : 8~9세기 동아시아의 서남 변방』(선인, 2015) 등이 있다.

이세연

한양대학교 비교역사문화연구소 HK연구교수. 도쿄대 박사. 일본종교문화사 전공. 주요 논저로는 「일본 중세무사들의 원한과 화해」(『일본사상』 27, 2014), 『사무라이의 정신세계와 불교』(혜안, 2014), 「패자 아이즈의 적군 전사자 제사와 그 정치적 맥락들」(『사림』 57, 2016) 등이 있다.

은정태

역사문제연구소 연구위원. 서울대 박사수료. 한국 근대사 전공. 주요 논저로는 「1899년 韓·淸通商條約 締結과 大韓帝國」(『역사학보』 186, 2005), 「을사조약 이후 청국정부의 한국 인식」(『역사와 현실』 66, 2007), 「고종시대의 경희궁 : 훼철과 활용을 중심으로」(『서울학연구』 34, 2009) 등이 있다.

김선민

고려대학교 민족문화연구원 HK교수. 듀크대학 박사. 중국 근세사 전공. 주요 논저로는 「滿鮮史, 滿學, 그리고 滿洲學」(『明淸史硏究』 38, 2012), 「한중관계사에서 변경사로 : 여진-만주족과 조선의 관계」(『만주연구』 15, 2013), 「朝鮮通事 굴마훈, 淸譯 정명수」(『명청사연구』 41, 2014), 「18세기 후반 청-조선의 범월문제와 경계관리」(『민족문화연구』 72, 2016) 등이 있다.

정순일

고려대학교 역사교육과 조교수. 와세다대학 박사. 일본고대사, 동아시아 해역사 전공. 주요 논저로는 『9세기 내항신라인과 일본열도(九世紀の來航新羅人と日本列島)』(東京 : 勉誠出版, 2015), 「신라해적과 國家鎭護의 神·佛」(『역사학보』 226, 역사학회, 2015) 등이 있다.

김보광

가천대학교 가천리버럴아츠칼리지 조교수. 고려대 박사. 고려사 전공. 주요 논저로는 「고려 내시 연구」(박사학위논문), 「고려 성종 현종대 태조배향공신의 선정과정과 의미」(『사학연구』 113, 2014), 「고려 내 다루가치의 존재양상과 영향」(『역사와 현실』 99, 2016) 등이 있다.

한승훈

고려대학교 한국사학과 강사. 고려대 박사. 한국근대사(개항기 대외관계사) 전공. 주요 논저로는 「朝英條約과 불평등조약체제의 재정립」(『韓國史硏究』 135, 2006), 『조약으로 본 한국근대사』(열린책들, 2010), 「고립정책과 간섭정책의 이중주 : 강화도조약에 대한 영국의 인식과 대응」(『역사비평』 114, 2016), 「영국의 거문도 점령 과정에 대한 재검토 : 갑신정변 직후 영국의 간섭정책을 중심으로」(『영국연구』 36, 2016) 등이 있다.